LA REINE DE L'ÉTÉ
3

D0587906

JOAN D. VINGE

JOAN D. VINGE

LA REINE DE L'ÉTÉ
3

TRADUIT DE L'AMÉRICAIN
PAR GILE BURWATKLE

ÉDITIONS J'AI LU

Collection créée et dirigée
par Jacques Sadoul

*A notre Mère à tous.
A ma mère
et à mes enfants.*

Titre original :

THE SUMMER QUEEN
Warner Books, Inc., N. Y.

Copyright © Joan D. Vinge, 1991
Pour la traduction française :
© Éditions J'ai lu, 1993

TIAMAT : Escarboucle

Sparks Marchalaube se frayait un chemin parmi la foule qui avait envahi le *Persiponë*. Il suivait Kirard Set Wayaways à travers la maison de jeu avec la sensation de remonter dans le temps. Il y avait eu un *Enfer de Persiponë* à Escarboucle, avant le Départ. La boîte était dirigée par la Source ; et il avait eu affaire à la Source alors, tout comme aujourd'hui. Parfois, il avait l'impression de vivre son existence à rebours, comme si hier était devenu demain, et que les souvenirs de son passé avaient resurgi dans la réalité présente tandis que la réalité, elle, ne cessait de se perdre dans une nébuleuse, comme en rêve.

Non... Il ne voulait pas, il ne devait pas considérer les choses sous cet angle. Il leva le bras et toucha le pendentif qu'il portait sous sa chemise. Il le portait constamment, comme il avait porté autrefois le médaillon qui avait appartenu à son père extramondien. La forme du pendentif était étonnamment similaire à celle du symbole qui figurait au-dessus de l'entrée du Hall du Survey que fréquentait BZ Gundhalinu, plus haut, dans la Grand-Rue. Mais celui-ci était orné en son centre d'un solii, la plus précieuse de toutes les gemmes.

Cette ressemblance n'était pas une coïncidence. Il l'avait appris ainsi que bien d'autres choses, depuis qu'il était devenu membre de la Confrérie, et du Survey. Gundhalinu avait amené le Hall du Survey local à accepter des Tiamatains. Il avait été parmi les premiers des nouveaux initiés, avec Kirard Set. Ces faits avaient définitivement modifié son existence.

Une fois qu'il avait connu l'existence du Grand Jeu et en était devenu l'un des acteurs, il avait senti se décupler sa perception de l'univers et de la place qu'il y occupait. Il en sentait l'entropie à tous les niveaux, il devinait la lutte incessante de l'ordre contre le chaos, il découvrait la facilité avec laquelle le chaos pouvait triompher de l'ordre d'une simple poussée, quels que fussent le combat des étoiles dans leur cours et celui des humains dans leurs vies pour maintenir la trajectoire. Le chaos avait toujours placé un bâton au hasard dans la roue de sa vie, le déstabilisant à chaque tour. Maintenant, Sparks avait enfin cessé de lutter contre le désordre et avait choisi de le saisir à bras-le-corps. Il voyait clair, même dans les ténèbres.

Ils pénétrèrent dans un couloir obscur, à l'arrière du club. Le fracas tonitruant de la salle disparut comme s'ils avaient franchi un champ, ce qui était peut-être le cas, même s'il n'avait rien éprouvé d'autre que le brusque frisson d'anticipation qui le saisissait toujours lorsqu'ils atteignaient cet endroit.

Ils prirent l'ascenseur au bout du couloir, un habitacle si dénué de caractéristiques qu'on aurait pu le prendre pour un placard, ce pour quoi on le prenait probablement. Un mouvement fut néanmoins perceptible lorsque la porte se referma. Vers le haut, lui sembla-t-il, bien qu'il ne pût en être tout à fait sûr. De même, il ne savait jamais si c'était le même mouvement et la même durée, d'une visite à l'autre. Le tout aurait pu être dicté par le hasard.

La porte s'ouvrit et une salle de réunion apparut. Ce n'était pas celle qu'il avait déjà vue, et qui était assez vaste pour contenir une bonne vingtaine de membres de la Confrérie. Celle-ci était plus petite, quoique presque identique, avec des murs dont les couleurs se modifiaient lentement, d'une façon presque hallucinogène. Mal à l'aise, il en détacha le regard et le fixa sur l'homme assis devant la table.

— Bonne journée, Reede Kullervo.

Kullervo eut un rire bref, comme si Kirard Set Wayaways avait énoncé une énorme stupidité, et regarda ailleurs, écœuré, tout en pianotant un rythme obsédant sur le plateau de la table.

— Vous êtes en retard, murmura-t-il à l'adresse du mur.

Sparks se demanda si c'était à eux qu'il parlait. Ils n'étaient pas en retard. Mais ce n'était pas la réunion à laquelle il s'était attendu. Son ressentiment contre Kullervo s'accrut d'un cran. Reede Kullervo lui avait déplu dès la première rencontre ; il se montrait tantôt maussade, tantôt hostile, et toujours d'une arrogance hautaine. Il y avait plus : Sparks devinait qu'il n'était pas simplement lunatique mais véritablement et complètement fou. Kullervo n'était qu'un « marqué » de la Source ; Sparks était la dernière personne qu'il eût pensé trouver dans cette réunion restreinte inattendue.

— Où sont passés les autres ? demanda-t-il.

— Les plans ont été changés, dit une voix qui semblait provenir des murs.

La Source. Le son de cette voix lui donnait la chair de poule, même lorsqu'elle n'était pas accompagnée de la manifestation physique qui commençait à apparaître, à l'autre bout de la pièce. Sparks regarda se concentrer, à l'extrémité de la table, une masse ténébreuse issue du néant. L'ombre s'épaissit, jusqu'à ce qu'il y ait parmi eux une présence informe mais indéniable. Sparks songea qu'il s'agissait d'une projection, d'un hologramme. Mais il savait que la réalité qui se dissimulait là-derrière existait quelque part. Il se contraignit à s'asseoir à la table, avec Kirard Set et Reede.

— Il y a eu une circonstance imprévue, poursuivit la voix ravagée et atone de la Source. La réunion a été reportée. Mais la Confrérie voulait connaître vos progrès dans vos diverses activités, aussi suis-je là pour recueillir vos commentaires. Sparks Marchalaube ?

Sparks s'arracha à la fascination de Kullervo, au spectacle de la haine féroce qui était apparue dans les yeux du jeune homme tandis qu'il regardait les ténèbres prendre forme. Un filet de sueur sillonnait sa joue, sa bouche se contracta au passage de la goutte, à la commissure de ses lèvres.

Sparks évita la masse obscure, au bout de la table.

— Comment va votre délicieuse épouse ? Avez-vous réussi à la convaincre qu'elle tirerait profit d'une extension de sa protection à certains de nos intérêts, et en ouvrant ce port à... (la voix sourit) ... un éventail de commerce beaucoup plus large, comme sa mère ?

— Pas vraiment, dit Sparks.

La Source émit un bruit dégoûté.

— Ainsi, elle est toujours entichée de son ex-amant, le nouveau prévôt de justice ?

Sparks pinça les lèvres. Les regards de Kirard Set et de Kullervo étaient posés sur lui.

— La Reine, mon épouse, obtient tout ce qu'elle veut de l'Hégémonie. (Sa bouche s'étira en un sourire.) Contrairement à Arienrhod, elle n'a pas besoin de nous.

Il haussa les épaules. Kullervo émit un reniflement amusé. Epaté malgré lui, Kirard Set esquissa un sourire.

— Comme c'est dommage ! (Au bout de la table, les ténèbres se modifièrent imperceptiblement.) Ma foi, dans le monde concret, toute question a toujours plusieurs réponses. Kirard Set Wayaways, comment va votre charmante famille ?

Sparks s'agita sur son siège. L'attention insaisissable de la Source se reporta sur son compagnon.

— Mon fils convoite Ariele Marchalaube, comme d'habitude. Ma femme convoite tout ce qui peut l'amener à se sentir plus jeune. Cette semaine, c'est un plasticien, je crois.

— Et l'idée d'un retour des Hiverniens au pouvoir, à l'arrivée de l'Assemblée, commence-t-elle à gagner du terrain ?

— Elle est en progrès, murmura Kirard Set avec un sourire suffisant. La plupart des Hiverniens sont pour. Quant aux Etésiens, ils sont si bien gagnés par le démon du progrès qu'ils pourraient accepter un transfert du pouvoir, du moment que la Reine continue à fausser l'équilibre du commerce en s'opposant à l'exploitation de l'eau de vie... à condition que le Changement soit provoqué à la manière traditionnelle. Ce qui sert admirablement notre but.

— Comment ça, « à la manière traditionnelle » ? demanda Sparks, intrigué.

— En noyant la Reine, tiens ! répondit Kirard Set.

Sparks se figea et le dévisagea, l'air idiot.

— Salopard sans mère ! explosa-t-il. Tu oses me dire en

face que tu as comploté le sacrifice de ma femme au Festival, comme si ça n'avait aucune importance ! Est-ce que tu comptes me noyer moi aussi, comme le faisait Arienrhod ?

Il fit mine de se lever.

– Putain ! lâcha Kirard Set en grimaçant. Toujours aussi soupe au lait, après tant d'années ? Rassieds-toi, Sparks, et laisse-moi t'expliquer...

– Il n'y a pas de véritable danger que la Reine soit sacrifiée, ni, pour être plus pragmatique, que vous le soyez vous-même, Marchalaube, dit froidement la Source. Ce n'est pas le but de cet exercice. Cessez de prendre les choses au pied de la lettre si vous tenez à vous élever dans nos rangs. Vous ne saisirez jamais les opportunités, pas plus que vous ne les saisissez dans votre propre existence, si vous partez du principe que les choses sont exactement ce qu'elles paraissent.

Sparks se rassit en espérant qu'il n'avait pas rougi.

– Pardonnez-moi, murmura-t-il. Eclairez-moi.

– Il s'agit de la Reine, certes. Mais il s'agit surtout de votre rival, BZ Gundhalinu. Il est amoureux de votre femme, et il est le seul à pouvoir passer outre à ses désirs, en ce qui concerne l'autorisation de mise en vente de l'eau de vie. Nous voulons le placer en situation de devoir choisir : ou protéger la Reine, ou protéger les ondins. Dans un cas comme dans l'autre, cela lui causera des difficultés et un chagrin considérables. S'il est contraint de choisir entre le sacrifice de la Reine et la violation de la sauvegarde des ondins, dont elle est si obsédée, que pensez-vous qu'il fera ?

Sparks demeura silencieux un long moment.

– Je crois qu'il choisira de laisser mourir les ondins. Mais c'est exactement ce que le Juste Milieu attend de lui, de toute façon. Alors, ce seront eux qui auront la mainmise sur l'eau de vie. Pas la Confrérie. Qu'est-ce que ça nous rapporte ?

– A court terme, tant que nous n'avons pas constitué nos propres stocks, cela nous donne accès à ce trésor. Si la drogue est fabriquée, nous trouverons toujours moyen d'en avoir notre part. A long terme, le fait d'imposer un tel choix au prévôt et à la Reine comporte de nombreux avantages, qui ne sont pas nécessairement évidents pour un homme tel que vous. Pour votre part, en tant que confrère loyal, contentez-vous de savoir que cela ne vous causera aucun mal, et causera un mal considérable à celui qui essaie de vous voler votre femme.

— Et même tes enfants, murmura Kirard Set en haussant les sourcils. Comment Ariele et Tammis tiennent-ils le coup, face à tout ça ?

Sparks lui adressa un regard glacial.

— Je t'ai déjà dit que je n'ai pas d'enfants. Alors, tu dois savoir ça mieux que moi.

Kirard Set grimaça en guise d'excuse.

— Kullervo est plus au fait des émotions intimes d'Ariele que n'importe lequel d'entre nous, ces temps-ci. Comment la dépeindriez-vous, Kullervo ?

Sparks se tourna vers l'interpellé, choqué et incrédule à la pensée que sa fille – *pas sa fille, mais bon !* – que sa fille pouvait se trouver dans les bras de ce désir de mort ambulant.

Surpris en train de se mordre un doigt, Kullervo se figea. Il croisa ses mains sur la table. Sparks vit l'empreinte livide que ses dents avaient laissée sur sa chair.

— Avez-vous déjà eu des parasites intestinaux, Wayaways ? demanda Kullervo en contemplant ses ongles.

— Non, répondit Kirard Set, interloqué.

— Dommage !

— Oui, murmura la Source, parle-nous de ta relation avec Ariele, Reede. Tu passes toutes tes nuits avec elle depuis pas mal de temps, maintenant. C'est une première, depuis Mundilfoere. (Il laissa la phrase en suspens, et Sparks vit s'arrêter la respiration de Kullervo.) Est-ce qu'elle te rappelle ton amour perdu ? (Les mots étaient lourds d'insinuation et de menace.) Serait-elle responsable de ton échec en ce qui concerne cet échantillon sanguin dont tu as besoin pour tes recherches ?

— Non.

Le visage de Kullervo devint cendreux, comme s'il éprouvait soudain une souffrance si atroce qu'il ne pouvait même pas crier. Il prit une profonde inspiration. Sa voix était voilée.

— Je vous ai dit ce qui s'est passé. Je suis tombé. J'ai

perdu mon arme. Ariele Marchalaube connaît beaucoup de choses sur les ondins. Elle passe beaucoup de temps avec eux. Je lui ai donné de faux espoirs parce que je veux connaître tout ce qu'elle sait. Elle n'est pas mon genre.

Il adressa un regard fugitif à Sparks.

— Alors, vous n'avez fait que réunir des informations, sans plus ? fit la Source avec un amusement marqué.

— Oui.

— Oui... qui ? insinua la Source.

— Maître, grogna Kullervo en serrant les dents.

Il baissa de nouveau les yeux. Dans sa bouche, le titre que s'était accordé la Source faisait plutôt l'effet d'une insulte que d'un hommage servile.

— Marchalaube, dit soudain la Source – et Sparks se tourna vers les ténèbres. A ce que j'ai cru comprendre, vous détenez quelque chose qui intéresserait ce cher Kullervo.

— C'est-à-dire ?

— Vous possédez aussi une importante masse d'informations sur les ondins, puisque vous les avez étudiés pendant des années, depuis que vous avez pris votre retraite.

— Depuis que j'ai pris ma retraite ? répéta Sparks avec lenteur.

— Depuis que vous avez cessé d'être le Starbuck d'Arienrhod. Cessé de tuer les ondins, expliqua la Source. Est-ce vrai ?

Sparks sentit la colère le ronger comme un acide. Il se demanda si on ne l'avait convoqué à cette réunion que pour tester sa capacité à encaisser les injures. La parano le gagnait. Mais il se rappela tout à coup ce que la Source lui avait dit : il ne réussirait jamais à moins d'apprendre à voir au-delà des apparences. En effet, on le *testait* peut-être, pour jauger sa loyauté, sa capacité à maîtriser son caractère emporté, son potentiel. Il contempla le flux hypnotique de couleurs, sur le mur opposé, jusqu'à ce qu'il ait repris son sang-froid.

— C'est exact, dit-il d'une voix ferme. J'imagine qu'on pourrait appeler ça une relation d'attirance-répulsion.

En quoi vous intéressez-vous aux ondins ? demanda-t-il à Reede sur un ton neutre.

Rien ne devait être tenu pour acquis d'avance ; il fallait même accepter l'hypothèse improbable que Kullervo avait une cervelle, songea-t-il.

Sur la table, les mains sans cesse en mouvement de Kullervo s'étaient mises à trembler, bien qu'il les tînt prisonnières. Les soliis sertis sur l'anneau qu'il portait au pouce cliquetèrent bruyamment contre la surface dure, et il cacha ses mains sur ses genoux.

– C'est une relation d'attirance-répulsion, marmonna-t-il.

– Tu es trop modeste, Reede, dit la Source. Kullervo est un biogénéticien de génie. Vous avez entendu parler de lui sous le nom de Forgeron. Son savoir sur la géniomatière dépasse celui de n'importe quel être vivant, y compris lui-même. (Il eut un petit rire acide.) Il s'emploie, avec son... esprit, unique en son genre, à résoudre le problème de la synthétisation de l'eau de vie. Tout comme il a résolu le problème du plasma astropropulseur. Sans son aide, BZ Gundhalinu n'aurait jamais réussi à la reprogrammer.

Sparks dévisagea Kullervo. A côté de lui, Kirard Set avait une expression tout aussi incrédule. Il faillit éclater de rire, convaincu qu'il ne pouvait s'agir que d'une plaisanterie bizarre, et incapable d'en saisir le sel.

– N'est-ce pas la vérité, Reede ? insista doucereusement la Source.

Reede se redressa avec un air de fierté ou de défi, et affronta leurs regards fixes. Dans le silence soudain, sa main tremblante s'éleva et fit tinter le pendant raffiné qu'il portait à l'oreille.

– Oui, murmura-t-il.

Pendant l'espace d'un instant, Sparks eut le sentiment perturbant que c'était un inconnu qui le regardait par les yeux de Kullervo. Son incrédulité se mua bientôt en certitude. Une terreur folle l'envahit et il crut que les ténèbres noyaient la pièce.

– Je vous remettrai les données dès que possible, dit-il au prisonnier captif derrière les pupilles de Kullervo. Je ne sais si cela vous sera utile, mais considérez que c'est à vous.

Kullervo baissa la tête et son regard se perdit dans le vague. Une crispation visible agitait un muscle de sa mâchoire.

– Ne sous-estimez pas votre petit travail, Marchalaube, murmura la Source. Vous êtes d'une intelligence remarquable. Vous avez gâché votre existence au milieu de ces illettrés, dans ce trou perdu. Vous voilà enfin avec des gens qui apprécient vos dons. Vos années de travail vont enfin porter leurs fruits. Si vous vous retiriez, à présent...

– La réunion est terminée ? demanda-t-il, surpris, en tentant de faire coïncider cette approbation inattendue et ce congé subit.

– Elle l'est, lui confirma la Source d'un ton qui lui fit regretter d'avoir posé la question. Du moins en ce qui vous concerne. Certaines affaires internes ne vous regardent pas et s'adressent à Wayaways et à ce cher Reede.

Sparks se leva en évitant les regards de ses compagnons et s'éloigna de la table. Les portes de l'ascenseur s'ouvrirent comme par enchantement.

– Reede... articulait la voix de la Source comme Sparks Marchalaube disparaissait dans l'ascenseur.

Reede lui prêta attention à contrecœur. Une partie de lui-même caressait encore le rêve d'échanger sa place avec l'homme qui venait d'être renvoyé. Son regard erra sur Wayaways et enregistra l'air d'intense satisfaction du Tiamatain. Marchalaube était banni de la réunion et pas lui. Il avait l'air de tout savoir. Mais il ne savait rien ! Il avait été membre de la Confrérie pendant des années durant le règne de la Reine des Neiges, mais il n'avait toujours pas la moindre idée du genre de bourbier dans lequel il était en train de s'enliser. Reede riva son regard sur Wayaways et vit vaciller son arrogance hautaine quand il lui opposa son propre et incoercible désespoir.

Puis il fit face à la masse ténébreuse et s'efforça d'y deviner l'esquisse d'une forme humanoïde.

— Quoi ? coassa-t-il.

La Source se trouvait sur Tiamat. La chose qui se trouvait derrière cette projection, quelle qu'elle fût, le distinguait nettement, le voyait suer et souffrir, lisait les signes révélateurs de sa détérioration, car on le faisait languir trop longtemps avant de lui donner de l'eau de mort. Il ignorait si c'était pour le punir ou pour le persuader qu'on ne lui avait pas remis sa dose à l'heure fixée. Mais il était sûr que c'était intentionnel. Et qu'il allait enfin connaître la raison de ce retard.

— Ariele Marchalaube, murmura la Source.

— Eh bien ? fit Reede sans comprendre.

— Je sais qu'il ne s'est rien produit de plus intime qu'une conversation, entre toi et la fille de la Reine. Mais elle veut plus que cela. C'est toi qu'elle veut, Reede.

— Et alors ? grogna-t-il en se figeant. Ça la fait parler sur les ondins.

— Ce qu'elle sait sur les ondins ne t'est d'aucune utilité. Tu le sais aussi bien que moi. Pourquoi continues-tu à la voir ?

— Ce n'est pas inutile, soutint-il avec entêtement. J'ai besoin de toutes les données que je peux recueillir.

— Tu as besoin d'un échantillon de sang ! Elle t'a sauvé la vie et t'a empêché de faire la seule chose dont tu aies réellement besoin pour développer une reproduction du technovirus. C'est une gêne dans ton travail et non une aide. Elle t'a bel et bien amené à te demander si tu as une conscience, pas vrai ?

Reede se sentit rougir et lorgna Wayaways. C'était lui qui avait tout raconté à la Source.

— Vous voulez que je la plaque ? Très bien, je la largue. Pas de problème.

— Non, dit doucement la Source. Ce n'est pas ce que je veux. Son savoir sur les ondins est insignifiant mais elle n'en a pas moins beaucoup d'importance pour nous.

Reede jeta un coup d'œil du côté de l'ascenseur, saisissant enfin pourquoi la Source s'était débarrassée de Marchalaube. Il fixa le mur, laissant le mouvement fluide des couleurs emplir son champ de vision. Un nœud se forma dans sa gorge à mesure que le silence se prolongeait. *Mais il ne poserait pas la question. Il ne la poserait pas.*

— A quoi songez-vous ? interrogea Wayaways, la formulant à sa place.

— Reede va la séduire.

Reede sursauta. L'amusement de Wayaways vira à la stupéfaction lorsqu'il découvrit sa répulsion.

— Ça devrait être facile pour toi, Reede. D'après ce que m'a dit Wayaways, Ariele a beaucoup plus de points communs avec sa grand-mère, Arienrhod, qu'avec sa mère. Et elle est déjà entichée de toi. Tout ce que tu as à faire, c'est de lui laisser obtenir ce qu'elle veut. Je suis sûr qu'elle ne sera pas déçue. Tu n'as jamais déçu Mundilfoere.

Reede se leva en jurant. Un vertige le força à prendre appui sur la table. Il s'effondra de nouveau sur son siège. Wayaways avait les yeux braqués sur lui, tel un voyeur. Reede hocha la tête : geste d'incrédulité plutôt que de refus.

— Pourquoi ?

— Parce que ça la liera à nous. Ça me donnera du pouvoir sur elle... et sur sa mère.

— Quel intérêt ? Versez une dose de ce que vous voudrez dans le potage de la Reine, si vous voulez qu'elle coopère. A quoi bon s'emmerder avec ce petit jeu ?

— Parce que c'est mon jeu, coupa la Source, et que tu es mon pion. Et je veux que tu la rendes amoureuse de toi. C'est ta punition. Pour m'avoir menti, pour avoir échoué à faire des progrès significatifs dans tes recherches, à cause de ta toquade pour cette fille.

Reede éprouva une nausée violente, presque impossible à réprimer. Quelque chose de vivant se débattait dans sa gorge.

— J'y travaille, salopard ! Je l'aurai, ton échantillon. Je le tuerai, ce putain d'ondin, de mes propres mains, si c'est ce que tu veux ! Je te donnerai ce que tu veux. Pas elle. Ça n'aura pas lieu. Pas avec moi.

— Je croyais qu'elle ne comptait pas pour toi.

— Elle ne compte pas.

— Est-ce à cause de Mundilfoere ?

Reede eut un soubresaut de fureur impuissante.

Wayaways tressaillit en le voyant se lever à nouveau. Reede s'éloigna de la table et fonça aveuglément vers l'ascenseur, bien qu'il se sût prisonnier, bien qu'il sût que la porte ne s'ouvrirait pas sans l'ordre de la Source.

— Reede ! (Quelque chose dans cette voix le fit s'arrêter net.) J'ai ce qu'il te faut.

Il revint lentement sur ses pas, désirant voir ce qu'il voyait placé, là, sur la table, pour lui. Il s'élança, s'empara de la fiole avant qu'elle ne puisse disparaître, et avala son contenu d'un trait.

Sa gorge se contracta quand ses lèvres, sa langue enregistrèrent quelque chose d'anormal. Il cracha. Une gorgée de sang chaud rougit son plastron, ses mains, le plateau de la table.

— Saloperie ! hoqueta-t-il. Saloperie !

Des gouttes écarlates éclaboussèrent Wayaways qui secouait ses mains. Le Tiamatain poussa un juron furieux et dégoûté.

— De qui ? brailla Reede à l'adresse des ténèbres. A qui ? A qui ?

Il essuya sa bouche d'un revers et laissa une traînée sanglante sur sa manche. Il cracha de nouveau.

— Du sang d'ondin, expliqua la Source. Ce qu'il te faut pour continuer tes recherches, comme je le disais. Etant donné que tu n'as pas été fichu de l'obtenir par toi-même, je me le suis procuré pour toi, avec la coopération de Wayaways, ici présent. Le reste de l'échantillon t'attend au labo. Je veux que tu t'y rendes séance tenante et fasses ton travail.

Reede regarda ses mains ensanglantées et tremblantes, puis la fiole vide sur la table.

— Je ne peux pas. Je ne peux pas travailler quand je suis dans cet état ! J'ai besoin...

— Je sais ce dont tu as besoin, dit suavement la Source. Tu le trouveras là-bas aussi. Vas-y.

Reede essuya ses mains sur sa chemise et ravala un flot de bile. Il planta ses yeux dans ceux de Wayaways. Le Tiamatain le fixait, fasciné. Sans lui crier gare, Reede lui flanqua une gifle du plat de la main. Il retourna vers l'ascenseur et, cette fois, les portes s'ouvrirent pour lui livrer passage.

Kirard Set Wayaways se frictionna la joue, entre l'indignation et l'incrédulité. Kullervo avait disparu. La masse ténébreuse et informe qui prétendait être la Source était toujours là. Wayaways était seul en sa compagnie. C'était la première fois, et après ce qu'il venait de voir, il ne savait s'il devait se sentir flatté ou inquiet.

— Wayaways, grasseya la voix ravagée de la Source. (Kirard Set tenta de conserver un air d'attente paisible.) Votre potentiel est intéressant. Jusqu'ici, votre travail est digne d'éloges. Vous accomplissez vos tâches avec empressement. Je compte que vous continuerez à vous élever au sein de la Confrérie et jouirez des récompenses qu'elle accorde.

Kirard Set sourit en signe de remerciement, mais sa main massait encore sa joue endolorie.

— Ne prenez pas trop à cœur le comportement insupportable de Kullervo, murmura la Source. Il a de gros soucis. Et il ne va pas tarder à en avoir plus encore. J'y veillerai. Je veux que sa liaison avec Ariele Marchalaube soit consommée. Et cela n'aura pas lieu si je m'en remets à lui. Il m'appartient mais il aime prétendre qu'il a encore le choix. (Il émit un borborygme amusé.) Il va falloir donner un petit coup de pouce à cette romance contrariée. Vous pouvez m'aider.

Kirard Set hocha la tête avec enthousiasme, mais sans cesser de se tenir la joue.

— Voici ce que vous allez faire...

TIAMAT : Escarboucle

Moon arriva devant le seuil de Destinée Ravenglass avec Clavally Pierrebleue, et frappa au carreau. Elle entendit un bruit de pas et une voix familière, le miaulement d'un chat bousculé par inadvertance. Les battants supérieurs s'ouvrirent et Destinée apparut, dirigeant vers les deux femmes ses yeux aveugles. Elle sourit comme si elle pouvait voir leurs visages, car elle attendait leur venue.

– Entrez, entrez donc !

Deux chats tachetés se frottèrent à leurs mollets. Le vieux chat gris était mort quelques années auparavant et, pour le remplacer, Tor avait offert à Destinée non pas un, mais deux chatons, lorsque la chatte du restaurant avait mis bas.

– Qu'est-ce que je sens ? Vous avez apporté de quoi manger ? dit Destinée, les narines palpitantes. Vous n'êtes pas seulement venues pour parler des affaires du Collège, alors ?

– Ma foi, il faut bien qu'on mange, alors pourquoi ne pas bavarder un peu en mangeant, dit gaiement Clavally.

Elle posa son panier sur la table, dans la première pièce, qui avait servi d'atelier à Destinée du temps où elle confectionnait les masques du Festival. Depuis que le Collège s'était installé plus haut sur la colline et que la ville s'était remplie d'étrangers, Destinée sortait moins ; elles le savaient toutes trois. Sa démarche s'était faite plus lente et moins sûre au fil des ans, et l'accumulation des difficultés l'avait peu à peu conduite à rester confinée chez elle.

– Quoi de neuf ? demanda-t-elle en allant s'asseoir. L'une de vous est-elle déjà allée dans le nouveau club de Tor ? Il paraît que les affaires marchent. Je suis contente pour elle. Elle est faite pour ça. Mais je ne la vois plus guère, et c'est dommage.

Moon perçut un immense regret et une immense solitude, derrière ces paroles résolument positives.

– Elle a trop de travail, répondit Moon en même temps que Clavally.

Clavally ouvrit le panier et sortit des pâtés en croûte.

– C'est bon pour les extramondiens, qui ignorent ce que le mot silence veut dire, et pour les jeunes, qui ne veulent pas le savoir. Il y a trop de bruit, là-bas.

Destinée gloussa.

Elle accepta une pâtisserie, présentée dans un petit moule de papier recouvert d'écritures extramondiennes inintelligibles. Elle en huma l'odeur, mordit dedans et soupira d'un air approbateur.

— Ce n'est pas mauvais du tout ! Vous devriez aller au club. Trouvez le temps ! Vous êtes jeunes encore, vous devriez vous amuser. Essayer quelque chose de nouveau. J'aimerais bien savoir comment c'est.

— Je t'enverrai Ariele pour t'en faire une description complète, murmura Moon. Si par hasard elle m'adresse la parole ! Elle vit pratiquement là-bas, ou y vivrait si Tor la laissait faire.

— Allons ! intervint Clavally, ce n'est pas si moche. Elle passe autant de temps à la plantation, avec les ondins, que dans le Dédale, avec Elco Teel et toute la bande. Elle va se stabiliser. Tous les jeunes se gavent de merveilles extramondiennes parce qu'ils n'ont jamais rien eu de tel. Ils finiront par s'en lasser.

— Comment ? Chaque semaine, il y a une nouveauté. Ils sont égarés en pleine mer, sans guide pour naviguer, sans ancre.

Moon entendit l'âcreté qui perçait dans sa voix. Ce n'étaient pas les tentations du Dédale qui exaspéraient la Reine, mais la réaction d'Ariele aux tentations.

— Au moins, ta Merovy a un but. L'avenir n'est pas un présent éternel, pour elle.

— Comment va Merovy ? demanda Destinée. Est-ce qu'elle a terminé son internat de technomédecine ? Et Tammis ? Il me manque, et je regrette aussi sa musique. Maintenant que je ne vais plus au Collège. Et Dana ?

— Dana va bien. Avec le nouveau médicament qu'on lui a donné, son dos va beaucoup mieux. Il n'a presque plus d'arthrite. Merovy aura son diplôme d'auxiliaire dans une quinzaine, répondit Clavally.

— Formidable. (Destinée sourit.) Et Tammis ? répéta-t-elle en constatant que ses deux compagnes gardaient le silence. Ils vont si bien ensemble ! Ça vous donne bon espoir pour l'avenir.

— Ça va bien pour eux, dit Clavally d'une voix morne. (Moon la regarda, surprise.) Ils sont si occupés par leur travail ! Elle se plaint qu'ils ne passent plus assez de temps ensemble.

L'expression de Destinée s'altéra.

– Ça changera lorsqu'elle aura terminé ses études.

– Je n'en sais rien, dit Clavally en baissant les yeux. Peut-être. Je l'espère. Peut-être que ça s'arrangera.

– Je ne m'étais pas rendu compte qu'ils avaient des problèmes, dit Moon avec gaucherie. Tammis ne m'en a pas parlé.

Il ne lui disait presque rien de sa vie, et elle n'en avait même pas eu conscience. Ils parlaient des ondins ou de la recherche lorsqu'ils se voyaient, jamais de sujets intimes. Ariele l'évitait comme si elle avait la peste.

Elle s'avisa soudain que Tammis était plus morose et Ariele plus obstinée. Jusqu'ici, elle ne s'était jamais interrogée sur les raisons de leur attitude, pas plus qu'elle n'avait réfléchi au motif pour lequel aucun des deux ne lui avait posé la question qu'elle attendait depuis des mois : qui était leur père véritable ? Ils ne le lui avaient pas demandé... et sa seule émotion avait été du soulagement.

C'était à elle d'aborder le sujet, pas à eux. Mais elle avait été trop préoccupée par l'Hégémonie, par ses propres sentiments contradictoires pour les deux hommes qui avaient un droit égal à revendiquer le titre de père. Trop obsédée par elle-même, trop semblable à Arienrhod. La culpabilité l'assaillit. Soudain, elle n'avait plus d'appétit.

– J'essaierai de lui parler, dit-elle.

Essayer. Il y avait des semaines, des mois qu'elle essayait. En vain.

– Et comment va Sparks ? poursuivit Destinée avec une bonne humeur inentamée, malgré leur silence embarrassé. Il y a longtemps qu'il n'est pas passé me voir, lui non plus. Est-ce qu'il travaille toujours sur son programme pour recréer les sections manquantes de la structure d'une fugue ? C'était quoi, sa formule, déjà ? « C'est comme raccommoder de la dentelle mathématique. » Son intelligence m'épate...

Moon suivit du bout du doigt les motifs irréguliers et rugueux que dessinaient d'anciennes coulées de colle sur la table. Elle n'avait pas su que Sparks travaillait sur un tel projet.

– Il ne passe pas souvent au palais, ces temps-ci. Il

est... il est engagé dans une entreprise commerciale avec certains des Hiverniens dont il était proche, lorsqu'il était avec Arienrhod.

Elle avait achevé sa phrase d'une voix à peine audible.

– Oh ! fit Destinée – et ce fut tout.

Son regard erra au hasard et Moon se demanda ce qu'elle voyait, dans ses pensées.

– Mais nous ne sommes pas venues gâcher ta journée avec les difficultés passagères de nos existences, dit Clavally en se forçant à sourire. Tout change, les larmes d'aujourd'hui sont les absurdités de demain.

– Et à propos de changement, poursuivit résolument Moon sur le même ton léger, j'ai été informée par le gouvernement extramondien que le Premier ministre et l'Assemblée vont effectuer une de leurs visites traditionnelles sur Tiamat, dans quelques mois.

– Quelques mois ? répéta Destinée avec étonnement. Ce n'est pas un peu tôt ? Ils venaient tous les vingt-deux ans, non ?

– Il se serait écoulé cent ans avant qu'ils ne reviennent, s'ils n'avaient pas retrouvé le plasma astropropulseur, ne l'oublie pas, observa Moon. Ils sont tellement heureux d'avoir rajouté un nouveau joyau à leur couronne qu'ils rompent avec leurs propres traditions pour venir nous voir hors programme.

Son sourire et sa voix se teintèrent d'ironie.

– Vraiment ? dit Destinée, toujours incrédule.

– C'est en tout cas ce qu'ils prétendent, continua Moon. Leur véritable intention est tout autre. Les extramondiens nous encouragent néanmoins à donner notre Festival traditionnel pour leur arrivée, afin de célébrer « la nouvelle union de nos deux cultures », comme ils disent. J'ai répondu que nous coopérerions. Après tout, pourquoi pas ? Nous ferions tout aussi bien d'accueillir le changement avec joie, et à notre manière, car il faudra en passer par là, que ça nous plaise ou non. Voilà la signification symbolique du Festival : accueillir le changement avec allégresse et dans les réjouissances, et passer un moment merveilleux qui restera dans nos mémoires.

– Y aura-t-il une Nuit des Masques ? demanda Destinée.

– Bien sûr ! (Moon lui prit la main en se remémorant le masque de la Reine d'Eté.) Nous devons nous dépouiller de notre ancienne vie selon le rituel approprié, car nous avons déjà reçu la nouvelle.

– Mais il faut des années, des décennies, pour confectionner assez de masques pour tout le monde. Des familles entières de faiseurs de masques y travaillaient d'un Festival à l'autre, pour y arriver.

Le chagrin qui envahit les traits de Destinée était clair : cette fois, elle ne serait pas parmi eux. La main de Moon se referma sur celle de l'aveugle.

– Nous avons des usines, maintenant, expliqua-t-elle. Elles réalisent une grande partie des tâches répétitives. Les masques ne seront peut-être pas des œuvres d'art, mais ils seront prêts. Tor m'a recommandé un dénommé Coldwater qui serait prêt à s'en charger. Son complexe de production se prêterait très bien à cette réalisation, avec quelques aménagements. Elle dit aussi que ce serait un moyen de réutiliser une partie des énormes quantités d'ordures dont les extramondiens sont si prodigues avec nous... (Elle donna une chiquenaude au papier d'emballage de son pâté en croûte.) Les déchets peuvent être transformés en matériau brut pour faire les formes des masques. Elle a pensé aussi que si ça te dit, tu pourrais conseiller Coldwater sur les fournitures et les dessins.

Destinée se détendit et commença à envisager les possibilités que représentait cette proposition.

– Oui... je pourrais m'en charger, j'imagine. Je...

On frappa à la porte et toutes trois sursautèrent.

– C'est la journée des surprises ! commenta Destinée.

Clavally voulut se lever mais Moon l'arrêta du geste et se leva à sa place. Ses deux compagnes la laissèrent aller ouvrir, étonnées quoique silencieuses. Moon saisit la poignée de la porte, sûre qu'elle allait se retrouver face à Sparks, venu partager avec Destinée tout ce qu'il ne confiait pas à sa femme. Elle était soudain impatiente de lui annoncer un nouveau Changement, une nouvelle chance pour tous deux de quitter leur ancienne existence et de tout recommencer. Elle ouvrit la porte.

Le souffle lui manqua lorsqu'elle vit le visage qui se présentait à elle inopinément.

– BZ ! murmura-t-elle, aussi stupéfaite que lui.

– Moon ? (Il jeta un coup d'œil autour de la maison, puis à l'intérieur.) C'est bien la maison de Destinée Ravenglass ?

Moon acquiesça en s'effaçant pour le laisser entrer. Il était seul, sans gardes du corps ni uniforme. Il portait une tunique à larges manches par-dessus son pantalon, une cape sombre et un chapeau à large bord : la tenue ordinaire d'un homme d'affaires ou d'un négociant kharemoughi. Elle ne lui aurait pas accordé un regard si elle l'avait croisé dans la rue. Il la regarda avec un étonnement égal au sien, ainsi vêtue en étésienne.

Il entra en clignant des paupières pour s'accoutumer à la lumière et aperçut Clavally et Destinée.

– Prévôt Gundhalinu, dit Destinée d'une voix étonnamment calme.

– Vous avez reconnu mon pas.

– Vous n'êtes pas en uniforme et vous avez quitté vos bottes. Mais je vous ai reconnu. Bienvenue ! Qu'est-ce qui vous amène chez moi ?

– Une livraison spéciale, Destinée Ravenglass.

Il traversa la pièce. Moon le suivit en évitant les chats qui se jetaient dans ses jambes. Il sortit un boîtier de sous sa cape et le posa sur la table. Avec beaucoup de précaution il en tira un filet arachnéen et brillant qui ressemblait aux écouteurs dont se servaient certains extramondiens, mais elle n'en avait jamais vu de semblable.

– Voilà !

BZ le disposa sur le front de Destinée avec un soin infini. Fascinée, Moon regarda les fibres épouser la forme du crâne de l'aveugle, comme si elles étaient douées de vie.

Destinée, qui était restée immobile pendant l'opération, eut un hoquet et leva le bras, mais ce n'était pas pour ôter la chose ni la toucher. Elle quitta lentement sa chaise et Gundhalinu lui saisit la main pour l'aider à garder son équilibre. Quand elle fut à sa hauteur, elle prit une expression émerveillée.

— Prévôt Gundhalinu, murmura-t-elle. Je vous vois !

Et elle posa une main sur son visage, comme pour s'assurer de sa réalité.

— Bien, dit-il doucement, dans un tiamatain presque dénué d'accent. C'est bien, ça fonctionne.

Il sourit. Destinée marcha d'un pas incertain en ajustant sa vision retrouvée aux sensations de ses autres sens. A l'expression de son visage, Moon sut qu'elle voyait. Son sourire timide s'élargit et s'affirma peu à peu avec sa confiance.

— Ma Dame... Moon... Je me souviens de toi, murmura-t-elle. Oh ! oui, je m'en souviens, mon petit... Je me souviens du moment où tu t'es présentée chez moi comme une enfant perdue. Du moment où j'ai placé le masque de Reine d'Eté sur ton visage.

Elle s'avança pour caresser Moon, puis Clavally qu'elle n'avait jamais vue.

— Tu es telle que je t'imaginais, Clavally Pierrebleue, dit-elle, l'air heureux.

Clavally lui étreignit la main. Destinée se retourna vers Gundhalinu et, cette fois, ses mains caressèrent les filaments brillants qui couraient sur sa peau.

— Je vois beaucoup mieux qu'avant le Départ. Même lorsque je rêve de la vision que j'avais autrefois, ce n'est pas aussi net.

Ses mains tremblèrent.

— C'est le meilleur détecteur disponible qui n'exige pas de recours à la chirurgie.

— Merci, murmura Destinée. J'avais oublié...

— Ma promesse ? Moi pas. Mais il a fallu du temps pour qu'une requête personnelle franchisse tous les obstacles bureaucratiques.

— Prévôt Gundhalinu, demanda Clavally, formulant ainsi la question que Moon se refusait à poser, pourquoi avez-vous fait cela ?

Il parut surpris puis jeta un coup d'œil vers Destinée, qui semblait vouloir tout regarder à la fois.

— Pour réparer un tort ancien.

— Vous voulez parler du Départ ? demanda Moon en

revoyant toutes les choses qu'on leur avait enlevées au moment du Départ.

Destinée, elle, avait été privée de la possibilité de voir.

— Oh ! mes chéris, s'écria celle-ci en se penchant pour caresser les chats qui se frottaient contre ses jambes. Jamais je n'aurais cru que vous aviez tant de couleurs !

Le regard toujours rivé sur Moon, mais laissant deviner l'existence d'un secret qu'il ne partageait pas avec elle, BZ hocha la tête.

— Un tort beaucoup plus ancien et beaucoup plus personnel.

Destinée se releva, les deux chats dans les bras.

— Vous êtes devin, prévôt Gundhalinu, dit-elle en contemplant son pendentif en forme de trèfle.

Ce n'était pas une question mais il répondit d'une voix étrangement tendue :

— Oui.

Moon toucha instinctivement son propre pendentif. Tous ceux qui se trouvaient dans la pièce avaient un pouvoir divinatoire. Elle vit BZ regarder les visages qui l'entouraient, comme s'il venait d'en prendre conscience à son tour. Il admira ses cheveux pâles noués en tresses sur ses vêtements rustiques. Ses mains se crispèrent sur sa chemise d'un bleu profond. Elle lut dans ses yeux qu'il ne voyait en cet instant ni Reine ni prévôt.

Elle se remémora avec une acuité inhabituelle un moment du Festival, quand elle n'était qu'une étrangère égarée dans cette étrange cité. Elle se rappela la façon dont il l'avait regardée alors, et dont ce regard lui avait transpercé le cœur...

Il détourna brusquement les yeux.

— Je dois rentrer, murmura-t-il. Mon équipe me croit en train de déjeuner.

Destinée reposa les chats par terre et lui sourit. Elle tendit les mains vers lui dans un au revoir muet. Il les toucha brièvement, sous le regard jaloux de Moon.

— Soyez béni, dit Destinée.

— La bénédiction de la Destinée est tout ce dont j'ai besoin pour accomplir ma tâche ici.

Il les salua sans regarder Moon et se dirigea vers la porte.

— Attendez, intervint Moon. (Il patienta tandis qu'elle prenait son pâté en croûte encore intact, sur la table.) Ne partez pas sans emporter de quoi grignoter en chemin, prévôt Gundhalinu.

Elle plaça gauchement le pâté entre ses mains, prétexte pour le toucher et supprimer, ne fût-ce qu'un instant, la distance infranchissable qui les séparait. Il lui serra fugitivement les doigts et lui sourit, la regardant droit dans les yeux, cette fois. Elle vit son désir brûlant. Il franchit le seuil et la regardait encore lorsque la porte se referma.

Destinée et Clavally avaient les yeux rivés sur elle et elle se sentit rougir. Elle baissa les paupières pour se dérober à leur curiosité muette.

— C'est un homme bon, dit enfin Clavally, vaguement surprise. Je ne l'aurais jamais cru, surtout de la part d'un extramondien qui a tant de pouvoir.

— Ils ne sont pas si différents de nous, murmura Moon. Ils sont humains, comme nous. Ils ont les mêmes désirs.

Destinée hocha la tête et son visage prit une expression étrange. Ensuite, elle examina ses propres mains, les tournant et les retournant sous toutes les faces. Elle traversa la pièce prudemment, jusqu'au coffre de rangement en bois peint, sous la fenêtre à carreaux losangés, en souleva le couvercle et se mit à en explorer le contenu. Avec une petite exclamation, elle en extirpa un objet qu'elle brandit devant son visage. Un éclat de lumière atteignit Moon qui comprit que Destinée tenait un miroir.

Destinée s'offrit à la lumière pour examiner son reflet. Elle ne l'avait pas vu depuis plus de vingt ans. Sa main s'éleva en tremblant vers ses joues, et elle effleura ses rides, ses cheveux devenus blancs. Sa main retomba. Elle remit le miroir dans le coffre et en rabattit le couvercle. Face à ses deux compagnes, elle vit dans leurs yeux la confirmation de ce qu'elle venait de découvrir.

— Je suis la même qu'avant. D'où vient ce corps-là ?

Elle écarta les bras, désemparée.

Moon baissa les yeux, comme Clavally, à côté d'elle. Puis elle se força à regarder cette femme qu'elle connaissait depuis toujours et qui était une autre.

– Destinée ! La Nuit des Masques...

Le visage de la vieille femme s'illumina. Elle oublia le dernier Festival et revint au présent, entrevit le futur.

– Bien sûr ! dit-elle en s'avançant, les mains tendues. Je peux me remettre au travail. Je ne ferai que quelques masques, mais très spéciaux. Ma chère enfant, le tien sera digne d'une Reine.

TIAMAT : Escarboucle

– ... comme vous pouvez le voir sur vos visuels, le rapport soutient sans équivoque le citoyen Wayaways. Les données font ressortir à la fois un désir populaire et un précédent historique pour le remplacement de la Reine d'Eté par une reine, choisie par les Hiverniens à notre retour. Cela se passe en général pendant leur Festival qui célèbre la visite du Premier ministre.

Les informations d'Echarthe défilaient devant Gundhalinu qui, dissimulant ses mains sous la table en forme de tore, pliait subrepticement un papier d'emballage alimentaire en triangles de plus en plus petits. Son regard se posa brièvement sur les membres de la prévôté et de son équipe dirigeante assis autour de lui, dans la salle du conseil. Il se représenta en pensée les membres du Collège des Devins et les chefs civils tiamatains qui avaient autrefois siégé dans cette pièce. Une seule figure demeurait inchangée : Kirard Set Wayaways.

Il surprit le regard de ce dernier posé sur lui, comme si le Tiamatain n'avait cessé de l'observer. Wayaways eut un sourire entendu. Ce sourire que Gundhalinu en était venu à haïr et qui avait le don de déclencher en lui une rage violente et irrationnelle. Il se contraignit à regarder Kirard Set sans ciller, ravalant sa colère.

Wayaways n'avait cessé de s'insinuer dans les pensées de chacun de ceux qui siégeaient dans cette salle, d'imposer sa présence entre ces murs. Il était le représentant officiel du conseil municipal et exerçait des pressions pour le rétablissement de la chasse aux ondins, manœuvrant contre la Reine dont il avait été autrefois le plus loyal supporter, à en croire la rumeur.

Il s'était présenté au bureau de Gundhalinu quelques semaines auparavant, débordant de complaisance. Il avait insinué avec une malveillance à peine dissimulée que si la prévôté n'accordait pas l'autorisation de rouvrir la chasse aux ondins, il révélerait au conseil certaine information portant sur la véritable nature des relations de la Reine d'Eté avec le prévôt hégémonique.

Gundhalinu l'avait écouté en silence et lui avait fait entendre l'enregistrement qu'il avait discrètement réalisé pendant leur entretien. Il en avait éliminé tous les détails anodins et n'avait laissé subsister qu'une litanie de menaces et de tentatives de corruption accablantes pour Wayaways.

— Vous avez des amis, je ne l'ignore pas, lui avait dit Gundhalinu calmement. J'ai des amis, moi aussi. Sortez maintenant, tant que vous êtes encore libre de le faire.

Wayaways avait cessé toute attaque directe. Au lieu de cela, il avait pris l'affaire par la bande, circonvenant les membres du conseil. Il n'exerçait plus de pressions sur eux pour rétablir la chasse aux ondins, car Gundhalinu avait cassé le vote du conseil, établissant que la décision relevait traditionnellement des lois tiamataines et dépendait de la Reine d'Eté. Wayaways l'avait suivi pas à pas dans son argumentation et avait retourné la loi tiamataine contre lui, par un coup aussi habile qu'odieux.

— Je conteste l'affirmation selon laquelle une majorité de Tiamatains sont mécontents de la Reine et veulent qu'elle soit remplacée, dit le prévôt. Ces informations n'en apportent aucune preuve. Et même si c'était le cas, notre position nous interdit de la destituer.

— Il ne s'agit pas de la destituer nous-mêmes, prévôt, intervint Echarthe. Nous laisserons jouer leurs traditions sur ce point. Je recommande seulement que nous veillions à ce que ces traditions soient reconduites lorsque l'Assemblée arrivera.

– Nous aurons vraiment une raison de fêter ça, dit Sandrine avec un sourire acide. Si cette garce de Merpoule n'était plus là et que les Hiverniens prissent les rênes, ça résoudrait notre problème avec le gouvernement local et nous donnerait accès à l'eau de vie.

Des rires et des murmures approbateurs fusèrent.

– Le sectarisme et les menaces contre un chef d'Etat local ne m'ont jamais paru être un sujet de plaisanterie, énonça Gundhalinu.

A côté de lui, Vhanu haussa les sourcils. Sandrine se renfrogna.

– Il ne me semblait pas avoir fait une plaisanterie.

– Si ce n'en est pas une, c'est de la forfaiture, dit Gundhalinu qui se rembrunit à son tour. J'ai fait clairement savoir qu'une conduite discriminatoire envers le peuple de Tiamat était inacceptable de la part de notre police. Elle ne l'est pas davantage de la part des membres de mon gouvernement.

– BZ, murmura gentiment Vhanu en sandhi, nous sommes entre amis. Nous sommes tous techniciens. Nous nous comprenons. Une situation de ce genre est toujours difficile, même dans les circonstances les plus favorables, ce qui n'est pas le cas ici. Accorde-nous un peu de laisser-aller, veux-tu ?

– Sans doute as-tu raison, convint-il avec douceur, en sandhi.

Sa langue maternelle commençait à lui paraître étrangère. Il s'était même mis à penser en tiamatain.

– Vous avez défendu les droits de mon peuple avec éloquence depuis votre arrivée, prévôt Gundhalinu, dit Wayaways. Les miens vous en sont profondément reconnaissants. Pourquoi vous opposez-vous au Changement, qui est une de nos plus anciennes traditions, bien antérieure au cycle de vos départs et retours ?

– Justement parce qu'elle est ancienne, répondit Gundhalinu qui avait repris son sang-froid. L'ordre des choses a changé aujourd'hui, et les lois du Changement ne remplissent plus aucune fonction utile. Elles sont devenues un acte de barbarie. J'ai soutenu la plupart des innovations que votre Reine a effectuées en notre absence parce qu'elles étaient positives et restaient dans le cadre des relations que je souhaite tisser entre nos deux peuples. Mais le sacrifice humain n'est plus défendable.

– Il fait partie de notre système religieux.

Wayaways désigna les informations alignées sur l'écran en donnant à sa voix une intonation indignée. Mais son regard était froid et railleur.

– C'est sur ces bases que vous avez plaidé en faveur de la protection des ondins voulue par la Reine. N'est-ce pas à nous de déterminer si les rituels du Changement ont conservé ou non une fonction signifiante à nos yeux ? Prenez-vous un intérêt particulier à la santé de la Reine d'Eté pour résister ainsi à tout ce qui pourrait la menacer ?

Gundhalinu sentit le regard de Vhanu sur lui. Il entendit des murmures parmi les autres officiels, autour de la table.

– J'ai déjà donné les motifs de mon opposition à cette pratique. Je n'ai pas à les renouveler.

– Le fait demeure que la destitution de la Reine d'Eté servirait nos intérêts, dit Vhanu. C'est une fanatique intraitable. Elle est Reine à vie et il est peu probable qu'elle meure bientôt de mort naturelle. Je pense que nous devrions examiner sérieusement cette possibilité de nous débarrasser d'elle.

Gundhalinu le regarda fugitivement.

– Le Premier ministre et l'Assemblée vont faire un foin de tous les diables s'ils n'ont pas l'eau de vie à leur disposition en arrivant, dit Borskad, le ministre du Commerce.

– Et ils auront droit à des émeutes à la place d'une fête, murmura Wayaways. Je peux vous assurer que la colère sera terrible, qu'il y aura des protestations publiques, et même des actes de violence si vous tentez de supprimer un rituel aussi fondamental de notre culture.

– Seriez-vous en train de menacer l'Hégémonie, citoyen Wayaways ? s'enquit Gundhalinu d'un ton cassant. (Kirard Set se raidit et se renfonça dans son fauteuil.) Le Premier ministre et l'Assemblée sont des hommes de paille sans aucun pouvoir, continua Gundhalinu d'un ton impatienté, en affrontant les regards.

Et ils ne comprennent rien à la complexité de la situation à laquelle nous sommes confrontés.

– Mais le comité central a une influence considérable, intervint Tilhonne. Mon oncle m'a déjà menacé de venir ici en personne pour voir ce qui nous empêchait d'établir un compromis avec la Reine. S'il y a des émeutes à l'arrivée de l'Assemblée, ce sera l'occasion pour lui d'ordonner une enquête. Cela pourrait ruiner nos carrières à tous.

Cette perspective ne l'enchantait pas. Gundhalinu réprima un mouvement d'humeur car son inquiétude était fondée. L'autonomie dont il jouissait ne se prolongerait guère s'il attirait l'attention sur des problèmes sans solution. Il contempla, sur le mur opposé, le sceau hégémonique : les Huit Mondes symbolisés par un soleil dardant ses rayons.

Autour de lui, d'autres voix s'élevaient, impatientées, inquiètes. L'inquiétude portait sur une seule chose, il en était sûr, et ce n'était pas la sauvegarde de la Reine de Tiamat.

– Je propose que nous votions pour accepter la pétition présentée par le citoyen Wayaways : un Changement complet, incluant le retour au pouvoir des Hiverniens par les pratiques traditionnelles de leur rituel théocratique, dit Borskad en enregistrant la motion sur son écran.

– Je ne le permettrai pas, déclara Gundhalinu.

Il effaça les données sur l'écran par un veto.

Echarthe effleura son clavier. Un à un, les autres l'imitèrent sous le regard de Wayaways, le sourire aux lèvres. Gundhalinu regarda le pointage de ces informations en retour. Tous les votes étaient contre le sien. La mention proposée par Borskad reparut inexorablement sur tous leurs écrans.

– Décision annulée, prévôt, dit Borskad. (Il fit craquer ses phalanges, affichant un air suffisant.) Les Tiamatains doivent avoir le droit de contrôler leur propre gouvernement.

– Je ne le permettrai pas, répéta Gundhalinu d'une voix atone. Je ferai intervenir la police pour l'empêcher.

– Tu ne peux pas faire ça, BZ, murmura Vhanu, à côté de lui.

Gundhalinu le regarda dans les yeux.

– Je suis seul à avoir ce pouvoir, dit Vhanu. (Gundhalinu vit du regret et de l'embarras dans son regard, mais pas la moindre hésitation.) Tu ne peux l'empêcher.

Gundhalinu lut la détermination sur tous les visages.

– Je ne permettrai pas qu'on sacrifie la Reine, bordel !

– Tu n'as pas le choix, prévôt, lâcha sans ménagement Borskad. L'Hégémonie veut l'eau de vie. Il faut que nous l'obtenions pour elle, d'une façon ou d'une autre. Ou elle trouvera quelqu'un d'autre pour s'en charger...

– Il n'y a pas d'autre solution, renchérit Vhanu. Cette fichue bonne femme et ses exigences vont nous coûter nos postes à tous, y compris à toi, BZ. J'aime mieux assister au sacrifice de la Reine qu'à celui de notre gouvernement. Pas toi ? Après toutes ces années d'effort, je ne suis pas prêt à tout perdre. Mais c'est ce qui nous pend au nez.

– A moins que...

Wayaways venait de lâcher ce mot et le laissa s'infiltrer dans la conscience de chacun jusqu'à ce que le silence revienne autour de la table.

– A moins que quoi ?

Gundhalinu s'était forcé à poser la question. Son humilité visible devait faire écho à son humiliation cachée aux yeux de Wayaways.

– A moins que vous ne modifiiez votre précédente décision et n'autorisiez la chasse aux ondins. Alors, nous aurons tous ce que nous désirons : l'Hégémonie aura l'eau de vie, Tiamat profitera de ce commerce, et vous sauverez la Reine. Ainsi, tout le monde sera content... sauf la Reine, peut-être. Mais elle préférera la déception à la mort. Notre peuple ne demandera pas mieux que de la conserver comme Reine si nous obtenons ce que nous voulons. C'était une femme très éclairée, pour une Etésienne, avant qu'elle ne prenne fanatiquement le parti des ondins.

Les murmures reprirent autour de la table. Ils avaient

une tonalité positive, cette fois, et lui intimaient l'ordre d'agir. Wayaways le fixait sans mot dire, de l'autre côté du vaste tore de bois de pays.

– C'est raisonnable, murmura Vhanu à l'oreille de Gundhalinu, d'un ton à la fois encourageant et conciliant.

Gundhalinu lui tourna le dos, les mâchoires serrées, et scruta Wayaways. *La mort des ondins ou la mort de la Reine*, lui disait le regard de celui-ci. *A toi de choisir.*

– Très bien ! (Gundhalinu baissa les yeux.) Très bien, répéta-t-il d'un ton plus ferme, comme s'il contrôlait réellement la situation. J'annule mon interdiction sur les chasses aux ondins. Mais il n'y aura plus de sacrifices, plus de Changements à l'ancienne manière. Etésiens et Hiverniens devront apprendre à régler les choses autrement, à dater d'aujourd'hui.

– Vous êtes aussi sage que juste, prévôt Gundhalinu, déclara Wayaways – et il sourit.

– La séance est levée.

Gundhalinu éteignit son écran et froissa le papier d'emballage dans ses doigts, sous la table.

TIAMAT : Escarboucle

– La Reine, monsieur.

Moon dépassa l'aide de camp en uniforme qui s'écarta. Elle détourna des yeux gênés quand il la surprit à le fixer un peu trop longuement. L'étrangeté de ses traits extramondiens, des traits de tous ceux qu'elle avait croisés depuis qu'elle avait pénétré dans l'enceinte gouvernementale, ne faisaient que renforcer son sentiment d'avoir quitté l'abri sûr de son monde, pour entrer en territoire inconnu. Elle essaya de ne pas y songer comme au *territoire de l'ennemi*, mais cette image surgit tout de même dans ses pensées. L'aide de camp baissa les yeux à son tour. Lui aussi la dévisageait de façon trop appuyée. Mais elle n'avait lu que de la curiosité dans son regard, rien d'autre.

Elle entra dans le bureau et embrassa du regard cet environnement autrefois familier, et rendu étrange par la présence des nombreux éléments nouveaux qui s'y trouvaient. BZ Gundhalinu, prévôt de justice de Tiamat, l'attendait derrière un terminal modulaire dont les circuits électroniques étaient pleinement fonctionnels, quoique déconcertants pour les étrangers. Elle se demanda combien de temps s'écoulerait avant que les autochtones et les extramondiens cessent de se considérer mutuellement comme des étrangers.

Surpris et heureux, BZ accueillit Moon, qui se détendit. Elle éprouva ce brusque pincement au cœur auquel elle avait fini par s'accoutumer. Le motif de sa visite n'avait rien à voir avec cela, BZ ne le comprendrait que trop vite.

Il se leva de son fauteuil.

– Ma Dame, dit-il en inclinant poliment la tête, bien que son regard démentît le ton formel et cérémonieux de ses paroles. Voilà une agréable surprise. Bienvenue chez moi.

Son sourire s'élargit tandis qu'il contournait son bureau.

– Bienvenue chez moi, prévôt Gundhalinu, rétorqua-t-elle en lui tendant la main à la tiamataine.

Il lui prit la main d'une étreinte à la fois ferme et douce, prolongeant ce contact un peu plus qu'il n'était nécessaire.

– C'était mon bureau lorsque le Collège des Devins était installé dans ces locaux, pendant toutes les années qu'a duré votre absence.

Le Collège se réunissait au palais, désormais.

– Oh ! fit-il – et son sourire se crispa. Merci, Stathis, dit-il à l'aide de camp qui patientait sur le seuil. Pas d'interruption pendant que je reçois la Reine.

L'homme salua et sortit en refermant la porte. BZ demeura immobile. Moon se sentait gênée, comme lui.

– Je vous en prie, asseyez-vous. (Il lui désigna une chaise basse, en forme d'aile, et battit en retraite derrière son bureau.) C'est la première fois que vous venez me voir ici. Il doit s'agir de quelque chose d'important, ma Dame. Que puis-je pour vous ?

Au cours de leurs précédentes rencontres, il s'était rendu au palais à sa requête. Il avait assisté à des réunions, entouré d'un bataillon de conseillers, tout comme elle. Etait-ce pour se protéger, comme elle-même se protégeait ? C'est ce qu'elle s'était demandé au cours des nuits d'insomnie qui avaient suivi chacune de ces rencontres, et où elle s'était rappelé le moindre de ses mots et de ses gestes. Ils ne s'étaient pas vus en tête à tête une seule fois, depuis son retour. Et jusqu'à ce jour, elle ne l'avait jamais rencontré sur le terrain de l'Hégémonie.

– Je suis venue... (Elle s'interrompit, se dérobant à son regard perçant.) Je suis venue vous demander pourquoi vous avez changé d'avis au sujet des ondins, lâcha-t-elle tout à trac, car il n'y avait pas d'autre façon d'énoncer la question.

Elle lut de la compréhension, de la frustration et peut-être une sorte de résignation dans son regard, mais cette expression fut si fugitive qu'elle douta de l'avoir saisie.

– Je vois, fit-il.

– Pourquoi avez-vous levé l'interdiction de les chasser ? Vous savez que je l'interdis. Les ondins sont sous protection étésienne. Vous n'avez pas le droit de...

– J'y ai été obligé, coupa-t-il.

Sa mâchoire se contracta et, soudain, il parut las et tendu.

– C'est faux, répondit-elle, en colère à l'idée de sa malhonnêteté. Vous savez ce que je vous ai dit à leur sujet. Vous savez ce que le Transfert lui-même nous apprend sur les ondins : ils sont doués d'intelligence. (Elle en avait fait la démonstration en le faisant entrer en Transfert, et en lui faisant donner cette réponse devant tout son conseil.) Tout le monde l'a entendu !

– Cette vérité n'a pas été suffisante pour arrêter la chasse autrefois, et elle ne l'est pas davantage aujourd'hui. Moon, j'ai repoussé l'inévitable aussi longtemps que je l'ai pu. J'ai constitué des équipes de chercheurs, je leur ai fait étudier et analyser vos informations. Je sais qu'elles touchent à quelque chose d'important mais je n'arrive pas à en persuader mon peuple, ni le comité central de coordination. Ils ne voient que ce qu'ils veulent voir. Et l'esprit divinatoire peut proclamer que les ondins sont intelligents jusqu'à la fin des temps, ceux-ci n'ont jamais rien *fait* pour étayer cette affirmation, du moins à la façon dont les humains ont toujours défini un « comportement intelligent ». Ils ne nous aident en rien, sur cette question ; ils ne la comprennent même pas. Leur société est trop subtile, ou trop étrange. Les études n'apportent pas assez d'éléments pour stopper les individus qui veulent s'emparer de l'eau de vie. Même si c'est vrai...

— Si ? répéta-t-elle en pâlissant.

— Ils veulent de l'eau de vie, et tout de suite ! (Il répondit à sa colère en s'enfiévrant lui aussi.) Et bon nombre d'entre eux ont du pouvoir, chez moi.

Chez moi. Elle comprit qu'il parlait de *Kharemough*.

— Il ne s'agit pas seulement du droit à la vie des ondins ou d'un génocide, dit-elle avec amertume. Si les ondins sont décimés, l'Hégémonie tout entière en pâtira. Tous les mondes du Vieil Empire.

Il la regarda sans comprendre.

— Pourquoi ? Parce qu'il n'y aura plus d'ondins ? Cela *ne compte pas* pour eux. Ne le comprenez-vous donc pas ? demanda-t-il.

— Non ! (Elle se leva d'un bond.) C'est vous qui ne comprenez rien ! C'est beaucoup plus important que ça. Cela compterait pour eux, si seulement on pouvait leur dire...

— Leur dire quoi ? coupa-t-il d'un ton durci par l'exaspération. Y a-t-il quelque chose d'autre ? Que savez-vous ? Que m'avez-vous caché ?

— Je sais que... que...

Sa gorge se contracta. Elle serra les poings, lutta de toutes ses forces, mais le réseau ne voulut pas céder.

— Je sais ce que je sais, murmura-t-elle en retombant sur sa chaise, terrassée.

— Dieux ! murmura-t-il en s'épongeant le visage. Par le père de mes ancêtres ! Moon, j'ai fait tout ce qui était humainement en mon pouvoir pour vous, pour votre monde. J'ai modifié les quotas, limité le nombre d'ondins qu'il est possible de supprimer, lutté d'arrache-pied contre mes conseillers. Ils ont fini par comprendre qu'il fallait fixer des *limites*, sinon il n'y aurait bientôt plus d'ondins du tout. Leur logique simpliste est encore capable d'intégrer ça. Et je continuerai à soutenir vos recherches. J'ai déjà demandé à mes hommes de travailler à la mise au point d'une méthode pour accroître la natalité chez les ondins, ou de prélever l'eau de vie sans les tuer. (Elle finit par relever les yeux vers lui, la gorge nouée de dégoût.) Le monde est ainsi fait, bordel ! On survit grâce aux compromis et aux compromissions, ou on meurt. On n'a pas le choix.

— On a toujours le choix.

Mais elle était anéantie à la pensée du savoir qu'elle renfermait en elle, du secret qui la dévorait vivante et qu'elle ne pourrait jamais partager.

Moon, reprit BZ avec douceur, on m'a imposé un choix : sacrifier les ondins ou *vous* sacrifier.

Elle le dévisagea, stupéfaite.

— Certaines factions hiverniennes ont poussé l'Hégémonie à favoriser un retour officiel des Hiverniens au pouvoir lors du Festival, lorsque l'Assemblée sera là. Ils voulaient vous jeter à la mer. Certaines factions de mon propre peuple, y compris au sein du comité central, désiraient la même chose. J'ai tenté de vous avertir que je ne pouvais pas faire durer les choses ainsi bien longtemps. J'ai dû trancher : sauver votre vie ou celle des ondins... C'est vous que j'ai choisie.

— Par Notre Mère à Tous ! murmura Moon — et c'était presque une prière. (Elle baissa les paupières, un tremblement la parcourut.) Comment a-t-on pu en arriver là ?

— Moon, nous marchons au-dessus du Puits, ne le comprenez-vous pas ? Si nous avançons trop vite, ou trop lentement, si nous n'émettons pas la note juste, dans la séquence juste, les vents du changement nous balaieront tous deux. C'est ce qui a failli se produire au conseil d'hier. L'Hégémonie a renoncé à anéantir les progrès technologiques que vous avez réalisés ici, parce que j'avais effectué un travail préparatoire considérable sur Kharemough. Je l'avais amenée à accepter l'idée qu'il était trop tard pour revenir en arrière. Depuis qu'ils savent que le secret est éventé, à propos des sibyl-

les et des devins, je les ai convaincus qu'il était écono-
miquement et politiquement plus raisonnable d'accorder
au peuple de Tiamat ce qu'il désire. Mais il y a un prix à
payer pour cela, car tout a son prix. L'Hégémonie est
revenue sur Tiamat pour une seule raison : l'eau de vie.
Elle l'aura, que cela nous plaise ou non. En retour, Tiamat peut recevoir quelque chose, ou rien. Pour l'amour
des dieux ! Moon, je fais tout ce que je peux pour vous !
Dites-moi que vous le comprenez...

Elle redressa la tête. Sa colère impuissante l'aveuglait. Elle vit en lui à la fois le passé et le présent,
l'étranger et l'amant, et regarda le pendentif trifoliolé
qui brillait sur l'étoffe sombre et sévère de son uniforme.
Elle pressa une main contre ses yeux. Puis elle la laissa
retomber, soudain consciente.

– Je comprends, finit-elle par murmurer. Je sais tout
ce que vous avez fait pour nous, depuis le Retour. Je
comprends.

La tension de Gundhalinu disparut, le laissant vidé.
Lentement, Moon se leva. Ils ne pouvaient humainement
plus rien faire pour stopper la chasse, ni l'un ni l'autre,
puisqu'elle ne pouvait lui dire la véritable raison qui
justifiait son insistance à vouloir l'interdire. Elle ne
pouvait pas la lui révéler.

Elle pivota et regarda le tableau sur le mur, derrière
elle. C'était un mélange de couleurs étrangement sensuel, figé et pourtant étonnamment vivant, dense mais
éphémère, comme si on avait figé sur la toile un lent
ballet d'huile tournoyant sur de l'eau. Il était différent
de tout ce qu'elle avait pu voir. C'était un objet nouveau, dans la pièce.

Elle entendit BZ se lever et se rapprocher d'elle. Elle
prit conscience des battements précipités de son cœur et
se demanda s'il pouvait les entendre, tant ils étaient
forts.

– Nous n'avons jamais eu l'occasion de parler depuis
que je suis revenu, dit-il dans un tiamatain soudain
guindé et maladroit.

Elle le regarda avec curiosité. Il leva le bras, désignant le tableau.

– C'est ma femme qui l'a peint. C'est une artiste.

– Oh ! fit-elle – et elle rougit. Oh ! (Elle contempla de nouveau le tableau, pendant une éternité.) Y a-t-il long-temps que vous êtes marié ?

Elle se demanda s'il le lui révélait en cet instant et de cette façon pour la punir d'être venue l'accuser avec colère. Ou si, tout simplement, il n'avait aucun moyen de lui apprendre cela en douceur. Le chagrin l'accabla, et la colère contre lui.

– Environ trois ans.

– Oh ! répéta-t-elle stupidement. (Elle chercha quelque chose à ajouter, n'importe quoi.) Avez-vous des enfants ?

Il eut une hésitation.

– J'ai un fils de six mois. Ma femme m'a envoyé un holo. Il a l'air très beau. (Il eut un sourire piteux mais son regard était plein de regret.) C'était un mariage de convenance, dit-il enfin avec douceur. Je devais m'assurer que quelqu'un s'occuperait de mon domaine familial, après mon départ pour Tiamat. Les employés des Affaires étrangères font fréquemment ce genre d'arrangement.

Il lui adressa un regard fugitif.

– Oh !

Elle regarda le tableau et la sensualité qui en émanait l'enveloppa comme par une vague. *Mais est-ce que tu l'aimais ?* Elle ravala la question et demanda :

– Vous ne verrez jamais votre fils ?

– Je ne sais pas, murmura-t-il d'une voix presque inaudible, comme s'il avait la gorge serrée. Moon... (Il passa une main dans ses cheveux.) Tammis et Ariele... Sparks n'est pas leur père, n'est-ce pas ?

Elle se sentit gagnée par la panique.

– Ils sont de moi, hein ? insista-t-il durement. Sparks consommait de l'eau de vie, il était stérile.

Elle le regarda fixement.

– L'eau de vie rendait donc impossible la fécondation ?

Il acquiesça.

– Ils sont de moi, répéta-t-il presque avec douceur, cette fois. Et de toi...

Elle se l'était demandé pendant des années. Sparks

avait dû se le demander, lui aussi. Mais elle n'avait jamais eu de certitude, et n'avait jamais voulu en avoir, jusqu'au moment où elle s'était retrouvée face à BZ et avait revu son visage.

– Oui, dit-elle.

Sûre d'elle, enfin. Après si longtemps. Elle le contempla, se souvint de ce qu'il était autrefois, et prit la mesure des changements opérés par le temps. Il avait plusieurs années de plus qu'elle, alors. Aujourd'hui, avec les errements du destin et de l'espace-temps, ils avaient presque le même âge.

– Merci pour nos enfants, dit-elle enfin, d'une voix toujours tendue.

– Est-ce que Sparks sait ?

– Je... Oui. Il sait. Il sait.

Elle contempla ses mains qui se croisaient nerveusement sur le tissu bleu-vert et doux de sa tunique. Ils n'avaient pas dormi dans le même lit depuis qu'il l'avait surprise en train de contempler son rival par le miroir sans tain, comme Arienrhod.

– Comment prend-il la chose ? demanda BZ.

– Pas très bien.

Même pendant le jour, elle ne le voyait guère. Il ne travaillait plus avec le Collège ou avec qui que ce soit de sa connaissance. Il s'enfermait dans ses appartements, perdu dans ses recherches et ses calculs, barricadé derrière le mur de la nouvelle technologie. Ou bien il sortait. *Je sors*, annonçait-il. Elle avait entendu dire qu'il passait le plus clair de son temps dans le Dédale, en compagnie des nobles Hiverniens qu'il avait naguère abandonnés en même temps que son passé, en compagnie de ceux qui voulaient la sacrifier aujourd'hui. Il ne leur tournait plus le dos, désormais.

– Comment vas-tu ? demanda BZ.

– Pas très bien.

– Je suis navré. Je ne suis pas venu ici pour te causer du chagrin, Moon. Je...

Il s'interrompit, leva timidement la main pour lui toucher le bras. Elle lut un espoir soudain dans son regard.

– Je sais, murmura-t-elle.

Elle était incapable de bouger. Son contact l'avait paralysée. Sa main s'anima, comme mue par une volonté propre, et s'éleva vers lui. Elle la contraignit à se rabattre contre sa hanche.

— Ne fais pas ça, souffla-t-elle. S'il te plaît, pas ça.

— Et pour Ariele et Tammis ? demanda-t-il au bout d'un long moment.

— Que veux-tu dire ?

— Est-ce qu'ils savent ? Est-ce qu'ils ont compris ?

— Je n'en sais rien. Je ne sais même pas comment leur en parler.

Elle vit en pensée le regard troublé de Tammis. Il l'évitait chaque fois qu'elle essayait de lui demander ce qui n'allait pas. Elle vit Ariele dont la conduite de défi mimait celle du seul père qu'elle eût jamais connu, à mesure qu'il s'éloignait d'eux, toujours davantage. Elle n'avait jamais su comment leur parler, à aucun d'eux trois. Et maintenant, il était trop tard.

— Si j'essayais... commença BZ.

— Non !

— Tu ne trouves pas que j'en ai le droit, après si longtemps ? Si j'avais su que tu étais enceinte, Moon, jamais je ne t'aurais laissée.

— Ce n'est pas ça. *(Mais qu'est-ce que c'était donc ?)* Sparks est toujours mon mari. C'est une chose qui doit être réglée entre nous.

Ces mots excluaient définitivement Gundhalinu.

— Dis-moi que tu comprends, souffla-t-elle.

Il grimaça, retourna à son bureau, tapota rapidement sur le clavier de son terminal.

— Que fais-tu ? lui demanda-t-elle.

— J'efface cette conversation.

Elle tressaillit. Rien de ce qui se passait dans cette pièce n'échappait à l'Hégémonie, à moins que BZ n'en décidât autrement. Elle n'était plus chez elle, ici, et le terrain n'était pas sûr. Immobile, elle le contempla pendant un long moment.

— Il faut que je m'en aille.

Il acquiesça. Mais elle resta immobile quelques secondes encore, incapable de marcher jusqu'à la porte.

Comme il n'ajoutait rien, elle finit par faire demi-tour et sortit sans se retourner.

TIAMAT : Escarboucle

Tammis avançait dans les couloirs du complexe médical d'Escarboucle, plus conscient de la sensation d'étouffement qui pesait sur sa poitrine que de tout ce qui l'entourait. Il ne regardait personne au passage, et se réjouissait que Merovy lui eût fait visiter l'endroit assez souvent pour retrouver son chemin sans aide.

Le personnel qui circulait dans les couloirs lui était étranger. Des extramondiens. Les trois quarts des appareils médicaux qu'il apercevait étaient importés. Les extramondiens avaient horreur de se retrouver coincés sur cette planète si éloignée de la leur, sans avoir à leur disposition toute la technologie nécessaire pour faire face aux maladies et aux urgences. Et pourtant, pensa Tammis avec amertume, les problèmes de conscience ne les avaient pas embarrassés lorsqu'il s'était agi d'en priver les habitants de Tiamat, chaque fois qu'ils étaient repartis chez eux, par le passé. Et ce, pendant des siècles.

Du moins, son peuple profiterait-il de façon permanente de cette technologie, désormais. Son beau-père, Danaquil Lu, serait bien soigné, à présent. Le nouveau prévôt avait mis en place le programme de formation technomédicale auquel Merovy s'était inscrite. Question de pragmatisme, il en était sûr, car le personnel de l'hôpital avait déserté en nombre, à l'arrivée des extramondiens.

Mais c'était peut-être un effort sincère du prévôt pour susciter la bonne volonté des Tiamatains. A moins que ce ne fût pour faire plaisir à la Reine d'Eté, songea encore sombrement Tammis. Si ce qu'Elco Teel et les autres murmuraient dans son dos était vrai... Si BZ Gundhalinu était l'ex-amant de sa mère... A dire vrai, lorsqu'il regardait le visage brun du prévôt, il y retrouvait un reflet de ses propres traits.

Sa sœur l'avait planté là avec colère lorsqu'il lui en avait parlé. Sa mère avait murmuré quelques paroles évasives et distraites quand il l'avait questionnée. Ils n'avaient rien demandé à son père, parce que son père ne lui accordait plus un regard depuis l'incident du jour de son mariage. Merovy lui avait affirmé qu'elle ne trouvait aucune ressemblance entre lui et le prévôt, mais elle n'avait pu soutenir son regard en lui faisant cette réponse.

Merovy. Il reprit conscience de ce qui l'entourait, dépassa un appareil brillant de forme dépouillée. Elle lui en avait déjà expliqué le fonctionnement mais il avait oublié. *Merovy !* Tout à coup, il ne pensait plus qu'à la raison de sa venue ici : voir Merovy, lui demander : *Pourquoi ?* Pourquoi, en rentrant la veille au soir, avait-il trouvé la maison vide, et un simple message encore humide de larmes, où elle lui disait qu'elle le quittait, et qu'il pouvait venir ici lui parler, aujourd'hui ? Elle ne lui avait pas fourni d'explication. Le désespoir au cœur, il avait su que son départ se passait de justifications.

Quelqu'un le salua par son nom, un technicien qui supervisait le travail de Merovy à l'hôpital.

— Votre femme est au 212.

Il murmura des remerciements, la tête baissée, car il était certain que sa culpabilité éclatait dans ses yeux, et que tout le monde connaissait la raison de sa venue ici, et savait pourquoi Merovy l'avait quitté.

Au laboratoire, il vit Merovy assise devant un terminal. Une simulation se modifiait devant elle. Elle en contrôlait la métamorphose avec habileté, très concentrée. Elle avait vu souffrir son père pendant presque toute son enfance et avait tenu à s'initier à la technologie médicale extramondienne qui l'avait soulagé. Jamais Tammis ne l'avait vue manifester un désir aussi fort, sauf pour lui, naguère.

— Merovy, appela-t-il doucement.

Elle sursauta.

– Je suis contente que tu sois venu, dit-elle machinalement.

– C'est toi qui me l'as demandé. (Il écarta les bras dans un geste qui était à la fois une capitulation et une tentative d'apaisement.) Pourquoi ne pouvions-nous pas régler ça à la maison ?

– Parce que tu n'es pas rentré, hier soir. Je t'ai attendu, attendu. Pour changer...

– J'avais du travail.

– Ne me mens pas ! (Elle se leva et rougit.) Nous avons déjà essayé d'en parler, trop souvent. Ça n'a jamais rien apporté de bon.

– Merovy, je suis désolé. Cette fois, ce sera différent, je te le jure.

– Tu le répètes chaque fois ! Et rien ne change. (Ses yeux se remplirent de larmes de colère, vite débordées par des larmes de chagrin.) Je ne suis pas ce que tu désires, je suis seulement ce dont tu as besoin, pour te dissimuler. Tout le monde se moque de moi derrière mon dos, lorsque tu m'abandonnes, et même en ma présence. Pourquoi veux-tu que je revienne ? Je ne suis pas un garçon et ne pourrai jamais en devenir un. Je voudrais pouvoir changer, si ça pouvait t'amener à m'aimer autant que je t'aime...

– Je ne veux pas que tu changes !

Il serra les poings car il avait besoin de la serrer dans ses bras, mais la toucher était la pire des choses à faire, en cet instant.

– Tu ne sais pas ce que tu veux.

Elle marcha jusqu'aux meubles de rangement alignés contre le mur, prit quelque chose dans l'un d'entre eux et le lui rapporta. C'était un feuillet sur lequel étaient collés des timbres thérapeutiques.

– Prends ça, lui dit-elle d'une voix tendue. Mets un de ces timbres chaque jour pendant une semaine. Tu as une maladie vénérienne.

Il se sentit rougir et prit la feuille d'un geste machinal.

– Comment le sais-tu ? murmura-t-il d'un ton ébahi.

– Parce que tu me l'as refilée, assena-t-elle sans détour. (Il ferma les yeux.) Si tu arrives à savoir ce que tu veux, on pourra en reparler. Mais pas avant.

Ses lèvres tremblèrent mais son visage exprimait la détermination. Elle ne changerait pas d'avis. La gorge nouée par le chagrin, Tammis quitta la pièce.

TIAMAT : Escarboucle

Moon Marchalaube attendait sur les docks qui oscillaient comme des algues sur la mer d'huile, en contrebas d'Escarboucle. Elle contempla les eaux vert sombre à travers les interstices de l'appontement sur pilotis. Des résidus huileux formaient des motifs irisés sur les flots ténébreux, entre les embarcations au mouillage. Nostalgique, elle les regarda se défaire et se reconstituer, hypnotisée par leurs lents mouvements, par les cliquetis et les cris familiers, par les odeurs de la mer et des bateaux.

Elle n'éprouvait plus ce regret du passé qui, autrefois, lui avait donné le désir éperdu de revenir sur les lieux de sa jeunesse. Elle n'avait plus l'impression que son existence passée à la ville était un rêve prolongé. Ce monde-là n'était plus, aujourd'hui ; pas seulement à cause du changement de climat ou des mouvements de population, mais aussi à cause du passage des années, de cette succession infinie d'instants autonomes qui s'étaient amassés sur ses souvenirs, comme du sable apporté par le vent. Elle ne voyait plus clairement la jeune fille qu'elle avait été autrefois, et qui n'aurait pu concevoir de passer sa vie dans un endroit tel que celui-ci. Aujourd'hui, il lui arrivait de ne plus avoir de contact avec le vent, le soleil et la mer pendant des semaines, et elle ne songeait plus jamais à la Mère de Mer ; elle ne croyait plus qu'Elle voyait toutes les actions de chacun et entendait chaque prière. Avec le temps, tout s'était effacé, son existence actuelle lui semblait naturelle.

Elle regarda vers les hauteurs, consciente de la masse d'Escarboucle au-dessus d'elle, ni rassurante ni protectrice, lourde et menaçante au contraire, comme un orage. Elle scruta la passerelle qui conduisait au port et repéra ce qu'elle cherchait : la silhouette familière de Capella Bonaventure.

Elle avait besoin de la voir en privé. Rien qu'elles deux et la mer, dans ce lieu public qui lui offrait plus d'intimité, aujourd'hui, que n'importe quel endroit de la cité, le palais compris. Ses gardes du corps, qui ne la quittaient pas depuis le retour des extramondiens, se tenaient à distance respectueuse et surveillaient attentivement les alentours.

Capella Bonaventure la salua. Elle lut du respect, et presque de la chaleur dans ses yeux, lorsque leurs regards se croisèrent.

– De quoi avez-vous besoin, ma Dame ?

Il y avait aussi de la curiosité chez Capella, à cause du caractère particulier de cette rencontre.

– Ce n'est pas pour moi mais pour les ondins, que j'ai besoin de votre aide. Le prévôt a levé l'interdiction de les chasser.

Capella Bonaventure pinça les lèvres.

– J'étais sûre que ça se terminerait comme ça. Il a beau faire semblant, ce n'est jamais qu'un extramondien comme les autres.

Moon retint les explications, les justifications, les arguments qui lui montaient aux lèvres pour lutter contre des préjugés qu'elle avait elle-même trop aisément accueillis dans son esprit, un moment plus tôt, pendant qu'elle traversait les rues de la ville. Elle en était venue à respecter Capella Bonaventure, et même à l'apprécier. Mais c'était une femme inflexible dans ses convictions, et sa méfiance envers les extramondiens était totale. Elle ne les considérait pas comme des gouvernants, mais comme des envahisseurs. En regardant son visage ridé et dur, qui exprimait un jugement impitoyable, Moon eut soudain peur d'y voir le reflet de ce que serait son propre visage d'ici quelques années, si cela continuait. Aussi ne chercha-t-elle aucunement à discuter, et se contenta-t-elle de dire :

– Je n'ai pas le pouvoir de les arrêter. Mais j'ai l'intention de faire obstacle à leur action de toutes les façons possibles.

– Que voulez-vous que nous fassions ? s'enflamma Capella.

– Je veux que vous passiez le mot parmi les Etésiens, que vous leur demandiez leur aide. Quand ils sont en mer, il faut qu'ils signalent la présence des chasseurs extramondiens aux ondins. Il faut qu'ils perturbent la traque sans se mettre eux-mêmes en danger. Vous pouvez contrer les vaisseaux de l'Hégémonie, disperser les colonies d'ondins à l'approche des chasseurs.

Ils n'avaient jamais pu trouver moyen de faire comprendre aux ondins le danger d'une attaque des chasseurs. Les ondins semblaient incapables de saisir l'imprévisibilité cruelle de la nature humaine.

– Bien sûr, dit Capella Bonaventure. Mais ce sera dur. Les extramondiens ont leur technologie... (Le mot sonna comme une malédiction.) Il sera difficile de les contrecarrer.

– Je sais. Je vous procurerai des équipements qui vous permettront de les localiser et de fausser leurs dispositifs de pistage. Je vous procurerai des appareils à ultra-sons pour provoquer la panique des ondins et les disperser en mer, pour les contraindre à se sauver. L'idée me déplaît à moi aussi, insista-t-elle en voyant se rembrunir Capella, mais je préfère encore utiliser les machines des extramondiens plutôt que d'assister au massacre des ondins.

Capella tirailla son écharpe de grosse laine.

– Je n'aime pas beaucoup avoir affaire à leur technologie, comme vous le savez. Utiliser leurs appareils, même si c'est pour s'en servir contre eux, est contraire à mon idée du bien. (Moon se raidit en entendant cette menace de refus. Mais Capella Bonaventure fourra ses mains dans les poches de son ample pantalon.) Cependant, pour les ondins – et seulement pour eux, ça n'a rien à voir avec nous, n'allez pas vous glorifier de m'avoir fait céder –, j'accepte votre proposition. Les appareils équiperont nos bateaux et serviront à défier leurs inventeurs et à protéger les Enfants de la Mer, si c'est la volonté de la Dame. Je suis sûre qu'Elle nous fera savoir si c'est ou non Sa volonté...

Elle se pencha par-dessus la rambarde et cracha trois fois dans l'eau, avec révérence. Alors seulement, Moon comprit qu'elle s'était adressée à la Mère de Mer en personne, et non à Capella Bonaventure.

– Merci, Capella Bonaventure. La Dame est très satisfaite de votre dévouement.

Sans trop savoir au nom de qui, ou pour qui elle s'exprimait, elle offrit à son tour, en signe de dévouement et de résolution, une prière à la chose sans nom et sans vie qu'elles servaient l'une et l'autre.

TIAMAT : Escarboucle

– Bordel de merde ! chef, vous êtes en retard.

Inopinément abordé par Niburu, Reede s'arrêta net devant l'entrée du club de Tor Marchétoile.

– Et alors ?

Il avait failli ne pas venir, car il savait qu'Ariele Marchalaube serait là à l'attendre, avec son fichu regard. Il avait fini par venir tout de même, en se disant que c'était pour mettre fin à cette relation, à ce mensonge. Il devait s'assurer qu'elle prendrait ses distances avec lui, à dater de maintenant, s'en assurer définitivement. On les avait remarqués, ça l'avait mis dans le pétrin, ça l'avait rendu vulnérable, et elle aussi. Il ne pouvait pas se le permettre, il ne pouvait pas se permettre d'avoir une relation intime avec qui que ce fût, tant qu'il porterait l'empreinte de la Source.

Il se répéta une fois de plus qu'elle n'était qu'une habitude qu'il avait prise. Ce n'était pas parce qu'elle aimait les ondins et disait avoir grandi avec la mer comme si c'était la chose la plus naturelle et la plus belle du monde... Ce n'était pas parce qu'elle appartenait à ce monde et à cette ville étrange qui faisait vibrer une part de son âme morcelée avec une sensation exquise et inexplicable de déjà-vu... qu'il devait croire à ses sentiments pour elle. Tout ça parce qu'il se sentait humain quand il parlait avec elle. Tout ça parce qu'elle le désirait comme s'il était un homme, un homme sain de corps et d'esprit. Les habitudes étaient faites pour être perdues.

Ça n'avait pas de sens. C'était un suicide, un meurtre. Elle lui avait sauvé la vie. Bon ! Il sauverait la sienne. Il ne la reverrait jamais.

— Ariele, dit Niburu.

— Quoi, Ariele ? fit Reede en agrippant son pilote par l'épaule, le faisant grimacer.

— Elle vient de partir.

Niburu désigna la Grand-Rue. Reede relâcha son pilote et crut apercevoir un éclat blanc argenté.

— Et alors ? fit-il, étrangement soulagé d'obtenir un délai du destin.

Bousculant Niburu, il pénétra dans le club.

— Reede ! brailla Niburu avec une exaspération soudaine. Ecoutez-moi, espèce de salopard ! (Reede fit demi-tour, médusé.) Je crois qu'elle a des ennuis.

— Comment ça ?

— Elle vous attendait, comme d'habitude, lorsque ce môme, là, Elco Teel, s'est mis à la harceler. Il voulait l'entraîner à une soirée mais elle ne voulait pas. Et puis, tout à coup, elle a changé d'attitude. La nuit et le jour. Elle s'est jetée sur lui et ils ont fini par partir ensemble.

— Alors comme ça, elle s'est rendue à une soirée. (Il émit un grognement de dégoût.) Et tu t'attends à ce que j'en fasse une maladie ?

Niburu le retint par la manche.

— J'ai dit qu'elle avait *changé*. Ce n'était pas comme si elle avait changé d'avis, c'était comme s'il lui était arrivé quelque chose. Tor l'a remarqué elle aussi. D'après elle Elco Teel lui a fait avaler quelque chose à son insu.

Tor, la patronne du club. Niburu avait une liaison avec elle, se rappela Reede.

— Elle s'est littéralement jetée sur lui, devant tout le monde, chef. C'est pas normal. Tor dit que si elle compte un tant soit peu pour vous, vous devriez aller voir ce qui se passe.

Reede lâcha un juron et scruta de nouveau la foule. Ariele avait disparu.

– De quel côté sont-ils partis ?

– J'ai dit à Ananke de les filer. Vous pouvez le pister par communicateur.

Reede baissa les yeux vers Niburu, épaté. Puis il alluma son traceur et repéra le signal d'Ananke.

– Vous voulez que je vienne avec vous, chef ?

– Non.

– Je vais aussi vite que vous. Si ça se gâte...

– Si ça se gâte, ce ne seront pas tes jambes qui me gêneront. C'est ta foutue conscience.

Reede tourna les talons et se perdit dans la foule.

Contrairement à son attente, la piste le conduisit au bas de la spirale de la Grand-Rue, et non vers le haut, vers les demeures de riches Hiverniens et des extramondiens. Ananke et ses proies s'engageaient en terrain miné, dans la zone intermédiaire entre le bout du Dédale et la Ville Basse, où entrepôts et usines occupaient des ruelles entières, dans un quartier propice au genre d'événements dont personne ne veut plus parler le lendemain, en général.

Il força l'allure tandis que la foule se raréfiait. Il finit par déboucher à l'entrée d'une ruelle déserte. Il eut une hésitation puis s'y engagea, car le traceur lui indiquait, par son signal insistant et monotone, qu'elle n'était pas aussi vide qu'elle le semblait.

Il pénétra dans cet espace silencieux, une main glissée sous sa veste molletonnée, pour vérifier le chargeur de son paralyseur. Un faible écho de voix lui parvint. Il ralentit le pas et pénétra dans un goulet d'accès entre deux entrepôts.

– Ananke ! chuchota-t-il en repérant une silhouette familière postée en attente, dans l'ombre.

Ananke fit volte-face et Reede aperçut un éclat métallique. L'expression du jeune homme passa de la peur panique au soulagement en un battement de cœur.

– Chef ! murmura-t-il en s'effondrant contre la paroi. (La dague qu'il portait toujours à la ceinture, et que Reede ne lui avait jamais vu dégainer, brillait dans sa main.) J'allais entrer.

D'autres voix étaient nettement perceptibles, maintenant. Reede lui fit signe de s'écarter et grimpa sur des caisses pour regarder à l'intérieur par un carreau noir de crasse. Une réception se déroulait à l'intérieur, et il n'avait pas besoin de voir de plus près pour savoir quel genre de « réception ». Il en vit assez pour repérer un visage familier, une tignasse argentée. *Là.*

Il sauta à bas des caisses.

— C'est tout ce que tu as ? demanda-t-il en désignant la dague.

Ananke fit la grimace.

— Désolé, chef, je...

— La ferme. Prends ça ! (Reede lui donna son propre couteau.) Ne tue personne, au nom des dieux ! Du moins, pas par accident. C'est fermé ?

— Je ne sais pas.

Reede grogna et le bouscula. La porte était verrouillée. Il pianota un code d'entrée forcé et poussa le battant, ignorant le signal d'alarme. Ils longèrent un petit couloir au pas de course, et se heurtèrent à un homme qui venait voir ce qui se passait. Reede le frappa en plein visage avec la crosse lestée du paralyseur, et l'autre s'écroula sans émettre un son.

Reede enjamba le type, Ananke sur ses talons. Le périmètre de l'entrepôt était envahi par des piles de caisses et d'équipements divers ; au centre, l'espace libre et sinistre avait été recouvert de tapis de caoutchouc. Une caisse à l'envers offrait tout un assortiment de drogues bon marché, et une douzaine d'individus, presque tous extramondiens, presque tous mâles, à l'air coriace, rôdaient : des travailleurs et des « marqués », probablement. Elco Teel était assis à l'écart, avec trois autres jeunes Hiverniens de sa bande, deux filles et un garçon. Ils pouffaient. Reede se tourna vers l'objet de leur attention.

Ariele Marchalaube était plantée au milieu des tapis, entourée par un groupe d'hommes excités. L'unique bretelle de sa longue tunique irisée pendait, et sa tunique était rabattue sur sa taille. L'inconnu qu'elle embrassait à pleine bouche lui tripotait les seins, tandis que, derrière elle, un autre type tirait sur sa tunique, révélant son corps à demi nu. Les sifflements et les huées déchaînés se répercutaient contre les murs de l'entrepôt.

Ananke jura et voulut s'élancer. Reede le retint, leva son paralyseur et visa. L'extramondien qui était en train de baisser son pantalon derrière Ariele porta ses mains à son bas-ventre avec un glapissement stupéfait. Il s'écroula dans une flaque d'urine, tandis qu'il perdait le contrôle de ses fonctions corporelles.

– Ariele !

Toutes les têtes pivotèrent vers Reede. L'extramondien qui caressait Ariele la repoussa avec brutalité quand elle chercha à se cramponner à lui. Elle vacilla et dévisagea Reede, comme les autres. Elle avait le regard vitreux et l'air hébété. Elle baissa les yeux sur son propre corps, les releva vers Reede, avec un curieux petit mouvement de tête.

Reede s'avança en visant avec son paralyseur. Personne ne bougea. Le groupe restait figé, pris entre le mécontentement et la stupéfaction.

– Ananke, dit Reede en désignant Elco Teel, tiens en respect ces petits salopards. Ne les laisse surtout pas se sauver. Alors ! jeta Reede à l'adresse des hommes silencieux et maussades qui entouraient Ariele.

L'un d'eux fit un pas en avant mais s'immobilisa quand Reede releva son arme. Ils commençaient à réagir. Après tout, ils avaient l'avantage du nombre. Perplexe, Ananke coula un regard vers Reede.

– J'appelle les Bleus pour les mettre au courant de cette partouze, déclara celui-ci à la cantonade. A vous de choisir, tas d'emmanchés : ou vous traînez ici assez longtemps pour voir si vous arrivez à prendre du bon temps avec la fille de la Reine avant que les Bleus ne débarquent... ou vous testez vos capacités à la course à pied.

De sa main libre, il pianota un code d'appel sur son communicateur. Les extramondiens filèrent un à un à la porte et il les garda en joue. Les lieux furent vidés en trente secondes. Même le blessé avait disparu. La porte se referma en claquant. Ils n'allaient pas revenir de sitôt.

Ariele avait toujours l'air sonné et essayait de se rha-
biller.

– Reede... murmura-t-elle en tendant les mains vers
lui.

Il fourra le paralyseur dans sa ceinture, remit en
place la bretelle de la tunique, avec des gestes doux et
neutres. Ariele voulut l'attirer contre elle.

– Ne bouge pas d'ici, ordonna-t-il en la repoussant.

En quelques enjambées, il fut face aux visages bou-
deurs et effrayés d'Elco Teel et de sa bande.

– Vous avez vraiment appelé les Bleus ? murmura
Ananke.

Reede éclata de rire.

– Non !

Ananke se détendit et les jeunes Hiverniens aussi.
Reede se cabra quand il sentit Ariele dorrière lui, qui
l'enlaçait de nouveau, glissant ses doigts par l'ouverture
de sa chemise. Il chassa sa main avec irritation. Une des
Hiverniennes gloussa en voyant les mains d'Ariele fure-
ter sur le corps de Reede comme si elles étaient douées
d'une vie propre.

– Tu trouves ça drôle ? éclata Ananke. (Reede fut
surpris par la sécheresse de son ton.) Tu crois que tu te
mets à l'abri en te foutant d'elle ? Tu te crois pareille à
eux ? (Il désigna Elco Teel et l'autre garçon.) La prochaine fois, ça pourrait bien être ton tour, ma petite...

La fille le foudroya du regard et agrippa le bras
d'Elco Teel. Reede empoigna le col de sa luxueuse tunique d'une étoffe diaphane et chatoyante et la déchira
jusqu'à la taille.

– Et la prochaine fois, ils ne se donneront peut-être
même pas la peine de te mettre en train, mon chou !

La fille hurla et referma les pans du tissu déchiré sur
sa poitrine. Elco Teel serra les mâchoires mais ne fit
aucun geste pour lui venir en aide. Les autres Hiverniens étaient bouche bée, les yeux écarquillés.

Reede leur tourna le dos et repoussa Ariele, exaspéré
de se rendre compte qu'il avait un début d'érection. Il
tendit une main vers Ananke, la paume ouverte, et le
jeune homme lui passa son couteau, en silence, inquiet

néanmoins. Reede appuya la lame sur la gorge d'Elco
Teel.

— Je n'ai pas appelé les Bleus parce qu'ils pourraient
s'opposer au petit traitement que je te réserve, mon
bonhomme, souffla-t-il. (Elco Teel devint livide et tout
son corps se relâcha.) Ce n'était pas un accident,
n'est-ce pas ? murmura Reede en dessinant un huit sur le
cou palpitant du garçon.

Même Ariele se tenait tranquille. Elle ne le touchait
plus, et pourtant une part de lui-même restait consciente
de sa présence, de son odeur... Il se ressaisit.

— C'est ton paternel qui t'a soufflé cette idée, et c'est
la Source qui la lui a donnée, pas vrai ?

— Je ne sais pas, bafouilla Elco. Oui. Peut-être. P'pa
m'a donné la drogue ! Il a dit que c'était pour me venger
d'elle, et de vous, parce que vous me l'avez volée.

Reede fit un geste sec, pareil à un coup de cravache,
et Elco Teel poussa un hurlement de douleur.

Reede recula pour admirer le boulot. Le garçon vacilla sur ses jambes en émettant une sorte de miaulement. Il contempla bêtement les lambeaux de son
luxueux vêtement, et la coupure écarlate et précise qui
s'étirait de sa gorge à son nombril.

Reede saisit Elco Teel par le menton et lui redressa
rudement la tête.

— Et maintenant, écoute-moi bien, petit connard ! Tu
vas dire à ton père... Dis-lui que son coup a foiré. Et
qu'il n'est pas de taille. Dis-lui bien que le petit jeu est
terminé entre la Source et moi. Que c'est juste un avertissement. Que la prochaine fois, il faudra qu'on te re-
couse morceau par morceau avant de pouvoir t'enterrer.
Et que ce sera de la rigolade, comparé à ce que je lui
ferai à lui. Tu vas retenir tout ça ?

— Oui, gémit Elco Teel, les larmes aux yeux.

— Alors, va le lui répéter.

Reede essuya sa lame sur les lambeaux de la chemise
et s'écarta, libérant le passage pour Elco Teel et sa
bande. Ils détalèrent. Reede ne broncha pas et remit son
couteau en place.

Ananke l'imita. Reede vit alors son expression : un
mélange d'admiration médusée et d'inquiétude.

– Que va-t-il se passer maintenant ? demanda-t-il enfin.

– C'est-à-dire ?

– La Source...

Reede grimaça. Ananke ne s'inquiétait pas seulement
de sa propre sauvegarde, mais aussi de la sienne, songea
Reede avec un curieux déplaisir. Pour toute réponse, il
haussa les épaules.

Des mains douces le touchèrent de nouveau et il tressaillit. Ariele était revenue derrière lui et le caressait,
l'embrassait sur la nuque. Sa caresse était plus timide,
cette fois, mais le fit tout de même vibrer tel un instrument qu'on accorde.

– Arrête, murmura-t-il – mais, cette fois, il eut du mal
à la repousser.

Quelque chose ralentissait ses mouvements, pesait sur
sa résolution. Ananke les regarda, indécis.

– Va retrouver Niburu au club, lui dit Reede. Dis-lui
que tout va bien.

Ananke jeta un coup d'œil vers Ariele.

– Et pour... ?

– Ça va aller.

– Je ferais peut-être mieux de vous aider à la raccompagner chez elle.

– Je m'en charge, trancha-t-il. Dégage !

Ananke obéit, réticent. Son regard s'attarda sur
Ariele, sur ses mains, sur sa bouche, sur les choses
qu'elle tentait de faire à Reede.

Reede se dégagea d'une secousse au moment où
Ananke sortait. Sa peau était brûlante partout où elle
l'avait touché. Elco Teel avait dû lui faire avaler une
bonne dose de possession. Cette drogue se diffusait dans
la peau et contaminait ceux qui tombaient sous son influence, éveillant chez eux la même excitation sexuelle
irrépressible. La tension douloureuse qu'il éprouvait au
niveau du bas-ventre gagnait tout son corps, le faisait
transpirer, brûler de fièvre. C'était impossible ! Les drogues n'avaient aucun effet sur lui...

– Ariele, dit-il farouchement en la secouant. Tu ne
sais pas ce que tu fais. Arrête !

Elle se débattit et ses yeux se remplirent de larmes.

Ses yeux d'agate, ses yeux de brouillard, des yeux comme il n'en avait jamais vu.

— Ce n'est pas *eux* que je voulais, c'est *toi*. Je te veux.

Soudain, douce et abandonnée, collant à lui, tiède et odorante, elle murmura :

— S'il te plaît. Oh ! s'il te plaît ! Reede, s'il te plaît... Seulement toi. Seulement toi...

Elle pressa ses lèvres sur son torse à demi dénudé et le dévora de baisers. Il se sentit soudain sans force en l'entendant prononcer son nom, en découvrant une lueur de reconnaissance dans ses yeux.

— Non, dit-il tandis qu'elle l'enlaçait. Non, Ariele...

Il voulut la repousser, mais ses mains semblaient avoir acquis une existence propre et se plaquèrent sur elle. Impuissant à résister, il goûta la douceur soyeuse de sa peau, la pression de son corps contre le sien, faisant vibrer ses nerfs comme si leur contact les avait mis sous tension. Et il sut que l'impossible avait eu lieu. Il l'embrassa sur la bouche, longuement, fiévreusement. Il était perdu.

Elle glissa contre lui, écarta ses vêtements, le couvrit de baisers, l'entraînant dans sa chute. L'espace glacial et nu qui les entourait se mua en brasier.

Ariele s'éveilla d'un rêve dans un rêve, toujours sous l'emprise de l'excitation qui saturait ses sens et rendait chacun de ses mouvements délicieusement sensuel. Elle découvrit qu'elle était nue sous les couvertures. Elle ouvrit les yeux sur une pièce inconnue. Comment était-elle arrivée dans ces lieux ? Un froid soudain la glaça quand un souvenir surgit dans son esprit, et qu'elle revit l'entrepôt sonore où elle était environnée d'étrangers, d'extramondiens aux mains brutales et aux regards sans âme, et qu'elle laissait... qu'elle laissait...

Mais ces images se métamorphosèrent comme des nuées. Ce n'était plus un inconnu mais Reede Kullervo qui la tenait dans ses bras, qui la caressait, ôtait ses vêtements et, sous ses baisers, sa raison devenait de l'écume. Elle se rappela son sexe traçant une ligne brûlante sur sa peau, sa chaleur incandescente pénétrant son intimité, embrasant ses doux replis tandis qu'il investissait le cœur secret de son être, qu'il sombrait jusqu'à l'âme dans ses profondeurs incendiées.

Elle se rappelait le rythme lent et profond en elle, et ce sentiment de complétude inconnu d'elle, jusqu'au cri, à l'acmé du plaisir, à la libération merveilleuse. Puis de nouveau ce rythme, encore et encore, et des rêves fous...

Ces souvenirs en cascade se dissipèrent à la lumière du jour. Elle explora l'espace à côté d'elle, en quête d'un corps, d'un visage, effrayée, soudain, à l'idée qu'il pouvait ne pas être là, qu'il pouvait n'y avoir personne.

Mais – joie et soulagement – il était bien là, allongé à côté d'elle, profondément endormi. Elle examina son visage, fascinée par le spectacle qu'il offrait au repos. Il n'était jamais aussi paisible, aussi vulnérable lorsqu'il était éveillé. Il était toujours pareil à un poing plein d'épines. C'était ce qui l'avait attirée en lui : l'affleurement du danger, la sauvagerie de son regard. Mais c'était l'homme endormi près d'elle qui l'avait retenue : l'étranger envoûté et envoûtant qu'elle entrevoyait parfois lorsqu'ils parlaient des ondins. C'était cet homme-là qui n'avait cessé de revenir vers elle alors même que quelque chose en lui s'y opposait, la maintenait à distance, et restait hors d'atteinte, volontairement.

Elle effleura sa joue, si doucement qu'elle en éprouva à peine la réalité. Sa main glissa le long de la mâchoire, du cou, de l'épaule. Elle n'avait jamais pu le toucher jusque-là. Il ne le lui avait jamais permis. Elle examina les tatouages qui serpentaient le long de son bras, fascinée par la complexité des motifs. On lui avait dit un jour que ces dessins signifiaient que leur porteur était un criminel. Cela l'avait secrètement excitée.

Mais Reede avait nié lorsqu'elle avait trouvé le courage de l'interroger. Et maintenant, en voyant la beauté de leurs motifs symétriques aux couleurs variées, s'imbriquant les uns dans les autres dans une configuration magique, elle n'y croyait pas non plus. Les figures lui faisaient penser à des secrets, des métamorphoses, des messages aux significations cachées. Elles lui rappelaient l'ondinchant, le mystère de l'existence humaine dans toute sa richesse, toutes choses qu'elle aurait pu contempler à l'infini, comme ces dessins venus d'ailleurs, comme l'homme mystérieux qui les portait...

La main de Reede prit vie sous sa caresse, s'empara de la sienne et la serra à lui faire mal. Il se redressa et la dévisagea tandis que, sur son visage, les émotions se succédaient si rapidement qu'elle ne put capter que la colère. Elle réprima un sourire à peine esquissé, effrayée par ce qu'elle lisait dans ses yeux.

Mais il se laissa retomber sur le lit, immobile, et couvrit son visage de ses mains.

— Non, murmura-t-il, non !

Ariele osa le toucher de nouveau. Il ne la repoussa pas. Elle se serra contre lui, lova sa tête au creux de son épaule. Il tressaillit mais ne fit aucune tentative pour la chasser.

— Oh ! Reede, chuchota-t-elle. Je t'aime tant. Tu as tout changé pour moi.

Il lâcha quelques mots dans une langue qu'elle ne connaissait pas, et qui ressemblaient à une imprécation.

— Tu ne sais rien de l'amour, ou du reste... bordel de merde ! hurla-t-il.

Mais il l'enlaça, l'attira à lui, la serra à l'étouffer, comme s'il craignait qu'elle ne disparaisse, lui caressa les cheveux.

— Que vais-je faire ? dit-il à l'adresse du plafond, ou de l'air.

— Tu es inquiet à cause de ma mère ?

Il la regarda, interdit.

— Quoi ?

— Elle ne sera pas en colère contre toi. Elle pourrait même être contente de moi, pour une fois.

— Ne dis rien à ta mère. Pour l'amour des dieux ! Ne le dis à personne !

— Mais pourquoi ? Tout le monde croit déjà...

Il s'assit sur son séant, la foudroya du regard, désespéré et furieux.

— Comme si *tu* connaissais la vérité...

— Dis-la-moi, exigea-t-elle.

— C'est trop tard. (Il se rallongea près d'elle.) Trop tard !

Il laissa errer son regard le long de son corps, étendit

la main avec hésitation pour toucher un sein, et elle eut un frisson de désir. Il roula sur elle, l'embrassa et recommença à lui faire l'amour avec fièvre...

TIAMAT : Astroport hégémonique

– La visite du complexe vous a plu, ma Dame ? demanda Vhanu.

Brusquement arraché à sa rêverie, Gundhalinu se détourna de la baie vitrée. Evitant les conversations, il s'était laissé captiver par la vision spectaculaire, fascinante, des réseaux d'atterrissage de l'astroport, laissant le brasier incandescent qui brûlait à vingt mètres en contrebas réduire en cendres toute pensée consciente pendant de longues minutes. La question de Vhanu le contraignit à reporter son attention sur la salle de réception bondée. La Reine et son époux les rejoignaient. Jerusha Pala-Thion, qui avait escorté la Reine dans sa visite, était parmi eux, scrutant les réseaux, l'esprit ailleurs.

– Oui. C'était fascinant, dit Moon avec juste ce qu'il fallait d'admiration respectueuse.

Son regard se détacha fugitivement du visage de son interlocuteur, et Gundhalinu vit dans ses yeux une lueur d'amusement. Bien que Vhanu l'ignorât, ce n'était pas la première fois qu'elle pénétrait dans le complexe. C'était déjà arrivé le soir où l'Assemblée avait débarqué sur Tiamat. Mais alors, cette visite avait marqué le début de la fin, le Départ final de l'Hégémonie, et non le Retour sur Tiamat.

Elle n'était pas au nombre des invités d'honneur, ce soir-là. C'était une réfugiée à bout de forces, tout comme le jeune inspecteur Gundhalinu, porté disparu et que l'on croyait mort. Ils arrivaient tous deux de l'intérieur sauvage, affamés, transis, et personne ne les attendait. Bien qu'il fût interdit aux autochtones de pénétrer dans le complexe, le sergent de garde avait posé les yeux sur ceux de l'inspecteur Gundhalinu revenu du tombeau, et les avait laissés passer.

Ils étaient arrivés au beau milieu d'une fête en tout point semblable, et le plaisir, le soulagement indicible qu'il avait éprouvés en se retrouvant sain et sauf parmi les siens, et juste à temps pour rentrer chez lui, avaient coïncidé avec la joie des invités réunis en ces lieux.

Gundhalinu regarda à nouveau le visage inexpressif de Jerusha Pala-Thion et se demanda à quoi elle pouvait bien songer, ce soir. A l'époque, elle était commandant de police. Aujourd'hui, elle n'était plus qu'inspecteur en chef. Mais son existence avait connu tant de bouleversements entre-temps – tout autant que la sienne à lui – qu'il ne pouvait imaginer ses réactions aujourd'hui. Il se rappela la façon dont elle lui avait souri, lorsqu'elle était entrée dans l'infirmerie où on le soignait, et comment sa joie à le revoir avait revigoré et réchauffé son corps épuisé et tremblant.

Il se souvint aussi des regards des membres de l'Assemblée qui l'avaient escorté – en croyant venir honorer l'un des leurs, un technicien kharemoughi revenu de l'intérieur sauvage et barbare – lorsqu'ils avaient vu les cicatrices laissées sur ses poignets par sa tentative de suicide manquée, et l'avaient entendu exprimer ses sentiments interdits pour la femme tiamataine qui lui avait sauvé la vie.

Il regarda ses poignets, s'attendant presque à y découvrir les stigmates écarlates de cicatrices récentes, bien qu'il les eût fait opérer depuis longtemps déjà, et qu'il n'y pensât pratiquement jamais. Il fut étonné, car il avait été si sûr, autrefois, qu'il ne pourrait jamais en oublier l'existence, même si elles n'étaient plus visibles, qu'il ne pourrait jamais voir le jour où il cesserait de se haïr d'être vivant...

Aujourd'hui, au bout de si longues années, il était surpris de constater qu'il se remémorait encore chacune des cuisantes épithètes, des railleries et des reproches qu'on lui avait décochés cette nuit-là, à l'infirmerie, alors qu'il se souvenait à peine de ce qu'il avait mangé la veille au dîner. S'il avait eu la force, à ce moment-là, de s'emparer de quelque instrument médical tranchant placé à sa portée, il aurait achevé ce qu'il avait si lamentablement commencé.

Il sentit qu'il clignait un peu trop des paupières, et se força à se concentrer sur les complexités d'un adhani jusqu'à ce qu'il eût repris le contrôle de ses émotions. Il jeta un coup d'œil vers Moon. Se souvenait-elle de cette nuit si lointaine pour l'un et l'autre, où la cruauté pharisienne de son propre peuple l'avait conduit à devenir un renégat et amené à aider Moon Marchalaube à accomplir sa destinée ?

Elle écoutait Vhanu qui lui donnait d'autres détails sur le fonctionnement de l'astroport, avec une expression parfaitement composée. Elle portait une longue robe fluide qui aurait fait fureur sur Kharemough, même si les mouchetures subtiles de l'étoffe verte et ondoyante évoquaient pour lui des feuilles agitées par le vent, des vagues sur la mer, quelque chose de profondément tiamatain. Ses cheveux étaient simplement nattés dans son dos et tressés de fils d'or, et elle portait un diadème de cristal. C'était la première fois qu'il lui voyait porter une couronne. L'ornement avait dû appartenir à Arienrhod, et elle l'avait mis pour produire un effet voulu. Elle avait un port de reine mais, chez elle, c'était naturel. Il cessa de la regarder, submergé par l'émotion.

Sparks Marchalaube écoutait, lui aussi, d'un air animé inhabituel chez lui, comme s'il s'intéressait vraiment à ce que disait Vhanu. Il était vêtu d'une tunique et d'un pantalon d'importation de coupe stricte, et rien, dans son apparence, ne le distinguait d'un extramondien.

– ... mais veuillez m'excuser, dit Vhanu. Je dois vous ennuyer, avec toutes ces précisions techniques.

Gundhalinu perçut dans sa réplique une exclusion inconsciente de la Reine et de son époux, considérés comme des êtres humains moins cultivés, moins aptes au raisonnement.

– Pas du tout, répondit Moon. (Il vit le brusque éclair de colère qui passait dans son regard, et sut qu'elle avait perçu comme lui ce jugement involontaire.) Vous avez satisfait une curiosité légitime en me montrant à quoi ressemble votre astroport. Il a été interdit d'accès pour mon peuple pendant si longtemps, malgré le rôle vital qu'il a joué dans la destinée de notre monde... Mais je dois admettre qu'il ne supporte pas la comparaison avec les villes orbitales qui entourent votre planète natale, commandant Vhanu.

Vhanu la dévisagea, interdit.

– Vous avez... vous avez vu une cassette de notre base interstellaire ?

– Non, j'ai vu l'astroport. Je l'ai visité lorsque j'étais jeune fille. Au moment où j'ai appris la vérité sur le réseau divinatoire.

Elle adressa un sourire aimable à Vhanu, tout à coup très mal à l'aise.

– Comment y êtes-vous entrée ? Comment en êtes-vous revenue ? s'enquit-il. Il y a des années que personne n'a pu quitter notre monde, et auparavant, tout Tiamatain qui quittait sa planète n'avait pas le droit d'y revenir, n'est-ce pas ?

– J'ai violé la loi, je le crains, admit-elle simplement. Mais c'est une vieille histoire. Ce que j'ai fait n'est plus illégal grâce à nos nouvelles relations avec l'Hégémonie. Et je vous suis très reconnaissante de la sagesse dont vous avez fait preuve en changeant l'ancien système d'oppression. C'était une loi injuste. Il y en avait beaucoup, alors, n'est-ce pas, prévôt ?

Elle se tourna vers Gundhalinu, comme si elle avait senti qu'il la regardait. Il eut un sourire tout aussi réservé que celui qu'elle lui adressait.

– Cette fois, nous espérons fonder nos relations avec votre peuple sur une véritable justice, ma Dame, dit-il avec douceur.

Il jeta un coup d'œil sur Vhanu, enregistrant sa contrariété mal maîtrisée, puis sur Sparks Marchalaube. Celui-ci le dévisageait avec un air de froide spéculation qu'il ne s'était pas attendu à lui voir. La sensation en était déplaisante.

Marchalaube détourna les yeux et regarda les réseaux d'atterrissage, les vaisseaux de l'Assemblée à l'amarrage derrière les baies vitrées, avec une sorte d'avidité farouche. Souhaitait-il vraiment pouvoir s'envoler loin d'ici, disparaître, quitter ce monde et ses chagrins ? Ou peut-être souhaitait-il voir disparaître l'Hégémonie ? songea Gundhalinu.

Un léger remue-ménage se fit dans la foule : le Premier ministre et les membres de l'Assemblée faisaient enfin leur entrée. Pendant une fraction de seconde, il sut exactement quelle émotion Marchalaube avait éprouvée.

– Tiens, tiens ! voilà les fossiles vivants de l'histoire ancienne, ironisa Jerusha Pala-Thion très distinctement.

– Pala-Thion ! jeta Vhanu avec une indignation qui n'était pas seulement dictée par le souci de sauver les apparences.

Gundhalinu, lui, sentit s'évanouir la paralysie qui l'avait saisi. Un fin sourire releva les coins de sa bouche quand il regarda son inspecteur en chef. Il lui adressa un imperceptible signe de tête, un *remerciement*. Moon sourit ouvertement derrière le dos de Vhanu. Sparks ramena son attention vers la porte d'entrée. Gundhalinu se souvint qu'il était le fils d'un des membres de l'Assemblée, engendré au cours de la Nuit des Masques où Arienrhod avait fait réaliser son clonage.

Gundhalinu s'avança et son entourage le suivit, car les membres de l'Assemblée attendaient ce geste de courtoisie comme un dû. Même s'ils n'avaient jamais été que des hommes de paille tout au long de l'histoire de l'Hégémonie – et étaient devenus plus anachroniques encore depuis que la découverte de l'astropropulseur avait modifié les structures du pouvoir des Huit Mondes – ils n'en demeuraient pas moins le symbole incarné de la puissance hégémonique. Le prévôt comprenait la colère instinctive de Vhanu face au commentaire désinvolte de Jerusha, même s'il avait depuis longtemps cessé d'éprouver la fierté et le respect que lui inspirait autrefois la vue de l'Assemblée.

Les membres de l'Assemblée étant un peu plus que des acteurs figés dans le même rôle perpétuel, leur arrivée était en général prétexte à congés et à festivités. Il fallait se remémorer de temps en temps ce qu'il y avait de bon dans la domination de Kharemough parmi ses « égaux » de l'Hégémonie... Il espéra soudain, de tout son cœur, qu'il en serait ainsi ce soir.

La foule des extramondiens et des Tiamatains influents s'ouvrit en deux comme par magie, formant une allée entre lui et les membres de l'Assemblée. Ils resplendissaient dans leurs uniformes de coupe irréprochable, ornés de pierres précieuses, recouverts des décorations et des distinctions honorifiques qui leur avaient été accordées au cours de leur cycle éternel de retours dans les Huit Mondes.

Gundhalinu jeta un bref coup d'œil sur son uniforme de prévôt, austère et noir. Ce soir, il était rehaussé d'une bande argentée où étaient fixées ses armoiries familiales et ses décorations. Il s'était senti prétentieux en les mettant, mais tout à coup il se réjouissait de l'avoir fait. C'était une armure nécessaire pour affronter une foule d'émeutiers.

Flanqué de Vhanu et de Tilhonne, escorté par les autres officiels de son gouvernement, il s'immobilisa devant le Premier ministre, se fendit d'une demi-révérence, tandis que l'officier du protocole présentait les arrivants un à un.

Le Premier ministre Ashwini toucha brièvement sa main levée, avec une distraction bienveillante, et lui murmura une phrase aimable aussitôt oubliée. Ashwini avait dans les soixante-cinq ans mais son corps paraissait toujours jeune ; il était distingué et avait l'allure d'un technicien. Il n'était que le quatrième Premier ministre depuis la constitution de l'Hégémonie, et Gundhalinu n'avait pas la moindre idée de sa date de naissance, dans l'histoire en temps réel de son monde natal. Il avait dû l'apprendre en classe, mais l'avait oubliée. Etant donné qu'un dignitaire de ce rang avait accès aux traitements de jouvence les plus performants et consommait fréquemment de l'eau de vie, il était certainement beaucoup plus vieux qu'il ne le paraissait si l'on comptait en années réelles. Et comme lui et les autres membres de l'Assemblée avaient passé le plus clair de leur temps en voyages-sublumière de Portes en mondes, leurs souvenirs étaient encore plus anciens, formant un patchwork de moments d'histoire aléatoires qui devaient ressembler à s'y méprendre au moment présent.

– Très honoré, sadhu, murmura Gundhalinu.

Il parlait sandhi, comme presque tout le monde maintenant. Il fit un pas de côté pour que le Premier ministre et l'Assemblée puissent voir clairement ceux qui patientaient derrière lui.

— Puis-je vous présenter la Reine d'Eté...

— Arienrhod ! fit le Premier ministre, stupéfait. Ça alors ! Elle est censée être morte, non ? N'avons-nous pas assisté à sa noyade, il y a quelques mois ?

Il s'interrompit sans attendre la réponse, et son regard devint fixe comme s'il écoutait une voix résonnant à l'intérieur de son crâne. Gundhalinu comprit qu'il recevait des données à partir d'une source quelconque, son officier protocolaire, sans doute, ou quelque banque de données branchée sur ses propos.

— Oh ! fit Ashwini au bout d'un moment qui parut interminable. Bien sûr ! C'est la Reine d'Eté. Toutes mes excuses. Très honoré, ma Dame, je vous prie de le croire.

Il s'avança, la main tendue comme un autochtone. Moon s'inclina avec dignité et lui serra solennellement la main.

— C'est une nouveauté, alors ? lui dit-il. Vous êtes-vous fait modifier pour ressembler à vos prédécesseurs ?

Gundhalinu la vit rougir et grimaça intérieurement.

— Non, dit-elle, nous n'avons rien fait de tel.

Elle ne lui avait pas donné de titre, comme si elle s'adressait à un égal, et s'était exprimée dans un sandhi un peu guindé, mais clair. Il parut consterné.

— Oh ! Mais que faites-vous ici ? La dernière fois que je suis venu ici, votre peuple n'avait même pas le droit de pénétrer dans l'astroport.

— Les choses ont changé, sadhu, intervint Gundhalinu avec une insistance bon enfant. Si vous voulez vous en souvenir... A cause du plasma astropropulseur... Et donc nos relations avec Tiamat ont changé, elles aussi.

Ashwini fronça les sourcils et parut écouter sa voix intérieure.

— Les choses ont changé, bien entendu, répéta-t-il en cillant. Tout cela me paraît parfaitement sensé. (Il eut de nouveau une inclinaison de tête à l'adresse de Moon, comme si les présentations venaient à peine d'être faites.) Et vous êtes celui qu'il faut remercier pour cela, n'est-ce pas, prévôt ? ajouta-t-il avec un sourire qui paraissait réellement sincère et approbateur. Il faudra que vous me racontiez toute l'histoire vous-même, tout à l'heure, au dîner...

– Volontiers, sadhu.

Gundhalinu lui rendit son sourire. Ashwini regarda ailleurs et le prévôt échangea un coup d'œil avec Vhanu, aussi déconcerté que lui. *Bon sang, c'est une nullité ambulante, il a un petit pois en guise de cervelle.* Il continua néanmoins à faire les présentations, comme si de rien n'était.

– ... le consort de la Reine, le fils du Premier secrétaire Sirus.

Il y eut un murmure parmi les membres de l'Assemblée, et Gundhalinu vit quelqu'un s'avancer pour mieux voir. Sirus en personne ! L'homme ne semblait pas plus âgé que Sparks Marchalaube, mais il sourit avec chaleur et fierté en repérant son fils. Gundhalinu devina que Sparks le regardait avec étonnement avant de se retourner vers son père.

Le Premier ministre fut entraîné dans la salle au milieu d'une poignée de conseillers. Gundhalinu éprouva un indéniable soulagement. D'autres membres de l'Assemblée vinrent le saluer, lui et son équipe, avec des commentaires tantôt aimables, tantôt étourdiment arrogants, ou un peu déphasés, comme ceux du Premier ministre. Ils passaient le plus clair de leur temps dans leur monde clos intersidéral, ne quittant leurs vaisseaux que pour assister à des réunions comme celle-ci, dans une interminable succession de soirées brillantes et de dîners élégants, avec l'élite toujours différente des divers mondes. En général, on n'élisait de nouveau membre qu'à la mort de l'un d'eux. Gundhalinu songea qu'il était finalement surprenant que leur comportement ne soit pas plus bizarre encore.

Il accepta une boisson offerte par un servo, dont la silhouette brillante zigzaguait parmi les corps de chair et de sang réunis dans la salle. Il avala la moitié de son verre d'un trait, non sans se mépriser d'avoir besoin de ce remontant. Les souvenirs pénibles le dominaient, songea-t-il pour se déculpabiliser. Il n'avait vu l'Assemblée qu'une seule fois auparavant, au cours de la brève et amère rencontre qui avait eu lieu à l'hôpital de l'astroport. Pour lui, cette entrevue remontait à treize ans, mais ces gens avaient à peine vieilli, et certains d'entre eux lui paraissaient familiers, trop semblables même à ceux dont les traits restaient gravés dans sa mémoire.

Pourquoi, se demanda-t-il, l'humiliation avait-elle un si grand empire sur l'âme humaine, rendant les souvenirs pénibles plus vivants encore que ceux de la semaine écoulée, et plus puissants que toutes les choses estimables qu'il avait accomplies entre-temps ? Lorsqu'il était retourné sur Kharemough avec l'astropropulseur, nul n'avait osé évoquer son déshonneur. Il s'était écoulé des années sans que personne, jamais, ne lui adresse un regard réprobateur ou une remarque acerbe concernant son passé. Sa tentative de suicide commençait même à lui faire l'effet d'un événement très lointain.

Mais pour tous ces gens, le souvenir de leur dernière entrevue avec lui ne datait que de quelques mois. Il avait tout juste vingt-cinq ans, à l'époque, et la mine d'un mort-vivant. Et pourtant, il se surprenait à prier les mânes de ses ancêtres pour que nul ne se souvînt de lui.

— Prévôt Gundhalinu, dit une voix un peu trop sonore, juste derrière lui, c'est un grand plaisir que de vous rencontrer, sadhu. De rencontrer celui qui est devenu le vivant symbole de la grandeur de Kharemough et de ce qui la maintient à la tête de l'Hégémonie au bout de tant de siècles.

Gundhalinu recula d'un pas pour prendre ses distances avec cet interlocuteur qui le serrait de trop près et empestait l'eau de Cologne. Il eut un haut-le-cœur en sentant cette odeur, qu'il n'avait pas oubliée.

— IQ Quarropas, énonça l'homme, porte-parole de l'Assemblée.

— Très honoré, murmura machinalement Gundhalinu en touchant sa paume avec la sienne.

Il regarda le visage gras et souriant du porte-parole. Celui-ci avait dû être plutôt bel homme dans sa jeunesse, mais une vie de bien-être et de privilèges ne lui avait pas réussi. Il eut une expression étrange, à l'instant où leurs mains se touchaient.

– J'ai l'impression que nous nous sommes déjà rencontrés... Est-ce le cas ?

– Non, je ne pense pas.

– Mais j'ai retenu votre nom.

Le porte-parole agita le doigt dans sa direction, et Gundhalinu vit la réponse se frayer inexorablement un chemin jusqu'à sa conscience. Ce fut avec effort qu'il conserva une expression neutre.

– Oui, Quarropas-sadhu, dit-il tranquillement. Nous nous sommes rencontrés. Lors de votre dernière visite sur Tiamat. J'étais inspecteur de police, alors.

Et Quarropas avait refusé de toucher sa main parce qu'il l'avait mutilée en tentant de se trancher les veines.

– Inspecteur Gundhalinu, murmura Quarropas. Par mes saints ancêtres ! Etes-vous bien celui qui était revenu des étendues sauvages ? Comment est-ce possible ? J'aurais cru que vous auriez fait ce qu'il était honorable de faire voici des années, après avoir avili votre famille et votre classe, comme vous l'avez fait ce soir-là.

Plusieurs personnes proches le dévisagèrent d'un air stupéfait ou scandalisé. Gundhalinu garda le silence un long moment. Vhanu était témoin de cette confrontation.

– « Ce qui était honorable », répéta-t-il finalement d'une voix égale. Voulez-vous dire par là que je devrais être mort ?

– Vous étiez un suicidé manqué, lâcha Quarropas. (Le terme signifiait aussi *lâche*.) Et vous aviez une vulgaire autochtone pour maîtresse, de surcroît.

– Vous parlez de Moon Marchalaube ? coupa Gundhalinu. Vous parlez de la Reine d'Eté.

D'un signe du menton, il désigna Moon qui se tenait immobile un peu plus loin, avec une expression où se mêlaient la douleur et la colère. Sparks était auprès d'elle, et son visage n'exprimait que froideur et dégoût.

– Vous faires erreur, poursuivit Gundhalinu. Elle était, et est toujours mariée au fils du Premier secrétaire, Sirus. Leurs enfants sont parmi les invités. Elle m'a aidé dans un moment de détresse et je lui ai rendu la pareille, voici bien longtemps. Il n'y a rien à ajouter. (Il prit une profonde inspiration.) Si ce n'est que j'ai compris que la véritable couardise aurait consisté à me supprimer. Ce qui était honorable était de continuer à vivre, et de conquérir par mes actions le droit d'oublier le passé.

– Bien parlé, Gundhalinu-ken.

Sirus, le Premier secrétaire, se tenait à présent derrière Sparks Marchalaube. Son regard sombre et perspicace croisa celui de Gundhalinu.

– Je dois dire, Quarropas, poursuivit-il en baissant le ton et en se rapprochant, qu'il aurait mieux valu vous suicider que de tenir les propos que vous avez tenus à l'homme qui est près de vous. Nous avons vous et moi commis un acte indigne durant notre précédente et dernière visite, en remettant son honneur en cause dans des circonstances que nous ne pouvions pleinement apprécier. Mais il est impardonnable d'insulter deux fois l'honorable Gundhalinu-eshkrad.

Quarropas se hérissa à ces mots, foudroyant Sirus du regard. Il était à son tour le point de mire de toute la salle, et les flèches pleuvaient.

– C'est grâce au prévôt, poursuivit Sirus, que j'ai le grand plaisir de revoir mon fils et de connaître sa famille. Sans lui, son épouse ne serait pas la Reine de ce monde. Nous ne serions pas ici avec un avenir tout neuf devant nous, et l'eau de vie à nouveau à notre disposition, s'il ne nous avait pas rapporté le plasma astropropulseur. Je vous salue, sadhu.

Il leva sa coupe en émail à l'adresse de Gundhalinu. Des murmures coururent dans la foule, mais ils n'avaient rien d'hostile ou de moqueur. Gundhalinu vit se lever plusieurs verres, et des paumes se tendre, pour le remercier. Il inclina la tête et eut pour Sirus un regard rempli de gratitude. Sirus sourit et le temps reprit son cours.

– Par le Batelier ! tu as embroché ce *kortch* comme il le méritait.

Jerusha était près de lui. Elle lui toucha le bras et, dans son regard, il vit le reflet de leur passé commun. Il pinça les lèvres.

– J'ai eu des années, et bien des nuits sans sommeil, pour préparer ce que je dirai, cette fois. (Il hocha la tête et eut un faible sourire.) Je ne suis peut-être pas un lâche, après tout. Comment ça se passe, pour toi ? ajouta-t-il.

Elle haussa les épaules.

– Je survivrai. J'ai connu de pires réceptions. Mais j'ai besoin de remontant.

Elle s'éloigna en direction d'un servo. Gundhalinu sirota sa boisson tout en scrutant la foule. Il finit par repérer Vhanu. Le commandant le regarda brièvement et détourna rapidement des yeux gênés. Gundhalinu le rejoignit mais le Premier ministre s'interposa avec un sourire engageant.

– Un toast au prévôt Gundhalinu ? C'est recommandé, n'est-ce pas, et cela me fait plaisir. Il est peu de gens, dans notre passé, qui aient autant mérité notre hommage pour leur contribution à la prédominance de Kharemough et à la prospérité de l'Hégémonie.

Gundhalinu inclina la tête, geste qui lui évitait de regarder qui que ce fût droit dans les yeux. Il se demanda, en cet instant, pourquoi cet honneur, qui, autrefois, aurait eu à ses yeux plus de prix que la vie même, lui était réservé au moment précis où cela ne signifiait plus rien pour lui.

Lorsqu'il releva la tête, Vhanu n'était plus visible. Quelqu'un prononça son nom, derrière lui. Moon venait vers lui avec Sirus, et avec sa famille.

– Merci d'avoir défendu ma réputation et ma famille, prévôt Gundhalinu, dit-elle.

Il inclina la tête une fois de plus, dissimulant ainsi l'élan d'émotion qui l'avait saisi à sa vue.

– Cette mise au point était naturelle, ma Dame.

Evitant les regards de Sparks, d'Ariele et de Tammis, il se tourna vers Sirus.

– Je vous suis très reconnaissant, sadhu.

Sirus esquissa un sourire embarrassé. Il avait l'ossature puissante, pour un technicien kharemoughi. Gundhalinu avait vaguement entendu dire qu'il était à demi samathain : fils d'un Premier ministre conçu au cours d'une lointaine visite sur la planète natale de Sirus.

L'accident de sa naissance lui avait permis de devenir un important chef politique sur Samathe ; on l'avait invité à occuper une place vacante à l'Assemblée, lors de la visite suivante.

— Je vous serais reconnaissant, Gundhalinu-sadhu, de considérer que l'équilibre est revenu entre nous, après ce qui doit être, pour vous, une bien longue période.

Sirus jeta un coup d'œil vers Sparks, Ariele et Tammis. Celui-ci était derrière sa mère, auprès de Merovy, sa jeune épouse.

— Tous, dans l'Assemblée, sommes en dehors du temps, à cause de nos voyages pendant tant de siècles. Mais aujourd'hui, vous m'avez donné l'occasion de voir les grandes choses que mon fils et sa femme ont accomplies, de voir mes petits-enfants. Nous accordions beaucoup de prix à cela, dans le monde de ma mère, et c'est l'un de mes regrets. (Il mit un bras autour des épaules de Sparks.) Je sais que je n'ai pas eu l'occasion d'être un père pour toi, mon fils, et ma fierté est peut-être présomptueuse. Mais quoi qu'il en soit, elle est sincère. Tu as réussi ta vie, malgré mon absence.

Sparks sourit à son père. Mais ce sourire s'évanouit aussi vite qu'il était apparu. Gundhalinu se demanda quels doutes, quels regrets, quels secrets se dissimulaient sous l'expression qui l'avait remplacé. Il eut soudain la certitude qu'elle masquait autant d'arrière-pensées que la sienne en avait caché, un instant plus tôt.

Il conversa avec eux à bâtons rompus, pour avoir le prétexte de continuer à les observer. Il aurait dû se mêler à la foule, faire son devoir, si déplaisant qu'il fût. Mais il ne pouvait s'éloigner de Moon, la quitter du regard, cesser de la voir évoluer, entourée de sa famille.

Sa famille. Il coula un regard du côté d'Ariele. Elle ressemblait trait pour trait au souvenir qu'il avait gardé de sa mère, jeune, exception faite du sourire railleur qu'elle affichait en permanence, et de la vivacité impatiente de son regard. Elle s'était collé au beau milieu du front, tel un troisième œil, une pastille stimulante piochée sur un des plateaux qui circulaient. Ses cheveux d'un blanc crémeux coupés à la garçonne étaient plantés droit sur sa tête. Elle portait une combinaison moulante couleur d'aurore et un pantalon flottant noué autour de sa taille mince, un ensemble luxueux et raffiné, comme d'habitude.

Elle dévisagea tour à tour Sirus qui parlait à sa mère, puis Gundhalinu, et enfin Sparks, l'homme qu'elle avait toujours considéré comme son père. L'espace d'un éclair, Gundhalinu la vit dépouiller son masque railleur pour n'être plus qu'une enfant perdue. Quand elle s'avisa qu'il l'observait lui aussi, elle se fondit dans la foule. Etait-elle allée retrouver cet infect petit morveux d'Elco Teel ? Kirard Set Wayaways et sa famille étaient présents à la soirée, car ils étaient trop influents pour être snobés, mais, par chance, le prévôt n'avait aperçu aucun d'eux.

– C'est étonnant, n'est-ce pas ? dit Sirus en désignant la silhouette d'Ariele qui disparaissait parmi les invités. (Gundhalinu comprit que tout le monde s'était rendu compte qu'il regardait la jeune fille.) La ressemblance entre elle et sa mère, précisa Sirus.

– Oui, répondit-il, heureux de saisir le prétexte de cette question pour excuser sa conduite. Je l'ai prise pour la Reine, la première fois que je l'ai vue.

Il sourit, coulant un regard vers Moon et voyant sa surprise.

– Tammis ressemble davantage à son père. (Sirus sourit largement à l'adresse du jeune couple, près de lui.) Il a quelque chose d'un Kharemoughi, vous ne trouvez pas, Gundhalinu-sadhu ?

Gundhalinu hésita. Cinq paires d'yeux étaient braquées sur lui.

– C'est vrai, convint-il avec douceur.

Tammis baissa les paupières. Gundhalinu crut d'abord qu'il cherchait à éviter son regard, puis comprit qu'il contemplait son pendentif de devin. Il le vit élever sa main et toucher le trèfle. Puis la main retomba et saisit celle de sa femme. Merovy tenta discrètement d'éviter ce contact, puis céda. Ils avaient des problèmes conjugaux, à ce qu'on lui avait rapporté.

Par chance, le Premier secrétaire, tout à la joie que lui procurait le fantasme trompeur du bonheur familial de son fils, ne percevait pas la tension sous-jacente.

Heureusement, il ne resterait pas assez longtemps sur Tiamat pour voir s'écrouler ses illusions. D'ailleurs, il n'avait jamais séjourné quelque part suffisamment longtemps pour connaître autre chose qu'un mirage de la vraie vie, avec ses peines et sa cruelle inéluctabilité.

Gundhalinu s'était parfois demandé ce qui pouvait conduire des gens tels que Sirus à entrer à l'Assemblée, et à couper tout lien avec la vie qu'ils avaient connue. Ce soir, en cet instant, il avait enfin le sentiment de les comprendre. Il prit soudain conscience de la musique qu'on jouait : une fugue limpide originaire de son monde natal. D'une certaine façon, cette musique familière ne lui avait jamais paru aussi belle et aussi poignante.

Sirus se tourna vers Moon en l'entendant énoncer son nom.

— Je vous en prie, appelez-moi Temmon.

— Temmon, acquiesça-t-elle avec un bref sourire, vous disiez que nous devrions avoir une conversation sur les ondins.

— Bien sûr ! Il faut aborder cette question. Tenez-moi compagnie au dîner et nous...

Il s'interrompit à cause d'un mouvement à l'entrée. Gundhalinu tendit le cou pour voir ce qui se passait au-delà des têtes. Tilhonne était debout au centre d'un petit espace libre, et tenait quelque chose de vaguement familier. Le prévôt se figea en reconnaissant un flacon d'eau de vie. Il entendit le halètement audible de Moon.

— Sadhanu, bhai, énonça Tilhonne en élevant la voix pour se faire entendre de la foule. Le dîner est prêt. Mais tout d'abord, grâce à la diligence de notre nouveau gouvernement hégémonique et à la coopération de nos amis tiamatains... (il fit un geste vers Kirard Set Wayaways qui surgit près de lui) ... nous tenons à remettre un cadeau spécial à nos honorables visiteurs. Les premiers fruits d'une récolte renouvelée. L'eau de vie.

Un murmure surpris et excité se propagea à travers la foule ; des mouvements ondulatoires suivirent ; les membres de l'Assemblée s'empressèrent autour de l'orateur.

Conscient d'être de nouveau dévisagé par ceux qui

l'entouraient, Gundhalinu demeura immobile. Moon était stupéfaite, trahie.

— Bravo, Gundhalinu-sadhu ! s'exclama Sirus, rayonnant. Rien n'aurait pu museler aussi radicalement la bigoterie arrogante de certains imbéciles. (Il lui donna une tape sur l'épaule.) Vous leur avez donné leur rêve, vous et la Dame.

Il se tourna vers Moon mais son attention était ailleurs : elle regardait avec angoisse les membres de l'Assemblée qui se passaient le flacon de main en main, l'élevant vers leur bouche, vaporisant quelques gouttes de l'épais liquide argenté avec une voracité bestiale.

— Eh bien, venez donc ! insista Sirus, surpris par l'immobilité de ceux qui l'entouraient. Nous avons bien le droit d'avoir notre part de cette manne. A moins, bien entendu, que vous n'en ayez déjà goûté ?

— Non, répondit Moon d'un ton affligé. Je ne bois pas de sang. Chaque goutte d'eau de vie que vous buvez se paie par la mort des ondins. L'Hégémonie a violé nos lois, qui interdisent de les massacrer... (Il écarquilla les yeux, stupéfait : il ne s'était jamais interrogé sur la provenance de l'eau de vie.) C'est justement de cela que je voulais vous parler, ajouta-t-elle d'un ton douloureux.

— Grands dieux ! murmura-t-il, peiné. Je n'aurais jamais imaginé que ces deux choses eussent un rapport ! Mais je tiens d'autant plus à en parler avec vous. Le dîner sera long, si j'ai bonne mémoire, et nous pourrons...

Elle hocha la tête, inflexible.

— Non. Si j'assistais à ce dîner comme si rien ne s'était passé, j'aurais l'air d'accepter ce qui vient d'avoir lieu, et cela ferait de moi la pire des hypocrites.

Elle regarda Gundhalinu sans lui laisser le temps de réagir.

— Moon ! fit Sparks qui chercha à la retenir.

— Reste si tu veux, lui dit-elle avec une expression où se mêlaient la colère et le désespoir.

Tammis et Merovy la suivirent sans un mot. Sparks marqua une hésitation à cause de son père. Puis il murmura quelque chose d'inaudible et s'élança à leur suite. Au passage, Sparks décocha à Gundhalinu un bref regard qui le transperça jusqu'au tréfonds. Surpris et troublé, BZ le suivit des yeux jusqu'à ce qu'il disparaisse hors de la salle.

Partagé entre l'inquiétude et l'embarras, Sirus hocha la tête quand ils se retrouvèrent face à face.

– Vous venez avec moi, Gundhalinu-sadhu ? demanda-t-il avec un geste en direction du flacon d'eau de vie.

– Non, sadhu. Je crains de trouver cela imbuvable.

Sirus le dévisagea un instant, puis soupira.

– Ma foi, cela me tente déjà moins. En attendant d'en savoir davantage sur la question, en tout cas. Vous restez pour le dîner, j'espère ?

Gundhalinu eut un faible sourire.

– Oui, Sirus-sadhu. Contrairement à la Reine, je n'ai pas le choix.

Dans la salle, les commentaires provoqués par le brusque départ de Moon rivalisaient avec l'excitation grandissante provoquée par la présentation de l'eau de vie. Il vit avec étonnement qu'Ariele Marchalaube avait une vive discussion avec quelqu'un. Elle finit par quitter les lieux comme si, à l'instar de sa mère, elle était choquée par la consommation d'eau de vie et tout ce qu'elle signifiait.

A l'instant où elle disparaissait, Gundhalinu repéra Vhanu, posté près du seuil. Il s'excusa auprès de Sirus et se fraya un chemin dans la foule, fermant ses oreilles aux commentaires et aux ragots des invités.

– Mais enfin, NR, dit-il, furieux, à son commandant. Comment cela a-t-il pu se produire ? C'est un affront diplomatique. La Reine était si en colère qu'elle a quitté le complexe. Je n'ai jamais donné mon autorisation à cela.

– C'est Tilhonne qui a eu l'idée d'apporter de l'eau de vie ici et de la présenter à l'Assemblée.

– Avec l'aide empressée de Wayaways, je parie, fit Gundhalinu avec aigreur. (Vhanu acquiesça en haussant les épaules.) Et comment ont-ils effectué leur chasse, sans la coopération de la Reine ? Arienrhod faisait appel à son Starbuck et aux chasseurs de dillyps de Tsiehpun...

– J'ai accordé une autorisation pour qu'ils disposent

de tout ce dont ils pouvaient avoir besoin pour effectuer ce travail.

– Par les dieux ! C'est toi ? Et au nom de quelle autorité ? Nom d'un chien ! NR, pourquoi m'as-tu caché ça ?

– Parce que je savais que tu t'opposerais formellement à la chasse. Au nom de tous les dieux ! BZ, nous devons faire bonne impression si nous tenons à conserver le soutien de ceux qui ont du pouvoir sur Kharemough. Nous devons prouver que nous sommes les maîtres de la situation, et non les otages d'une bande d'autochtones superstitieux. Et, le diable m'emporte ! ton obsession d'un « gouvernement éclairé » devenait un obstacle à ton action. Tu étais en train de te trancher toi-même la gorge. C'est pour toi que j'ai fait ça.

– Vous l'avez fait pour vous, siffla Gundhalinu, à la fois furieux et sur la défensive. Ne mélangez pas tout.

Vhanu serra les dents en l'entendant employer le *vous* cérémonieux.

– Très bien. Je l'ai fait pour nous deux, pour nous tous, comme Tilhonne. (Son expression se modifia. Il posa ses mains sur les épaules de son ami avec une douce insistance.) BZ, tu sais que j'ai toujours eu la plus haute estime pour toi. Tu es mon ami. Il n'y a personne que j'admire plus que toi. Mais quelles que soient les raisons de ta présence ici, je t'assure que lorsque tu auras pris le temps d'y réfléchir, tu nous seras reconnaissant de ce que nous avons fait ce soir.

Sans mot dire, Gundhalinu regarda un dernier membre de l'Assemblée avaler ce qui restait d'eau de vie.

– Ils vont dîner, dit-il à Vhanu. Nous nous joignons à eux ?

Vhanu acquiesça, et ils quittèrent la salle.

Les lueurs rosées de l'aube commençaient à poindre à l'extrémité de la ruelle Azur, lorsque Gundhalinu, fatigué et seul, parvint enfin devant le seuil de sa maison. Il contempla l'aurore naissante, preuve qu'un monde et un univers existaient encore au-delà des murs immuables et de l'éternelle lumière d'Escarboucle. Puis il se détourna de ce spectacle, vidé de toute émotion, trop épuisé pour éprouver quoi que ce soit.

La nuit écoulée n'était qu'un brouillard dans son esprit. Elle se résumait à un repas interminable où, assailli de questions par le Premier secrétaire, il avait répondu de son mieux. La pensée que Sirus était un dignitaire sans pouvoir ne l'avait pas quitté. Toutes ses protestations seraient inutiles, comme celles des personnes les plus influentes. Et Moon avait quitté l'astroport sans lui laisser la possibilité de s'expliquer. Maintenant, au moment de rentrer chez lui, il ne savait qu'une chose : il avait mal à la tête et il était tout juste capable d'ouvrir sa porte.

Il buta contre un objet dans la pénombre de l'entrée, lâcha une imprécation et perdit l'équilibre. Un paquet plat était posé par terre et il le tâta avec précaution : il était grand, très léger, et cela faisait entendre un bruissement lorsqu'on le secouait. Aucun billet ne l'accompagnait, l'emballage ne portait même pas son nom, mais il sentit, sans pouvoir l'expliquer, que cela n'avait rien de menaçant. Il prit l'objet et le fourra sous son bras pendant qu'il désactivait la serrure de sécurité. Il posa le paquet sur une table du salon et se mit en quête d'un timbre analgésique pour calmer sa migraine.

Il dégrafa son col en revenant et se laissa tomber sur le divan tiamatain aux couleurs de la terre. Il huma la faible odeur marine des filalgues dont on s'était servi pour bourrer les coussins. Un soupir lui échappa lorsqu'il s'aperçut que cette étrange odeur avait fini par acquérir pour lui des vertus apaisantes. Il posa les pieds sur la table, ferma les paupières, et mit de la musique en activant le système récréatif, placé à l'autre bout de la pièce. Les accords familiers d'un chant kharemoughi s'élevèrent dans le silence et l'analgésique fit son œuvre. La douleur s'atténua peu à peu, et le prévôt fut à nouveau capable de réfléchir.

Mais les pensées qui se firent jour dans son esprit ne firent qu'éveiller un autre genre de douleur : la souffrance lancinante née de sa frustration grandissante, de son isolement, de ses regrets.

Il songea avec colère qu'il ne pouvait s'attendre à autre chose. Avait-il perdu l'esprit au point de croire que l'Hégémonie lui passerait tous ses caprices à cause de ce qu'il avait accompli pour elle ? Moon Marchalaube aurait-elle dû languir après lui pendant toutes ces longues années, comme lui ? Comptait-il qu'ils tomberaient dans les bras l'un de l'autre, tels les amants de ces minables romans historiques du Vieil Empire qu'il avait dévorés dans sa jeunesse ?

Dieux ! Il était épuisé et ferait mieux d'aller se coucher, au lieu de s'apitoyer sur lui-même. Il n'avait jamais ignoré la situation qui l'attendait ici, mais s'était refusé à y croire. Il contempla la pièce très ancienne où il se trouvait, et se représenta en pensée la demeure où il vivait, l'une des meilleures de la cité : dix pièces aux murs ornés de fresques somptueuses représentant les montagnes et la mer, et où il menait en solitaire une existence vaine, qui se prolongerait pendant des années, sauf s'il... s'il...

Il se leva brusquement et arrêta la musique. Il avait choisi cette existence. Comme on fait son lit, on se couche.

Il s'apprêtait à traverser la pièce quand il aperçut le paquet posé sur la table. Il se rassit et fit sauter les sceaux qui maintenaient le couvercle. Sur un lit d'algues, il découvrit un masque de Festival traditionnel, réalisé à la main, merveilleusement façonné. Comme les masques du dernier Festival dont il avait gardé le souvenir. Celui-ci n'avait rien de commun avec les masques médiocres et fabriqués à la hâte qu'il avait vus s'entasser dans les boutiques du Dédale à l'approche des festivités.

Il était neuf et authentique. Ce n'était pas une relique conservée dans quelque placard pendant une génération. Il le toucha, émerveillé. Il vit les diamants scintillants des étoiles, les fragiles voiles de la brume répandue sur les étendues noires et satinées de l'espace, les ténèbres profondes d'une Porte Noire, du Transfert, d'une vision d'aveugle... et en son centre, un visage de lumière reflétant le monde dans son infinie variété. Son propre visage qui le regardait. Et tout à coup, il sut qui avait confectionné ce masque à son intention, qui le lui avait envoyé, et pourquoi.

Il le prit entre ses mains pour l'examiner de plus près.

Puis, au bout d'un long moment, il le replaça dans son écrin, s'étira et se leva.

— Demain, murmura-t-il — et un étrange sentiment de paix l'envahit tandis qu'il s'engageait dans l'escalier, en quête de repos.

TIAMAT : Escarboucle

BZ Gundhalinu s'effaça pour laisser entrer Jerusha Pala-Thion dans sa maison, puis referma hâtivement sa porte, pour faire obstacle au vacarme des fêtards. Il y avait maintenant trois jours qu'on s'en donnait à cœur joie à travers la ville, à la suite de l'arrivée de l'Assemblée. L'inquiétude le prit lorsqu'il vit l'expression de sa visiteuse.

— Jerusha, qu'est-ce qui ne va pas ?

Elle eut un petit sourire ironique.

— J'aimerais bien que tu m'accueilles avec une autre formule à chacune de nos rencontres inopinées, BZ.

— Et moi donc !

Il eut un rire piteux et la guida dans le couloir, jusqu'au salon. Il s'installa dans un fauteuil, l'invitant du geste à en faire autant. La pièce était éclairée par une unique lampe ; d'épaisses tentures aux fenêtres barraient le passage aux regards des curieux et au jour artificiel de la ville, lui donnant l'illusion qu'il faisait nuit et qu'il était temps de dormir.

— J'espère que c'est sérieux. Emeutes ? Alerte à la bombe ? Tentative d'assassinat sur la personne du Premier ministre ?

— Rien d'aussi simple, j'en ai peur, répondit Jerusha. (Elle se décida à poursuivre.) Autant y aller carrément. Tammis a des ennuis. Il est au poste.

— Bonté divine ! On l'a arrêté ?

— Non. Il a été tabassé et volé. Il essayait de lever un jeune prostitué. Il n'a pas choisi le bon.

— Mais, il est... *marié.*

Il n'insista pas, comprenant tout à coup pourquoi ce mariage-là battait de l'aile.

— Je l'ai gardé au poste parce qu'il refuse d'aller à l'hôpital.

— Sa femme y travaille.

Elle acquiesça, passant une main dans ses cheveux.

— J'ai pensé que tu voudrais être au courant.

Il soupira, se déroba à son regard en voyant la sympathie muette qui brillait dans ses yeux.

— Amène-le ici.

Le temps passa, interminablement, jusqu'à ce qu'enfin on frappe de nouveau à la porte. Il alla ouvrir. Tammis se tenait sur le perron à marquise, et Jerusha était postée derrière lui, telle une ombre. Il pénétra dans la maison sur un signe de Gundhalinu. Il se mouvait avec raideur ; il avait une lèvre enflée et un œil au beurre noir. Jerusha leva une main en guise d'adieu.

— Merci d'être venu, dit Gundhalinu en refermant la porte sur elle.

— Avais-je le choix ?

— Non. Mais merci tout de même.

Gundhalinu mena Tammis au salon et lui offrit un siège. Le jeune homme s'assit, péniblement.

— Pourquoi suis-je ici, prévôt Gundhalinu ?

Il rougit en posant la question, comme s'il redoutait que son interlocuteur ne fût déjà au courant, comme s'il redoutait quelque conséquence irréparable. Gundhalinu s'installa en face de lui, sur le divan.

— Parce que nous avons besoin de parler. De la raison pour laquelle tu refuses d'aller à l'hôpital.

Il examina le jeune homme à la dérobée, en quête d'une ressemblance. Visible. Le trèfle de Tammis brillait sur l'étoffe souillée de terre de sa veste. Gundhalinu contempla son propre pendentif.

— En quoi cela vous regarde-t-il ? dit Tammis, réagissant en fils de Reine, bien que sa voix n'eût sans doute pas toute l'assurance qu'il escomptait. Faites-vous cela parce que vous couchez avec ma mère ?

Gundhalinu se raidit. Il ne répondit pas tout de suite, luttant pour rassembler son courage, et ses pensées.

– Pas exactement, murmura-t-il enfin. Je ne couche pas avec ta mère. Mais je suis ton père.

Tammis se figea à ces mots. Mais aucun étonnement ne troubla son expression. Il ne demanda pas si c'était bien la vérité. Le silence se prolongea. Gundhalinu finit par aller se planter devant le jeune homme. Il examina en connaisseur son visage meurtri et inquiet.

– Je suppose que tu te sens horriblement mal, dit-il en effleurant à peine sa joue tuméfiée. (Tammis tressaillit et se déroba à ce contact.) Mais je ne crois pas que ce soit dangereux.

– Qu'en savez-vous ?

– On n'apprend pas aux vieux singes à faire la grimace. Il y a de quoi te soigner dans la salle de bains, si tu veux.

– Non.

Gundhalinu comprenait pourquoi Tammis refusait de mettre fin à la douleur alors même qu'il en avait la possibilité.

– Vous dites que vous êtes mon père et que je devrais vous parler. Mais ce ne sont que des mots. Vous ne savez rien de moi. Qu'est-ce qui vous fait croire que vous pouvez me comprendre, alors que... ma propre famille en est incapable ?

– Leur parles-tu de tes problèmes ? Le peux-tu ? demanda Gundhalinu en s'asseyant près de lui.

Tammis fronça les sourcils.

– Vous voulez savoir si je leur parle du fait que je n'arrive pas à savoir si je veux coucher avec des hommes ou avec des femmes ? C'est ce que vous voulez dire ? Parce que c'est ce qui m'est arrivé ce soir, figurez-vous !

– Je sais.

Tammis le regarda sombrement.

– Vous avez déjà éprouvé ça ? Est-ce que votre propre père vous a déjà traité de pervers ?

– Non, dit Gundhalinu. Mais il est mort en croyant que j'étais un lâche. Autrefois, tous ceux qui comptaient pour moi me prenaient pour un dégonflé. Et certains d'entre eux le pensent encore malgré tout ce que j'ai accompli. Ils me traitaient aussi de dégénéré, parce que j'étais tombé amoureux de ta mère et qu'elle n'était pas kharemoughie.

Les traits de Tammis se détendirent. Gundhalinu n'aurait su dire quel aveu avait suscité la surprise qu'il lisait sur son visage.

– Il y a même eu une époque où j'ai pensé que je devrais mourir, poursuivit-il. Mais une personne très spéciale m'a fait changer d'avis.

– Qui ?

– Ta mère.

Tammis cilla et regarda ailleurs.

– As-tu essayé de discuter de tes problèmes avec ta mère, ou... ou avec... *Sparks. Ton père.*

– Elle n'a jamais le temps de m'écouter. Ça fait des années que ça dure. Et puis, elle est étésienne. Elle nous oblige à aller à des réunions de clans étésiens, à étudier nos traditions. Toute ma vie, j'ai entendu les miens répéter que le fait de désirer quelqu'un avec qui on ne pouvait pas avoir d'enfant allait contre la Volonté de la Dame. (Par habitude, il effectua le signe de la triade.) Ils disent que « la Mère aime les enfants par-dessus tout » mais pratiquent la contraception. Ils ne sont pas *obligés* d'avoir des enfants, la Dame n'y voit aucun inconvénient... tant qu'ils ne pratiquent pas d'union interdite, acheva-t-il avec amertume. Si ma mère savait, elle pourrait... elle pourrait...

– Cesser de t'aimer ?

Tammis rougit.

– Comme p'pa. P'pa m'a vu, une fois. (Il eut une expression désespérée.) Je suis un adulte, un homme marié. Je devrais être capable de résoudre mes problèmes seul !

– Et tes amis hiverniens ?

Il haussa les épaules.

– J'ignore ce qu'ils pensent vraiment, et eux aussi. Certains d'entre eux n'aiment pas ça. D'autres s'en foutent. Mais c'est parce qu'ils sont comme les extramondiens. Ils n'ont pas de traditions ni de valeurs, comme nous...

– Tu veux dire comme les Etésiens ?

Il acquiesça. Gundhalinu sourit.

– Oh ! tu aurais bien des surprises... Sur Kharemough, nous avons un vieux dicton : « Mes dieux ou les tiens, qui peut savoir lesquels sont les plus forts ? » C'est pourquoi nous les honorons tous... au cas où. Et il y a encore plus de cultures différentes que de dieux, dans les Huit Mondes. On y trouve des gens prêts à tuer, prêts à s'entre-tuer à cause d'une différence ridicule, qu'elle soit religieuse, culturelle ou physique. Et tout le monde est persuadé d'avoir raison. Il n'y a pas de Vérité avec un grand V, Tammis. Uniquement des différences d'opinions. Et si les Tiamatains sont perplexes, ils ne sont pas les seuls.

– Que penserait-on à Kharemough, si vous vouliez faire l'amour avec un autre homme, au lieu de... d'une femme qui n'est pas comme vous !

– Eh bien, cela dépendrait de la caste à laquelle il appartient, probablement. (Tammis le regarda sans comprendre.) Les préjugés sont de toutes sortes, expliqua Gundhalinu avec un haussement d'épaules. Mais s'il n'y avait pas d'obstacle sur le plan du rang social, la plupart des Kharemoughis que je connais ne se préoccuperaient pas de ce que deux adultes consentants peuvent faire entre eux, tant qu'ils resteraient discrets. Les démonstrations publiques d'affection ou de désir sont considérées comme un manque de savoir-vivre. Par ailleurs, dans certaines régions de Newhaven, la semi-nudité est monnaie courante à cause de la chaleur, d'après ce que m'a dit Jerusha Pala-Thion. Jerusha disait qu'elle ne s'habituerait jamais au froid d'ici. Je disais que je ne m'habituerais jamais aux visages, aux yeux. Tous ces yeux bleus et froids.

Il se détourna des yeux de Tammis, qui étaient du même brun chaud que les siens.

– Mais c'est ici que je vis ! Et les gens que j'aime détestent ce que je suis. Ils jurent que la Dame l'a en horreur.

– Ce n'est pas parce que tu es en minorité que tu as tort.

– Pour vous, c'est facile à dire.

Gundhalinu se mit à rire.

– Beaucoup plus facile que lorsque j'ai quitté Tiamat.

(Il toucha son pendentif de devin.) Pour ce qui est des jugements négatifs sur toi, songe que tu portes un trèfle, toi aussi. Tu n'auras jamais affaire à un juge des caractères aussi effroyablement impartial qu'un lieu de choix. Sur Kharemough, tout fils de technicien a l'obligation de se rendre dans l'un d'eux, pour y être jugé. Lorsque j'étais enfant, j'avais si peur d'être indigne d'être choisi que j'ai menti à ma famille. Je leur ai fait croire que j'avais échoué à cette épreuve, plutôt que de l'affronter et apprendre pour de bon que je n'étais ni assez fort ni assez équilibré pour être devin.

— Alors, comment... ? fit Tammis en désignant le pendentif trifoliolé de Gundhalinu.

— Je te raconterai ça une autre fois. (Gundhalinu eut un petit sourire.) Cela te prouvera que les devins ne sont pas des saints. Sais-tu qui sont Vanamoïnen et Ilmarinen ?

Tammis fit signe que non.

— Tu devrais. Ce sont les créateurs du réseau divinatoire qui a servi tous nos mondes depuis l'écroulement du Vieil Empire. C'étaient deux hommes et ils étaient amants. Depuis des années. Et je me souviens d'avoir su que c'est leur amour réciproque qui leur a permis de croire qu'ils pouvaient changer les choses, même dans une situation impossible, lorsque je... Enfin, l'un d'eux était mon ancêtre. Ma famille vénère Ilmarinen comme son fondateur depuis plusieurs siècles.

— Mais alors, ça signifie... Est-ce qu'il aimait à la fois les hommes et les femmes ?

Gundhalinu haussa les épaules.

— Tout ce que je sais, c'est qu'il a trouvé sa solution. Il faudra que tu trouves la tienne. Mais si un jour tu as besoin de savoir si tu as le droit d'être vivant, baisse les yeux et pense à ce que représentent les devins pour ton peuple.

Tammis soupira.

— Mais... Mais Merovy...

— Eh bien ?

— Elle m'a chassé.

— Parce que tu sortais avec des hommes ?

— C'est plus fort que moi. Je ne veux pas lui faire ça,

je réfléchis, et je me déteste d'être comme ça, mais plus je me déteste et plus je veux...

– Tu ne désires jamais d'autres femmes ?

– Si.

– Autant que les hommes ?

Tammis acquiesça de nouveau.

– Mais elles ne sont pas Merovy, alors je... j'esquive. J'aime Merovy. Je ne me suis jamais senti aussi proche de quelqu'un. C'est pour ça que je l'ai épousée. *Elle*, et pas une autre.

– Et tu ne t'es jamais senti aussi proche d'un autre homme non plus ?

– Non. Je n'ai jamais été amoureux d'un homme. Ce n'est pas comme pour elle.

– Alors, pourquoi ne peux-tu t'en empêcher ?

– Je ne sais pas.

Il fronça les sourcils, comme s'il n'avait jamais réfléchi à la question.

– Est-ce que Merovy t'aurait chassé si tu avais couché avec d'autres femmes ?

Tammis releva les yeux vers Gundhalinu.

– Probablement.

– Alors, votre problème, c'est peut-être ton infidélité.

– Oui. Ce doit être ça.

– En ce cas, la question à laquelle tu devrais réfléchir, c'est peut-être de savoir si tu tiens à te détester toi-même plus que tu n'aimes ta femme.

Tammis baissa les yeux sur son trèfle un long moment.

– Est-ce que je peux m'en aller maintenant, prévôt Gundhalinu ? demanda-t-il enfin.

Gundhalinu acquiesça, surpris et vaguement déçu par la soudaineté de la question.

Tammis se leva en grimaçant de douleur.

– Peut-être que... je vais prendre quelque chose pour... (Il désigna son corps endolori.) Avant de partir. Si ça ne vous ennuie pas.

– Par là, dit Gundhalinu en désignant la direction de la salle de bains. Tu trouveras tout ce qu'il te faut.

Tammis traversa la pièce, se retourna sur le seuil, mais ne dit rien. Gundhalinu l'entendit ensuite fouiller dans les armoires de la salle de bains, puis ressortir dans le couloir et se diriger directement vers la sortie. A la toute dernière minute, avant que la porte ne se referme, il entendit le mot : « Merci. »

TIAMAT : Escarboucle

Moon Marchalaube était seule au milieu d'une centaine de fêtards aux tenues étincelantes, dans le grand hall du palais. Autour d'elle, tout le monde mangeait, buvait, riait, bavardait, dansait et chantait. Hiverniens, Etésiens et extramondiens étaient impossibles à reconnaître, pour une fois, avec leurs masques de Festival et leurs vêtements extravagants.

Moon portait un masque confectionné par Destinée – une recréation de celui de son couronnement – en velours frappé de couleur verte rehaussé de tulle brillant et irisé. Il évoquait les fleurs des collines, les ailes des oiseaux, le bleu du ciel et de la mer, l'or du soleil. A l'abri derrière son masque, elle observait ceux qui l'environnaient comme si elle découvrait, par quelque ouverture secrète, un autre monde.

Elle se mouvait au rythme instinctif et lent de sa propre musique, ondoyant avec le flux de la foule. Ce bal de la Nuit des Masques était l'apogée d'une interminable succession de soirées, de banquets et de réceptions auxquels elle était censée participer, au cours de la visite de l'Assemblée.

Elle avait regardé le Premier ministre et les membres de son entourage boire l'eau de vie en sa présence, comme des drogués ; puis elle avait quitté l'astroport pour signifier sa colère. Mais elle ne pouvait se permettre de bouder toutes les réceptions prévues sous peine d'affaiblir sa position face aux extramondiens. Elle n'en avait manqué aucune, même si ses pensées étaient à mille lieues de ces festivités, hantées par la vision plus vaste qu'il lui était interdit d'oublier.

Et elle assistait à cet ultime bal, sans plaisir et sans

illusions. Elle ne reconnaissait personne autour d'elle ; de toute façon, c'étaient sûrement des gens qu'elle n'avait aucune envie de rencontrer. Il se faisait tard, la foule diminuait déjà, les couples se formaient pour le reste de la nuit. Ce soir, par tradition, chacun était autorisé, et même encouragé, à oublier ses inhibitions et ses regrets jusqu'au lendemain à l'aube, lorsqu'on jetterait symboliquement le passé à la mer.

On considérait que cela portait malheur de passer cette nuit en solitaire, sans amant ni amante. Au cours de la dernière Nuit des Masques, Moon était avec Sparks. Ils se trouvaient enfin réunis et l'avenir semblait leur réserver un bonheur sans fin. Mais, ce soir, Sparks n'était même pas présent dans la grande salle. Il s'était excusé, prétendant qu'il souhaitait passer le peu de temps qui restait avec son père, avant le départ de l'Assemblée. Sans doute était-ce en partie vrai. Quoi qu'il en fût, il ne rentrait jamais avant l'aube.

Tammis non plus ne se donnait pas la peine de sauver les apparences avec Merovy, il n'était pas là non plus. Tous deux vivaient séparément, à ce qu'on lui avait dit, mais ni l'un ni l'autre ne lui en avait parlé directement. Quant à Ariele, seule la Dame savait ce qu'elle fabriquait, ce soir, et avec qui. Des rumeurs couraient, à propos d'un extramondien. Tor les avait vus ensemble et avait fait part d'*un peu d'inquiétude, sans plus*. Il y avait des semaines qu'on ne voyait plus Ariele au palais. Moon avait été surprise de la voir paraître au banquet de l'astroport, et de la voir quitter les lieux avec sa famille, lorsqu'on avait apporté l'eau de vie. Décidément, elle ne comprendrait jamais sa fille. Jamais !

Le Premier ministre, accompagné de quelques autres fêtards méconnaissables derrière leurs masques identiques produits en série, vinrent lui souhaiter bonne nuit. Elle se montra aimable, et reconnut la voix de Vhanu, le préfet de police. Plusieurs Bleus, en uniforme et non masqués, accompagnaient les dignitaires, pour leur sécurité. Où était Jerusha ? En service, sans doute. Sa vieille amie lui manquait, tout à coup.

Elle avait scruté la foule pendant toute la soirée, cherchant à repérer un uniforme noir de prévôt de justice, ou l'éclat argenté d'un pendentif de devin, parmi cette accumulation de pierres précieuses et de médailles. En vain. BZ avait assisté à toutes les cérémonies et festivités, jusqu'ici. Assis à côté d'elle chaque fois que le protocole l'exigeait, il ne semblait pas prendre plus de plaisir ou d'intérêt qu'elle à ces manifestations. Elle n'avait déchiffré dans son regard que des excuses ou de la résignation, et ils ne s'étaient adressé la parole qu'en cas de nécessité. Ce soir, il avait dû partir tôt, si toutefois il était venu. Moon se dirigea lentement vers l'escalier, à l'autre bout de la salle. Le Premier ministre étant parti, rien ne requérait plus sa présence.

Un brusque reflet de lumière capta son regard. Elle repéra, dans le tourbillon de masques colorés, un motif qui la fascina. Il était aussi particulier que celui qu'elle portait, et quelque chose d'indéfinissable lui dit que Destinée en était la créatrice. Pourtant, elle avait vu tous ceux qu'elle avait confectionnés, après avoir recouvré la vue ; il n'y en avait guère qu'une douzaine, réalisés à la main, à l'ancienne, et offerts à Moon et à sa famille, à Tor, et à de rares amis intimes. Il restait encore quelques faiseurs de masques, à Escarboucle, et certains s'étaient remis à l'ouvrage, pour en vendre à de riches Tiamatains et extramondiens. Mais Destinée, qui était considérée comme la meilleure artisane, n'avait voulu en confectionner que pour en faire don à ses proches.

Moon se demanda qui avait pu recevoir pareil présent. De loin, elle devinait que c'était un homme. L'inconnu qui le portait se tourna dans sa direction, comme s'il s'était senti observé. Le devant de son masque était un miroir qui captait la lumière, les couleurs et les mouvements, et formait une étoile sur fond noir de jais. Immobile, elle vit l'inconnu venir vers elle, à travers la foule. Elle le regarda avancer, fascinée par son propre reflet, de plus en plus distinct dans le miroir. Un je-ne-sais-quoi dans sa démarche lui fit reconnaître celui qui se portait à sa rencontre.

— BZ, dit-elle sans hésitation, bien qu'il ne fût pas en uniforme.

Et elle lui tendit la main.

— Moon.

Il prit sa main dans une chaude caresse et referma ses doigts sur les siens.

— Je croyais que tu n'étais pas venu, murmura-t-elle. C'est presque fini.

— J'ai failli ne pas venir. Mais Destinée m'a envoyé ce masque. Je me devais de faire honneur à ce don.

Elle baissa les yeux vers leurs mains enlacées, emprisonnées l'une dans l'autre. Inséparables.

— Où est Sparks ? demanda-t-il.

— Il voulait passer un peu de temps avec son père.

— Ce soir ?

— Son père ne sera plus là, après-demain.

— Oh ! Mais tout de même, c'est la Nuit des Masques...

— Je sais.

Elle contempla de nouveau leurs mains, toujours étroitement liées, et tenta de dégager la sienne. BZ avança son autre bras, et emprisonna entre ses doigts sa main encore libre.

— Danse avec moi. Il reste encore du temps, et il y a de la musique.

Elle se raidit, se sentant gauche et provinciale tandis qu'il l'entraînait avec une douce insistance.

— Je ne connais pas vos danses.

— J'ai appris à ta mémoire comment danser, une fois, murmura-t-il. (Il l'enlaça, attirant son corps contre le sien dans un mouvement improvisé.) Peu importent les pas, tout ce qui compte, c'est que nous fassions quelque chose, pour que je puisse te tenir dans mes bras, te serrer contre moi.

Elle n'avait pas d'autre choix que de l'enlacer à son tour. La chaleur l'envahit, lorsqu'elle sentit les muscles de son dos, à travers le fin tissu de sa chemise.

— Ça ne te ressemble pas, murmura-t-elle.

Et elle aurait ri, si elle en avait été capable. Il émit un petit bruit bizarre, qui n'était pas un rire non plus.

— A quoi je ressemble, alors ? A cette pauvre loque qui vient de passer plusieurs jours à te dévisager dans des salles bondées, sans oser te dire autre chose que : « Mes hommages, ma Dame » ? Au prévôt Gundhalinu, ni kharemoughi ni tiamatain, ni chair ni poisson ? Ou à un homme qui a passé douze ans de sa vie à rêver de toi, qui est allé au bout du monde pour toi, qui a dompté l'espace-temps pour pouvoir te serrer à nouveau dans ses bras ?

Il était comme possédé, et elle se remémora une autre nuit, une nuit de Festival lointaine, où il avait prononcé des paroles semblables.

– Oui, souffla-t-elle, lui donnant par ce seul mot la réponse qu'il attendait.

Elle leva le bras et effleura la surface de son masque, touchant son propre reflet. Et elle songea de nouveau que c'était la Nuit des Masques, la nuit du Changement.

– Je veux m'en aller d'ici, dit-il d'une voix presque désespérée. Allons-nous-en ailleurs. Il y a des tas de fêtes tout le long de la Grand-Rue, il y a...

– Non, coupa-t-elle dans un murmure, délicieusement troublée par la pression de son corps contre le sien. Suis-moi, plutôt.

Elle s'écarta et le prit par la main, l'entraînant vers l'escalier proche. Elle ne regarda pas derrière elle, parce qu'il ne restait personne, dans la petite foule sans visage, qui comptât pour elle ou qui s'intéressât à ses faits et gestes. Il la suivit sans poser de questions, sans hésiter, jusqu'au sommet des marches. Ils longèrent les couloirs ombreux des étages supérieurs, et finirent par arriver devant la chambre qui avait été le refuge solitaire de Moon pendant trop longtemps.

Elle s'arrêta sur le seuil, fit demi-tour et ôta le masque de Gundhalinu avec des précautions infinies. Elle avait besoin de revoir son visage avant qu'ils ne franchissent le seuil, vers un avenir inconnu.

– C'est la nuit du Changement où nous nous dépouillons de nos chagrins.

Il lui ôta son masque à son tour, avec tendresse, et le posa à côté du sien, contre le mur. Ils restèrent debout l'un devant l'autre, sans se toucher, en contemplation devant leurs visages. Puis il la prit dans ses bras, la serra contre lui, et elle le sentit trembler comme il avait tremblé lors de cette nuit lointaine, non de froid, mais de fièvre.

Ils pénétrèrent dans la chambre, et elle ne se sépara

de lui que le temps nécessaire pour fermer la porte. A l'abri, là où le vaste univers ne pouvait avoir de prise sur eux. Mais lorsque le battant se fut refermé, elle le sentit hésiter, elle le vit regarder le lit qu'elle avait si longtemps partagé avec un autre homme.

– Es-tu bien sûre ? murmura-t-il. Moon, es-tu sûre ? Parce que cette fois, acheva-t-il en se retournant vers elle, par les dieux ! je ne renoncerai pas à toi !

Elle jeta un coup d'œil sur le lit vide et sentit sa gorge se nouer. Mais lorsqu'elle l'affronta, ses doutes et ses regrets s'évanouirent. Elle l'enlaça, attira son visage et l'embrassa passionnément, avec le désir éperdu que les années avaient creusé.

Il la souleva entre ses bras d'un geste impulsif, et l'emporta à travers la pièce. Et elle se retrouva sur le grand lit, et il lui caressa les cheveux et le visage en l'embrassant.

Ils se séparèrent enfin, retenus un instant par leurs trèfles dont les pointes recourbées s'étaient accrochées. Moon fit passer sa chaîne par-dessus sa tête, et BZ l'imita. Toujours emmêlés, les pendentifs tombèrent sur le sol. Mais, sur le cou de BZ, Moon vit le tatouage pareil au sien qui le marquait.

Elle commença à dégrafer sa tunique, soudain malhabile, en songeant à tout ce qui séparait leur première nuit d'intimité de celle-ci. Pour elle, il était un étranger, et elle était sur le point de se révéler à ses regards, de se rendre vulnérable. Il saisit ses mains tremblantes et les écarta avec douceur.

– Laisse-moi faire, murmura-t-il d'une voix voilée.

Elle s'allongea, s'abandonna, tandis qu'il lui ôtait ses vêtements avec des gestes doux, remplis d'amour. Chaque contact de ses mains avec sa peau était la rencontre du feu et de la glace. Elle se retrouva allongée contre lui, tremblante de désir, son âme aussi mise à nu. Il caressa ses seins, son ventre, sa toison. Elle saisit sa main, la pressa contre elle. Mais il se dégagea doucement, murmurant : « Attends... » Elle le regarda ôter gauchement ses vêtements, comme s'il redoutait de la décevoir. Il resta debout devant elle, le souffle court, le cœur battant, la peau moite, et elle vit son désir.

D'une caresse légère, elle le sentit se raidir, l'entendit haleter. Il s'abattit sur elle. Elle l'embrassa au creux du cou, à l'emplacement du tatouage, tandis que toutes ses peurs se dissipaient comme une fumée. Elle embrassa le torse humide et la ligne douce et sombre qui courait vers le bas, tandis qu'il enfouissait convulsivement ses mains dans sa chevelure argentée. Elle le dévora de baisers et il explora ses recoins les plus secrets, jusqu'à ce qu'elle ne soit plus que désir.

Il l'enlaça de nouveau, bascula sur elle, la pénétra. Elle soupira quand il commença à bouger en elle, à danser lentement, comme un instant plus tôt. Leur rythme était celui de la mer, celui des vagues, et ils se laissaient emporter, sans peur, avides de se noyer de plaisir.

Moon cria lorsque l'orgasme l'emporta comme un courant sous-marin. BZ gémit doucement et trembla. Puis le flux passa, et la cadence reprit, augmenta de nouveau.

— Dieux ! murmura BZ avec étonnement. Ô dieux !...

Il murmura quelque chose d'autre en sandhi, une mélodie de mots, comme s'il s'adressait une prière à lui-même. Puis il écrasa de nouveau ses lèvres sur celles de Moon, caressa ses seins, continua de bouger en elle, comme les vagues de la mer. C'était, ce serait toujours son destin.

Ils faisaient l'amour depuis une éternité et Moon sombrait de plus en plus profondément dans les eaux noires dorées, à chaque élan, à chaque retombée. Elle comprit qu'elle n'avait cessé d'y sombrer depuis toujours, qu'elle était née pour se noyer dans ces profondeurs, et revivre, et se noyer encore. Elle avait attendu toute une vie pour s'unir à lui, pour ne faire qu'un avec son être, son âme, son esprit. Il était impossible, maintenant, de lui cacher quoi que ce fût : ni son amour pour lui, ni les enfants nés de cet amour, ni l'impossible secret qu'elle devait taire.

Et dans les ténèbres sonores et noires dorées où rien n'existait que leurs sensations communes, tandis que toutes les barrières physiques étaient anéanties par la fièvre du désir, Moon rêva qu'elle nageait comme les ondins, les Enfants de la Mer, qu'elle sentait la caresse de la Mer sur leurs corps soyeux, le feu ardent de leur passion, de leurs mouvements au cœur de la machinerie secrète de l'esprit divinatoire, dissimulée très loin en dessous de ce point du monde où elle était enlacée à son amant, en dessous d'Escarboucle, la Cité du Nord, épingle plantée dans la carte du temps... Elle entendit chanter les ondins dans une vision dorée et ondoyante. Leurs chants apportaient ordre et guérison à cet organisme clandestin, vulnérable et secret, confié à leur garde. Elle vit enfin pourquoi ils n'avaient pu saisir le message de l'ondinchant. Elle vit les vérités qui n'avaient jamais été révélées à quiconque depuis leur création... *jusqu'à cet instant.*

Emportée par l'exaltation, libérée des barrières de la pensée et du temps, elle pouvait tout voir, et BZ partageait tout ce qu'elle voyait, dans ces vagues de musique légère où leur union était parfaite.

— Je comprends, dit-il enfin, avec une crainte respectueuse.

Il était émerveillé. Son expression se modifia, soudain saturée d'angoisse et d'appréhension. Il prit la mesure de son savoir. Il comprit pourquoi elle désirait par-dessus tout arrêter la Chasse, et pourquoi elle ne lui avait jamais dit la vérité, et pourquoi il ne pourrait lui-même jamais la dire à quiconque.

— Ça va aller, murmura-t-il en la serrant contre lui.

Elle ne lui répondit pas, elle le contempla, interdite. Son regard... Elle l'enlaça plus fort.

— Non, souffla-t-elle, ça va être terrible.

Il ne protesta pas.

Venant de la salle de bal déserte, Sparks grimpait l'escalier, poursuivi par les vestiges de la Nuit des Masques : des carcasses innombrables le regardaient de leurs yeux vides depuis les perrons et les seuils, attendant l'aube tandis que leurs propriétaires prenaient du bon temps à l'intérieur, tout au long des rues désertes. Il avait porté le masque que lui avait offert Destinée cette nuit, tout de rouge et d'or, flamboyant comme le soleil, impétueux comme le feu. Il avait passé la première partie de la soirée à bavarder avec son père, et le reste à errer de soirée en soirée. Mais il s'était senti aussi privé d'âme que son masque, après avoir dit adieu à Sirus.

Il n'avait partagé ni la nuit ni même une heure, avec qui que ce fût, bien que les occasions ne lui eussent pas manqué. Il avait la certitude que Moon passait la nuit seule, fidèle à la lettre, sinon à l'esprit de leur engagement lointain. Il avait rompu cet engagement à de nombreuses reprises depuis le retour des extramondiens, bien qu'il ait juré, à leur départ, de ne plus jamais le trahir.

Mais, ce soir, avec son père, il avait évoqué des souvenirs, parlé de famille et de foyer. Il avait partagé la solitude et les regrets d'un homme qui n'avait eu droit ni à l'une ni à l'autre depuis trop longtemps. Sirus lui avait confié qu'il comptait quitter l'Assemblée lorsqu'elle se rendrait en visite sur sa planète natale. En venant à Tiamat, en cette période de Changement, il avait pris conscience de l'étendue de ses désillusions, et de la vanité de son existence.

Emportant avec lui les paroles et le chagrin de son père, errant par les rues désertées, Sparks en était arrivé à comprendre que l'ère du Changement était venue pour lui aussi, qu'il avait encore le temps, avant l'aube, de rejoindre la seule femme qu'il eût jamais véritablement aimée, et de lui promettre un renouveau.

Il longea silencieusement le couloir jusqu'à la chambre qu'il avait partagée avec Moon. Il se figea devant la porte close. Deux masques reposaient côte à côte contre le mur, témoignage muet de l'inanité des rêves. Il les contempla longuement, puis il fit demi-tour et s'éloigna à pas lents.

TIAMAT : Escarboucle

BZ Gundhalinu prit place sur l'estrade drapée de banderoles, entre Vhanu et le Premier ministre. Tous les regards étaient braqués sur lui. Il était le dernier à arriver, tel un écolier coupable, alors qu'il aurait dû être le premier sur les lieux. Au-dessous des tribunes édifiées à la hâte, la mer battait le long des docks sur pilotis. Les bateaux de Festival étaient amarrés en si grand nombre que les eaux étaient à peine visibles.

Mais au-dessous de lui, au bout du quai, une partie du bord de mer était restée libre d'accès, en vue du rituel. Il contempla les mouvements sombres et scintillants des eaux, gagné par une sorte de fascination hypnotique. Son esprit coula à pic comme une pierre, entraîné dans les profondeurs par le fardeau de son savoir récent, par l'inexprimable secret qui gisait dans l'abîme marin.

Il se contraignit à détourner les yeux, s'agrippa à la rambarde devant lui, tandis qu'il scrutait l'espace libre séparant la tribune des personnalités extramondiennes de celle des personnalités tiamataines. La ségrégation régnait, comme elle avait toujours régné. Tous les visages restaient dissimulés derrière leurs masques, contrairement à ce qui se passait sur sa propre tribune. Les Tiamatains n'enlèveraient leurs masques qu'à la fin du rituel. Deux visages nus se détachaient à l'avant de cette mer de silhouettes étranges : ceux de Sparks Marchalaube et de la Reine, debout côte à côte. Ils ne se touchaient pas, et leurs visages étaient aussi figés que les masques mêmes.

BZ souhaita avec force que Moon quitte la mer des yeux pour le regarder. Ce qu'elle fit enfin. Il vit rougir son teint pâle et translucide. Il contempla la rougeur révélatrice de ses lèvres, les profondeurs vertigineuses de la passion et de la connaissance cachées dans son regard. Machinalement, il porta sa main à sa bouche, la laissa retomber. Il se mouvait comme un somnambule, stupéfié par des révélations qui n'en finissaient plus.

— BZ !

Vhanu venait de le secouer légèrement. Il comprit que son commandant avait dû tenter d'attirer son attention depuis quelques instants déjà, sans y parvenir.

— Tu as dû passer une de ces nuits, murmura son ami avec une expression amusée. Je ne t'ai jamais vu comme ça.

— Oui, dit-il simplement.

— J'ai eu une nuit plutôt divertissante, moi aussi. Intéressante coutume, commenta Vhanu d'un air songeur.

— C'est le moins qu'on puisse dire, marmonna Sandrine derrière eux. Mais c'est de la barbarie pure et simple que de nous demander de sortir du lit aux aurores, pour venir poireauter dans ce vent et les regarder expédier des momies de paille dans la mer.

Autour de BZ, personne ne portait plus de masque, comme s'il était indigne d'en arborer un en pleine lumière, dans l'exercice des fonctions officielles. Gundhalinu avait oublié le sien au palais, dans l'hébétude du réveil et de la séparation, dans la précipitation de son retour chez lui. Il avait dû revêtir son uniforme à temps pour la cérémonie.

Il regarda de nouveau Moon et Sparks. Un murmure naquit, très loin au-dessus d'eux, dans la foule massée le long de la rue en pente qui descendait de la ville. Les murmures se propagèrent jusqu'aux tribunes. Ceux qui y étaient installés commençaient à peine à apercevoir ce qu'ils étaient venus attendre.

Un char en forme de navire descendait lentement la rue, environné d'Etésiens en costumes traditionnels, colorés de différentes nuances de vert et décorés de broderies et de motifs réalisés avec des coquillages polis. Ils portaient des couronnes et des guirlandes de fleurs, et chantaient une complainte tiamataine qui produisait un effet étrange.

Le char transportait deux passagers raides et masqués. L'un des masques était celui que Moon avait porté pendant la nuit. L'autre était un masque flamboyant : celui de Sparks. A mesure que le chariot approchait, il put voir les cordes qui maintenaient les deux mannequins sur le siège.

Il regarda de nouveau les deux silhouettes placées face à lui dans l'autre tribune, et dont la présence prouvait que le couple du char n'était qu'un duo sans vie. Moon fixa elle aussi BZ un long moment, avant de reporter son attention sur les mannequins masqués. Elle croisa les bras sur sa poitrine, comme pour se prouver qu'elle était bien vivante.

Le char s'immobilisa dans l'espace demeuré libre, juste avant d'atteindre la mer. Moon quitta son poste et descendit sur la jetée. La foule bruissante fit enfin silence. A travers toute la cité, d'autres foules regardaient ce moment fort des célébrations du Festival sur des écrans de contrôle. Gundhalinu se demanda combien de spectateurs prenaient plaisir à imaginer que le vaisseau rituel venu du palais allait réellement emporter deux êtres vivants dans la mer et dans la mort. Il se demanda combien, parmi les spectateurs, avaient assisté au sacrifice du dernier Festival.

La dernière fois, il était immobilisé à l'hôpital. En voyant les deux mannequins, il fut heureux de ne pas avoir été présent lorsque Moon avait donné l'ordre de précipiter la Reine des Neiges dans la mer. Qu'avait-elle éprouvé alors, en regardant sa mère, sa rivale, son double, sombrer dans les eaux profondes ? Qu'éprouvait-elle maintenant ? De quoi se souvenait-elle, tandis qu'elle présidait cette imitation inoffensive du sacrifice sanglant, qui aurait néanmoins eu lieu s'il ne s'y était opposé. Elle contemplait les effigies, les traits figés.

Il eut un brusque élan de compassion. Il aurait voulu la rejoindre, la prendre dans ses bras, l'aider à supporter sa peine. Mais il ne fit rien de tout cela. Il conserva une attitude officielle, impassible.

Moon cessa de fixer les deux mannequins, examinant, au-delà de la haie d'honneur que formaient les gardes étésiens, le contenu du char, rempli d'offrandes à la Mère de Mer. Son expression se modifia étrangement. BZ suivit la direction de son regard, scruta les monceaux de verdure et d'objets étranges, placés là au départ, ou jetés par les spectateurs au passage. Il repéra l'objet qu'elle avait repéré : un masque de Festival représentant un miroir étoilé serti de noir. Son masque, celui qu'il avait laissé au palais. Le miroir n'était plus qu'un réseau fracturé, comme si quelqu'un l'avait piétiné avant de le jeter là, pour qu'il aille finir dans les profondeurs de la mer.

Moon leva brièvement les yeux vers lui, avant de se retourner vers les tribunes, vers son mari, témoin silencieux. Elle inclina la tête, rassembla ses forces. Puis elle tendit les bras vers la foule, vers la Mère de Mer, et sa voix s'éleva : le rituel de prières commençait.

BZ contempla les visages masqués – et le visage nu parmi eux – tandis que de sa voix claire et pure Moon récitait l'archaïque prière qui déferlait sur lui comme les eaux de la Mer, balayant le passé, lui disant qu'à dater de cet instant tout dans sa vie était changé...

– Tout ça me fait horreur. C'est humiliant, dit Ariele en dansant d'un pied sur l'autre, pleine d'impatience.

Elle leva ses mains vers son masque aux couleurs d'arc-en-ciel et de la mer, cadeau de Destinée. Il était beau. Reede lui-même l'avait reconnu, et c'était bien la première fois qu'elle l'avait vu manifester quelque émerveillement pour autre chose que pour les ondins. Elle s'était sentie belle en le portant, de réception en réception, avant de sombrer dans les plaisirs de la nuit avec son amant d'élection. Mais il l'avait abandonnée à l'aube, la contraignant à venir seule jusqu'ici, et à endurer seule la cérémonie.

Mortifiée par le refus de Reede, elle avait observé les extramondiens, debout sur l'estrade face à la leur, et qui les regardaient avec curiosité et stupéfaction. Ils observaient le rituel traditionnel du Changement comme si sa mère et tout son peuple étaient des animaux pittoresquement vêtus et imitant le comportement des hommes.

En ce moment, face à eux et ainsi détaillée, elle avait l'impression que son masque se dissolvait, perdait sa beauté, comme si leurs regards avaient un pouvoir corrosif. Elle aurait voulu l'ôter, mais alors, son visage mis à nu aurait révélé toutes ses émotions.

Elle sentit le regard du prévôt de justice sur elle et se détourna. Elle ne voulait pas voir celui qui se prétendait son père. Elle écouta les paroles rituelles que prononçait sa mère, cette récitation à la fois étrange et familière qui montait dans l'air. Elle songea à la dernière fois où sa mère avait procédé à ce rituel, noyant sa grand-mère le jour où elle-même avait été conçue.

Elle regarda son vrai père, à la chevelure flamboyante comme le soleil, debout et seul, comme elle, sur cette tribune. Il ne la regardait pas, il ne regardait pas non plus sa mère, ni les extramondiens. Il fixait la mer. Elle l'appela aussi fort qu'elle l'osa mais il ne réagit pas.

Elle sentit ses yeux s'embuer de larmes. Derrière elle, Merovy était seule elle aussi, car Tammis n'avait même pas eu le cran de se montrer ici. Elle dissimulait son chagrin sous le masque que Destinée lui avait offert, couleur de brouillard et d'ailes d'oiseaux. Il était si subtil qu'au premier regard, on aurait pu le trouver ordinaire, sans recherche.

Ariele se demanda où était Tammis. Pour une fois, dans son propre isolement, elle éprouva de la compassion pour son frère et sa silencieuse épouse. Elle allongea le bras et toucha la main de Merovy. Celle-ci tressaillit, referma ses doigts sur ceux d'Ariele et les serra brièvement, d'un geste chaleureux.

Une voix curieuse et hardie demanda :

— Qu'est-ce que tu trouves d'humiliant à être ici, Ariele ?

Reconnaissant la voix de Clavally, Ariele jeta un coup d'œil par-dessus son épaule et vit que Merovy était accompagnée par ses parents.

— C'est à cause des extramondiens, chuchota-t-elle. De leur façon de nous dévisager. On dirait que tout ce que nous faisons est idiot ou absurde. Ils ne croient vraiment à rien !

— Ils croient à tout, intervint ironiquement Danaquil Lu. Ce qui ne vaut pas mieux.

Ariele hocha la tête, irritée.

— Crois-tu à la Mère de Mer ? Aux rituels ? lui demanda Clavally.

Ariele se réjouit de pouvoir dissimuler son expression sous son masque. Elle écouta un instant sa mère, invoquant la Mer à voix haute.

– Je ne crois pas que la mer soit une déesse, murmura-t-elle finalement. Mais maman non plus.

– Cependant, nos croyances et nos traditions sont aussi anciennes que celles des Kharemoughis, peut-être même plus. Et l'enseignement de nos rituels est tout aussi vrai que celui des Kharemoughis ou de tout autre peuple. Il n'y a là que des variations sur un même thème, comme dirait ton père. (Ariele se retourna brièvement vers elle, surprise.) Chaque variation est belle à sa manière, même si elle n'est pas toujours en harmonie avec les autres. Si nous n'avions qu'une chanson à chanter, notre existence serait mortellement ennuyeuse.

– Mais tellement plus paisible, souffla Danaquil Lu en enlaçant sa femme.

– Chaque chose a son prix, murmura Clavally. Le Changement nous parle de cela justement.

Ariele songea aux ondins et au mystère de leurs chants, à Reede. Il était extramondien mais il éprouvait pour son monde une fascination authentique et passionnée. Il lui avait appris à voir sous un jour nouveau les coutumes de son peuple et sa propre existence. Si seulement il était resté avec elle pour célébrer les changements qu'il avait apportés dans sa vie... et pour reconnaître qu'en un sens elle avait aussi changé la sienne. Ils passaient toutes leurs nuits ensemble. Il avait enfin accepté le partage de son corps. Mais il lui refusait encore l'accès à son cœur. Il ne laissait jamais s'installer d'intimité véritable entre eux, même lorsqu'ils étaient dans les bras l'un de l'autre.

Parfois, quand ils faisaient l'amour, elle éprouvait tant de plaisir qu'elle pensait en mourir. Parfois, quand ils faisaient l'amour, il pleurait. Mais, toujours, il la quittait avant l'aube ainsi qu'il l'avait fait ce matin, s'esquivant comme un succube, comme une ombre, avant que le jour ne pointe au bout de la ruelle. Ariele n'était environnée que de solitudes et de regrets, qui lui parlaient, malgré elle, de sa passion désespérée pour un homme aussi secret et insondable que les abîmes de la mer.

Quelqu'un se glissa dans l'espace libre, juste derrière elle, dans un bruissement. C'était son frère, debout derrière elle, à sa place près de Merovy. Déçue, Ariele contempla longuement son masque, en essayant d'imaginer qu'il dissimulait un autre homme que Tammis. Puis elle retourna à la mer immuable.

– Merovy, murmura Tammis, il faut que je te parle. De nous.

Merovy ne pouvait distinguer que ses yeux, sous son masque. Son regard lui dit tout ce que ce masque dissimulait : *doute et espoir, angoisse et amour.* Il lui prit la main, et elle ne se déroba pas.

– C'est toi que j'aime, lui murmura-t-il sans se soucier des visages masqués qui le fixaient. Toi et tout ce que tu es, ton corps, ton âme. Je veux vivre avec toi, avoir des enfants, et les élever avec toi.

Sa femme lui serra convulsivement la main.

– C'est le Changement, lui souffla-t-elle d'une voix à peine audible, tout en suivant le rituel qui se déroulait en contrebas.

Autour d'eux, chacun pointait soudain quelque chose du doigt, tendant le cou pour mieux voir. Tammis et Merovy en firent autant. Moon s'écarta d'un pas et les Etésiens poussèrent le char dans les eaux glauques. Des cris et des acclamations éclatèrent. La foule explosa quand le vaisseau rituel tournoya et s'enfonça irrémédiablement. Des trous percés dissimulés dans sa coque laissaient pénétrer la mer. Serrant la main de Merovy à la broyer, Tammis contempla fixement les effigies qui symbolisaient ses parents et que la mer attirait dans son étreinte implacable.

Il soupira lorsque le bateau eut disparu, enlaçant Merovy sans même sans rendre compte. Elle se pressa contre lui, recherchant son contact, quêtant un réconfort après cette mort symbolique du passé.

– Tout change, disait Moon, sauf la Mer. La Dame a accepté notre offrande et nous la rendra au centuple. La vie qui était n'est plus. Qu'elle soit rejetée comme un masque hors d'usage, comme une carapace après la mue. Réjouissez-vous maintenant, et initiez le renouveau.

N'ayant pas de masque à ôter, elle leva les mains devant la foule en attente. Tammis enleva son masque et

Merovy le sien. Le jeune homme examina les deux étranges visages imaginaires soudain privés de regard, des figures totémiques traditionnelles, mi-oiseau, mi-poisson, à la fois irréelles et porteuses d'une signification secrète. Tous deux jetèrent leurs masques ensemble, et ils tombèrent ensemble. Merovy sourit à Tammis qui en fut réconforté.

Autour d'eux, les masques tombaient, révélant Clavally, Danaquil Lu, Destinée, Tor... Le soulagement se peignait sur les traits de ceux qu'il aimait et avec lesquels il se sentait de nouveau uni. Pour la première fois, il comprit pourquoi le Changement était nécessaire, pourquoi ce folklore pouvait affecter tant de gens aussi profondément.

Ariele les regarda en jetant son masque. Pendant un bref instant, elle eut une expression perplexe. Puis elle leur sourit. Tammis lui rendit son sourire, hésitant, et elle se tourna vers leur père dans la tribune, sans mot dire.

Tammis suivit la direction de son regard, et découvrit, surpris, que la place était vide. Il examina le quai où se trouvait Moon. Son père n'était pas là non plus. Debout, le dos tourné à son peuple, sa mère contemplait le visage extasié du prévôt kharemoughi, tandis que la foule hurlait d'une seule voix.

TIAMAT : Escarboucle

– Eh bien, cette fois, ils ne sont pas arrivés les premiers, par tous les dieux ! lança le lieutenant Ershad avec un sourire de satisfaction.

Il s'avança dans la pièce et salua. Il portait encore sa combinaison thermique, pour produire son petit effet, sans doute, pensa Gundhalinu avec aigreur. Il transportait dans une main gantée un lourd container qu'il posa sur la table de conférence, avec un bruit sourd, tandis que les membres du gouvernement hégémonique tambourinaient sur le plateau de la table en guise d'applaudissements. Gundhalinu se garda de les imiter. Il y avait des taches brunâtres sur la combinaison d'Ershad et sur le container. Du sang séché. Du sang d'ondin.

– Il provient d'un stock beaucoup plus important, dit Ershad en croisant les bras. Nous avons expédié le tout à l'usine de traitement. Et nous avons arrêté ces foutus dissidents étésiens et confisqué une fois de plus leur équipement. Cette fois, ils ne sont pas arrivés à temps pour gêner notre travail.

– Beau boulot, Ershad, dit enfin Vhanu, car le silence de Gundhalinu se prolongeait bizarrement.

– Qu'avez-vous fait des Etésiens ? demanda Jerusha Pala-Thion d'une voix tranchante, les yeux rivés sur le container.

– Ils sont au trou, m'dame. Et un ou deux à l'hôpital. Ceux qui ont résisté.

Pala-Thion conserva une expression neutre mais Gundhalinu sentit sa mâchoire se contracter, à la vue des signes de plaisir et de satisfaction qui affleuraient sur les visages de ceux qui l'entouraient. Jerusha se leva.

– Je vais prendre les dispositions nécessaires pour qu'ils soient remis aux autorités locales, dit-elle à Vhanu.

Elle prit la porte sans lui laisser le temps de réagir, désireuse de cacher la douleur qui se lisait sur son visage, Gundhalinu le savait. Ershad se renfrogna.

– Prévôt, dit Vhanu en se tournant vers son ami, ces gens interviennent dans chacune de nos expéditions de chasse et se servent d'un matériel sophistiqué pour perturber nos activités. Chaque fois, la police locale les relâche. Que pourrions-nous faire pour que cela cesse ?

Il avait formulé une question, mais Gundhalinu devina qu'elle traduisait plutôt une exigence.

– Nous ne pouvons les poursuivre au nom de nos lois que s'ils s'en prennent physiquement à l'un des nôtres, répondit-il, les sourcils froncés. Et, par ailleurs, aucune loi ne leur interdit d'utiliser notre technologie sur leurs bateaux de pêche.

– Nous devrions peut-être en balancer quelques-uns à la flotte et les laisser rentrer chez eux à la nage, la prochaine fois, monsieur, dit Ershad. Cela devrait les décourager.

— En ce cas, vous enfreindriez la loi tiamataine, Ershad, observa froidement Gundhalinu. Et la nôtre aussi. Emportez ce container et veillez à ce qu'on en dispose comme il convient.

— Bien, monsieur.

Ershad salua et sortit.

— Nous devrions peut-être envisager la promulgation de nouvelles lois, reprit Vhanu, irrité. Il faut en établir une qui assimile l'obstruction à la chasse aux ondins à une obstruction à l'action de la police.

Des murmures approbateurs se firent entendre.

— Ce monde ne possède qu'une seule chose qui en vaille la peine et nous n'arrivons toujours pas à la produire sans anicroche, dit Tilhonne. Les coordinateurs recommencent à s'impatienter à notre sujet, et nous savons tous ce que cela signifie. Nous devons produire de l'eau de vie, sinon...

— Je sais.

Gundhalinu venait de l'interrompre avec brusquerie. Ces propos reflétaient la stricte vérité. Il savait aussi que chaque container de sang transformé en eau de vie était une étape de plus vers l'extinction des ondins, et donc vers la disparition du réseau divinatoire. Et cela, il ne pouvait le leur dire. *Il ne pouvait pas.*

— Je sais qu'il s'agit d'une question vitale. J'y consacrerai toute mon attention. Et maintenant, sadhanu, je mets fin à cette réunion. La journée a été longue.

Il se leva, s'opposant ainsi à toute objection ou poursuite de la discussion. Vhanu l'accompagna à travers les couloirs encombrés de l'immeuble gouvernemental. Ils ne recommencèrent à parler qu'une fois dans la ruelle, en terrain neutre.

— J'espère que tu vas réfléchir sérieusement à cette question, BZ, dit enfin Vhanu en quêtant le regard de son ami.

Gundhalinu laissa errer son regard sur les mouvements aléatoires des passants.

— Je le ferai, NR. *Comme si je pouvais penser à autre chose. Ça me poursuit, jour et nuit.* Mais je ne peux rien te promettre. Il n'y a pas de solution aisée, dans cette affaire.

– Je sais que tu feras de ton mieux, soupira Vhanu – mais son intonation trahissait le doute.

– Je peux t'assurer que oui, approuva Gundhalinu, qui, pour une fois, savait ce qu'il avançait.

– Tu nous accompagnes au Hall du Survey ? demanda Vhanu en désignant Tilhonne et Sandrine qui sortaient de l'immeuble. Il y a réunion générale, et puis il paraît qu'on a reçu d'autres divertissements interactifs.

Il posa une main sur l'épaule de son ami dans un geste d'apaisement, tentant ainsi de réduire la tension récente de leurs relations. Gundhalinu hésita, puis refusa.

– Pas ce soir, NR. Je rentre directement chez moi. J'ai des rapports à lire, et puis je voudrais me coucher tôt.

– Encore ? Tu en prends l'habitude, on dirait. Mais tu as une mine de déterré, le lendemain... (Il sourit d'un air entendu.) C'est celle de la Nuit des Masques ?

Gundhalinu se sentit rougir.

– Tu as deviné, NR.

Il sourit pour se dérober. Vhanu pouffa.

– Par le père de tous mes ancêtres ! s'exclama-t-il. C'est une ensorceleuse pour que le prévôt de justice rougisse comme un collégien.

Gundhalinu fut soulagé de voir apparaître l'inspecteur Kitaro. Elle les aborda, son casque sous le bras.

– Monsieur. Prévôt Gundhalinu.

Elle les salua en souriant et regarda Gundhalinu un peu plus longtemps qu'il ne l'aurait fallu. Il la dévisagea, étonné.

– Vous venez au Hall, Kitaro ? lui demanda Vhanu au moment où Tilhonne et Sandrine le rejoignaient.

– Pas ce soir, commandant. La journée a été longue. J'ai besoin de me coucher tôt.

– C'est contagieux, remarqua Vhanu. Et tâchez de dormir.

Elle émit un curieux petit rire d'adolescente.

– Je ne parlais pas forcément de dormir.

Elle agita ses boucles brunes, que la lumière artificielle animait d'éclats dorés, et coula un regard du côté de Gundhalinu, sans cesser de sourire.

Gêné par sa franchise de non-technicienne, Vhanu les observa tous les deux et un fin sourire apparut sur son visage.

– Passez une bonne nuit, tous les deux. Venez, sadhanu, ne les retardons pas.

Il adressa un signe à Sandrine et Tilhonne, et le trio s'éloigna dans la ruelle, en quête d'un moyen de transport. Perplexe, Gundhalinu souhaita gauchement bonsoir à Kitaro et prit le chemin de chez lui. Elle lui emboîta le pas sans façon.

– Je vous raccompagne, monsieur ?

Il lui décocha un regard curieux et intrigué, contrarié pour tout dire.

– Non, merci. Je n'habite pas très loin, et puis ce n'est pas sur votre chemin. Je ne veux pas vous mettre en retard.

– C'est sur ma route, monsieur, insista-t-elle. Il se trouve que je dois passer au marché.

Ils dépassèrent Vhanu, Sandrine et Tilhonne, qui attendaient le passage du tram à l'angle de la rue. Gundhalinu prit par la Grand-Rue, et Kitaro le suivit. Le trio les suivait du regard en s'interrogeant.

– L'inspecteur en chef a insisté pour que quelqu'un veille en permanence sur la peau de vos fesses, monsieur, dit Kitaro avec un regard significatif derrière elle, sous prétexte d'admirer une vitrine. Et puis, les gens bavardent.

– Je vois, murmura-t-il, commençant enfin à saisir de quoi il retournait. En ce cas, je vous remercie. Les dieux interdisent que le prévôt soit surpris le cul à l'air, comme n'importe quel être humain.

Il était las et amusé.

– Oui, monsieur, répondit Kitaro.

Ils remontèrent la Grand-Rue ensemble en conversant à bâtons rompus. Si l'inspecteur avait entendu parler de la chasse fructueuse, elle n'en fit pas mention. Il ne lui demanda pas son avis sur le sujet. Au bout de tant de temps, il ne savait toujours presque rien sur elle, excepté qu'elle était sibylle et que KR Aspundh avait eu confiance en elle. Elle était non-technicienne, et ne fréquentait pas les gens qu'il voyait en dehors des murs du Survey. Il n'avait aucune idée de la vie qu'elle menait en dehors du travail, ou de ce à quoi elle s'intéressait.

Il ne savait même pas à quel rang elle se situait dans le Survey, bien qu'il fût certainement plus élevé que ne le soupçonnaient la plupart de ses compagnons. C'était elle qui lui avait fourni les informations sur Reede Kullervo, et elle l'avait aussi aidé à résoudre quantité de problèmes moins importants, si discrètement qu'il ne s'était pas encore avisé, jusqu'à cet instant, qu'elle était toujours là à point nommé, lorsqu'il avait besoin d'un service. Mais tout cela ne garantissait en rien ce qu'elle pouvait penser à propos des ondins. Il n'eut pas la force de la tester à ce sujet.

— Et cette entrevue avec notre insaisissable ami, le Forgeron ? Y a-t-il du nouveau ? demanda-t-il.

Il n'avait guère eu le temps, au cours des semaines écoulées, de songer à Reede Kullervo. Mais, tout à coup, en parlant de lui, le prévôt voyait clair : *Kullervo était Vanamoïnen. Or Vanamoïnen était le créateur du réseau divinatoire... et le réseau était en train de flancher*. Simple coïncidence ? Impossible. Il fallait que cela ait un sens. Reede était le seul à pouvoir le lui révéler.

— Nous l'avons pisté de très près, répondit Kitaro. Mais pas moyen de trouver un moment favorable. Non qu'il soit difficile à dénicher. Le problème, c'est qu'il appartient à la Source. Les espions de Jaakola ne le lâchent pas d'une semelle. Il est presque impossible de le soustraire à la surveillance de la Confrérie assez longtemps pour que vous puissiez avoir une entrevue digne de ce nom.

— Presque ? fit Gundhalinu.

Elle lui sourit.

— Ce qui est difficile peut se réaliser sur-le-champ. Ce qui est impossible demande un tout petit peu plus de temps, c'est tout.

Il sourit aussi. Pas longtemps.

— Il faut que cette rencontre ait lieu, Kitaro. Cela pourrait être vital pour nous tous.

— Je comprends.

– Bonne nuit, Kitaro, dit-il quand ils furent à sa porte.

S'attendait-elle à être invitée à entrer ? Le ciel était noir, à l'autre bout de la ruelle. Il ne s'était pas rendu compte qu'il était si tard. Elle se contenta de lui adresser un salut ponctué d'un sourire.

– Bonne nuit à vous aussi, prévôt.

Elle rebroussa chemin, et il la suivit des yeux jusqu'à ce qu'elle disparaisse. Il monta les marches du perron pour poser ses doigts sur le détecteur d'identification qui commandait l'ouverture de l'entrée. La porte s'ouvrit en silence, lui livrant passage avant de se refermer tout aussi silencieusement. Il dégrafa son veston d'uniforme en laissant échapper un soupir.

– BZ ?

Une silhouette féminine surgit d'une pièce éclairée et vint à sa rencontre dans le vestibule obscur. Il vit une chevelure argentée, un visage à demi dans la pénombre.

– Moon. (Soulagé de la voir, il se porta à sa rencontre.) Je suis désolé d'être en retard. La réunion s'est prolongée.

– Il y a eu une chasse couronnée de succès, dit-elle, immobile.

Il se figea à son tour. Elle ne faisait aucun mouvement vers lui.

– Oui, dit-il, la gorge serrée. Ils ont dû changer le code de programmation, je...

Elle lui tourna le dos, ferma les paupières, pressa son front contre le chambranle, murmurant des paroles inaudibles.

– ... extramondiens de malheur ! Bouchers !

Elle redressa la tête et lui lança un regard furieux.

– Bordel de merde ! braille-t-il, donnant libre cours à sa colère.

Il était prévôt de justice, et il était désemparé, impuissant, comme elle, à arrêter le massacre. Et elle était la Reine.

– C'est intenable ! C'est de la folie.

Elle franchit l'espace qui les séparait, cette fois, et il

vit son angoisse et son désir irrépressible lorsqu'elle lui ouvrit ses bras.

Il la serra contre lui. Le contact de la laine de ses vêtements était rugueux, mais sa peau était douce. Il embrassa sa bouche avide, exigeante, laissant la colère qui le dévorait se muer en désir. Il n'avait jamais imaginé qu'il aurait pu éprouver des sentiments d'une telle intensité, que de telles sensations existaient. Il laissa son désir brûlant anéantir son sens du devoir, sa culpabilité, ses souvenirs, jusqu'à ce qu'il ne reste plus que ce moment fragile, ce refuge précaire contre le destin.

– Ô dieux, murmura-t-il. Je te veux... tout de suite.

Elle le fit taire d'un baiser tandis qu'elle l'entraînait vers l'escalier menant à sa chambre.

TIAMAT : Côte Sud

– Regarde-les !

Ariele mit sa main en visière devant ses yeux, pour se protéger de la réverbération du soleil sur le sable. La plage s'étendait sur près d'un kilomètre et demi le long de la côte, entre deux langues de terre, là où les collines pénétraient dans la mer. C'était une bande de sable exceptionnelle, parfaite, aussi douce sous ses pieds nus que du velours. Et elle était recouverte d'une masse ondoyante d'ondins ; pas une seule colonie, mais plusieurs partageant le même territoire, le même refuge après un voyage aussi soudain qu'incompréhensible.

– Mais que font-ils ici ? Où vont-ils ?

Silky était près d'elle. Ils avaient suivi les ondins grâce au pisteur qu'elle portait à l'oreille, que Jerusha et Miroe avaient placé lorsqu'elle était encore toute petite. Elle les avait conduits à ce rendez-vous inattendu. Silky les avait accueillis avec de grandes démonstrations de joie, visiblement ravie de les voir. Elle semblait heureuse en leur compagnie, en ce moment, mais quelque chose d'indéfinissable dans son comportement indiquait à Ariele que ce n'était pas le cas.

– Ils se dirigent vers le nord, dit Reede en rabattant la capuche de sa parka. Tous. J'ignore pourquoi, mais c'est par là qu'ils vont.

Il portait une parka alors qu'elle n'était vêtue que d'une simple chemise et d'un pantalon retroussé jusqu'aux genoux. Chaque fois qu'il quittait la cité, Reede s'habillait comme si on était en plein Hiver, quelle que fût la température. Il regarda l'ondine, sourit involontairement et entama une série de claquements de langue et de trilles interrogateurs.

Silky inclina la tête sur le côté puis, tout à coup, bondit et le heurta à l'estomac. Il se retrouva assis sur le sable avec un grognement de surprise.

– Et merde ! Il faut croire que ce n'était pas la bonne question, dit-il en se relevant.

Ariele le regarda, étonnée. Elle ne l'avait jamais entendu rire ainsi, librement, sans arrière-pensée. Il s'avisa lui aussi qu'on ne l'entendait pas souvent rire.

– Tu n'étais pas dans le ton, dit-elle.

– Vas-y, toi !

Elle répéta la séquence en observant attentivement Silky. L'ondine remua la tête dans une série de mouvements rythmiques, et répondit par un passage d'ondinchant tonal. Ariele fronça les sourcils, répétant les sons dans son esprit, isolant des fragments compréhensibles.

– *Une présence*, traduisit-elle lentement, *et un besoin...*

– *C'est là*, murmura Reede. (Il rit de nouveau, à l'improviste.) *Parce que c'est là.*

Ariele sourit et lui flanqua un petit coup de poing dans l'épaule.

– *Tu...*

Elle s'interrompit et Silky émit une autre séric de trilles.

– C'était de l'ondinchant, dit-elle à Reede. Crois-tu qu'il s'agisse d'un rassemblement où ils échangent des chansons ?

– Ouais, fit-il en s'accroupissant face à la mer. Ça pourrait être ça. Ça me paraît une bonne explication.

Silky lui donna de petits coups de museau comme pour s'excuser, et il enfouit son visage dans la fourrure chaude de son cou. Elle lui permit cette privauté et flaira ses cheveux, dans un geste d'affection muette.

Ariele aurait dû être jalouse, mais elle n'avait elle-même pas la force de résister à Reede Kullervo. Il s'assit et regarda les ondins qui évoluaient sur le sable, captivé. De nouveau, Ariele souhaita qu'il accepte de venir avec elle dans la mer, de plonger et de nager avec eux. La mer était le monde des ondins, et si on ne les y accompagnait jamais, on passait à côté de la vérité, de la beauté profonde de leur existence. Mais Reede lui opposait chaque fois un refus, avec brusquerie, sans explication. Elle supposait que c'était l'épreuve subie lorsqu'il s'était retrouvé coincé dans les rochers et qui lui faisait si peur.

— Jusqu'où crois-tu qu'ils vont ? Tu crois que c'est ici, leur lieu de réunion ?

Il fit non de la tête.

— Ils vont à Escarboucle.

— A Escarboucle ? Mais pourquoi ?

Il s'assombrit.

— Je n'en sais rien.

— Par les Nichons de la Dame, Reede ! fit-elle, exaspérée. Comment sais-tu ces choses-là ? Tu captes ça dans l'air comme une radio et il s'avère que tu as raison ! Tu es insupportable...

— Menteuse, coupa-t-il.

L'homme qui aimait les ondins, qui ne semblait tout à fait réel qu'en dehors de la ville, la surprit par un sourire spontané. Il la saisit par les chevilles et la renversa sur le sable en riant.

— Tu ne peux pas vivre sans moi, tu me l'as dit.

Il tenta de l'embrasser. Elle le repoussa, scrutant la mer.

— Attends une minute. Passe-moi tes lunettes.

Elle les lui ôta et les chaussa pour scruter l'horizon.

— Qu'est-ce qu'il y a ? fit-il en se levant à son tour.

— Il y a quelque chose, là-bas. (Elle grimpa sur un rocher proche et, poussant au maximum le pouvoir grossissant des lunettes, examina la mer.) Des bateaux !

C'est la chasse. Tu les vois ? Il viennent par ici, dit-elle avec une brusque sensation de froid au creux de l'estomac.

— Ils en ont après nous ? Ou après les ondins ? demanda Reede, furieux.

Il s'empara des lunettes.

— Tu vois un truc qui vole, quelque part ?

Elle scruta le ciel en clignant des paupières.

— Non. Ils n'utilisent que des bateaux, d'habitude. Les aéroglisseurs sont trop bizarres et effraient les ondins, parfois.

Maintenant, elle distinguait nettement les intrus. Un chant d'ondin interrogateur s'éleva près d'elle. Silky les observait avec curiosité, au pied du rocher.

— Reede ! (Elle le secoua par le bras.) Ils arrivent. Qu'allons-nous faire ?

Il releva les lunettes et regarda autour d'eux.

— On va s'arracher d'ici en vitesse. S'ils nous surprennent dans un secteur interdit, on sera dans la merde jusqu'au cou.

— Ils ne peuvent rien nous faire, objecta-t-elle, ahurie et furieuse. La Reine est ma mère.

— Pas la mienne, fit Reede. Ils vont m'expulser de la planète.

— Mais tu travailles pour ma mère. Elle...

— Ne discute pas, bordel !

Il la saisit par le bras et l'entraîna à bas du rocher. Elle se libéra d'une torsion.

— Reede, ils vont tuer Silky !

Bien que la chasse eût recommencé, les ondins continuaient à vivre comme s'ils n'avaient rien à redouter. Reede lui avait expliqué que c'était à cause de la longue durée de leur vie : ils n'éprouvaient aucun sentiment d'urgence, et donc ne craignaient pas la mort, n'avaient pas le désir de rivaliser entre eux, n'éprouvaient aucun besoin d'une culture matérielle, comme celle que les humains étaient poussés à créer pour laisser une trace durable de leur existence éphémère. Ils n'avaient même pas de vocabulaire pour se mettre en garde contre le danger mortel qu'ils encouraient en cet instant.

— Par les Yeux de la Dame ! s'écria Ariele, ils vont les massacrer tous !

Reede regarda la plage et fit la grimace.

— Et merde, merde ! Viens, aide-moi !

Il atteignit son équipement, en extirpa un objet et entreprit de le programmer.

— Qu'est-ce que c'est ?

— Un appareil à ultra-sons. Ça les paniquera et les poussera à se jeter à la mer. C'est ce qu'utilisent les chasseurs, mais si nous le faisons les premiers, ça leur sauvera la vie. Le hic, c'est qu'ils sont trop nombreux.

De toutes ses forces, il expédia l'appareil au milieu des ondins. Certains commencèrent à s'agiter et à se lamenter.

— Silky ! appela Ariele.

Elle renouvela son appel, modulant les trilles qu'une mère aurait utilisés pour appeler son enfant. Elle courut vers l'ondine, agitant les bras, faisant des grimaces, tentant de lui communiquer sa propre peur par tous les moyens. Derrière elle, Reede cria quelque chose en ondinchant, qu'elle ne saisit pas. Silky sursauta, les dévisagea, et finit par se précipiter vers l'eau. Reede continua de hurler, et de harceler les ondins. Sa conduite désordonnée les amena peu à peu à se diriger à contre-cœur vers la mer.

— Il se passe quelque chose, dit Ariele.

Elle désigna l'horizon, clignant des yeux pour obtenir une image plus nette. Reede rabattit ses lunettes devant ses yeux et s'immobilisa. Il eut un rire bref, de soulagement et de triomphe.

— La Dame a entendu nos prières, marmonna-t-il en ôtant ses lunettes pour les lui tendre. Les Etésiens sont là.

Elle saisit les lunettes et assista au spectacle, le cœur en fête. Un petit groupe de bateaux de pêche étésiens s'interposait entre les ondins et la flottille extramondienne. Ils étaient beaucoup trop loin pour qu'on distingue ce qui se passait, mais Ariele était au courant de la croisade de Capella Bonaventure, et n'ignorait pas le soutien clandestin de sa mère. Elle éprouva une fierté soudaine et eut l'impression de voir à travers les yeux de

Moon. Elles avaient quelque chose en commun ! Quelque chose qui était infiniment plus important que n'importe quelle ressemblance physique.

Reede réclama les lunettes. Elle les lui rendit avec un petit cri de satisfaction.

– Ils vont les arrêter, dit-elle. Ils l'ont déjà fait. Ma mère les protège contre les extramondiens.

Reede poussa un juron féroce.

– Non ! Ah, non ! Pas ça, bordel de merde !

– Quoi ? Quoi ? cria-t-elle en s'efforçant de voir.

– Ces salauds de Bleus ! Ils ont éperonné un bateau. Ils le prennent à l'abordage. Dieux ! Encore un autre ! Il a une brèche...

– Non ! Par la Dame et tous les dieux !

Ariele contemplait la plage, désespérée. Elle ramassa des pierres et les lança vers les ondins en hurlant.

– Ariele ! appela Reede. Reviens à l'aéroglisseur !

Il s'élança à sa poursuite.

– Non ! Je ne les laisserai pas !

– Mais écoute-moi, bordel ! (Il la contraignit à s'immobiliser.) Tu as dit qu'un aéroglisseur pourrait leur faire peur. Servons-nous du nôtre, bonté divine ! Viens !

Elle ne protesta plus mais s'élança au pas de course vers les falaises où était leur aéroglisseur. Reede se mit aux commandes et referma la porte précipitamment. Ariele s'effondra sur le siège voisin. Son champ de protection se déclencha et l'appareil décolla en hâte et piqua du haut de la falaise, survolant en rase-mottes les ondins hébétés. Ils étiraient leurs longs cous gracieux de manière presque comique tandis que Reede faisait vrombir l'aéroglisseur au-dessus de la plage. Déjà énervés par les ultra-sons, ils se mirent en branle. Ariele regarda la masse sombre et ondulante de leurs corps s'écouler vers la lisière des flots, telle une marée à son reflux. Reede atteignit la limite du banc de sable et fit demi-tour pour repasser juste au-dessus de leurs têtes. Il poussa un cri sauvage en les voyant réagir.

Quelque chose heurta le flanc de l'aéroglisseur, comme un énorme coup de poing. L'appareil fit une embardée et piqua du nez vertigineusement, se stabilisant in extremis avant de heurter le sol. Les alarmes se déclenchèrent.

— Ils nous canardent, ces salopards !

Reede commença la remontée et l'aéroglisseur s'éloigna de la plage. Ariele fut plaquée contre son dossier par la puissance de l'accélération.

— Il faut qu'on se tire d'ici, dit Reede, contrarié. On n'est pas armés, et on n'a pas d'écran protecteur. C'était un tir d'avertissement. Si les Bleus nous canardent une seconde fois, l'aéroglisseur se transformera en un tas de ferraille. Nous avons fait tout ce que nous pouvions. La majorité s'en tirera... Tu me crois ? ajouta-t-il en voyant qu'elle restait silencieuse.

Elle acquiesça en fermant les paupières.

— Merci, murmura-t-elle.

— Ne me remercie pas. (Il contemplait le ciel, désespéré.) Putain de merde ! On n'en est pas sortis, de toute façon. S'ils nous ont touchés, c'est qu'ils ont obtenu des données par ordinateur sur notre appareil. Ils vont nous pister jusqu'à la cité.

— Cet aéroglisseur appartient à ma mère, dit Ariele — et un sourire glacé étira ses lèvres. Le prévôt de justice lui en a fait cadeau personnellement. Personne ne sait que tu es venu ici avec moi. Personne n'a à le savoir. Tu n'auras aucun ennui. Et si l'inspecteur en chef tient à m'interroger, elle n'appréciera sûrement pas beaucoup les réponses que je lui donnerai.

TIAMAT : Escarboucle

BZ Gundhalinu faisait les cent pas dans son salon. La musique qu'il écoutait ne convenait pas à son humeur, et toutes ses tentatives de méditation n'avaient pu calmer ni les battements de son cœur ni son impatience.

Dieux ! pensa-t-il avec douleur en écartant pour la énième fois les rideaux. *Je suis trop vieux pour ces émotions.* Celles d'un collégien enamouré, d'un personnage des antiques romans du Vieil Empire qu'il avait lus dans sa jeunesse. Il n'avait rien ressenti de semblable, alors. Il n'avait jamais cru que les gens pouvaient éprouver de tels sentiments, compter les secondes avec la sensation qu'elles duraient des heures, guetter un coup à la porte, l'apparition d'une amante en pleine nuit pour un rendez-vous clandestin.

On frappa. Il se rua dans le vestibule et vit sur l'écran de contrôle le visage qu'il désirait tant voir. Il désactiva le système de sécurité et alla ouvrir.

Elle était debout devant lui, revêtue des vêtements épais et informes d'une ouvrière étésienne, les cheveux dissimulés sous un foulard, un panier de livraison au bras. Il s'effaça pour la laisser entrer et referma la porte derrière elle. Elle laissa tomber son panier à terre et l'enlaça. Il rit de plaisir en la voyant aussi impatiente que lui de le retrouver, et l'embrassa longuement.

— Que les dieux me pardonnent, murmura-t-il, mais je n'ai pensé qu'à toi toute la journée.

Ils avaient réussi à se revoir ainsi à plusieurs reprises au cours des mois qui avaient suivi la Nuit des Masques. Mais chaque rencontre avait toujours la saveur d'une première fois, car les quelques heures qu'ils parvenaient à dérober ne leur suffisaient pas, ne leur suffiraient jamais tant qu'ils ne pourraient passer toutes leurs nuits ensemble, librement. Or cela, c'était impossible.

Il défit la chemise de Moon, glissa ses mains dessous, enveloppant les courbes douces de ses seins, sentant la chaleur de ce contact qui se répandait dans leurs corps. Il la plaqua contre le mur sans cesser de l'embrasser, sentant déjà durcir son membre, la sentant se plaquer contre lui tandis qu'elle dégrafait sa chemise d'uniforme et caressait sa peau.

— Par notre Mère à Tous ! souffla-t-elle au creux de son cou, je t'aime.

— Moon, je...

Il s'interrompit en entendant un autre coup à la porte. Moon se détacha de lui, stupéfaite.

— Prévôt Gundhalinu ! appela une voix étouffée mais nettement audible, de l'autre côté du battant.

— Capella Bonaventure, souffla Moon, plus stupéfaite encore.

– Prévôt Gundhalinu ! répéta la voix, plus forte et plus pressante. Je sais que vous êtes là.

– Il y a eu une autre chasse, aujourd'hui, dit Moon d'un air sombre et pensif. N'est-ce pas ? Elle est venue à cause des ondins.

– Oui.

– Tu devrais lui parler.

Il se résigna. Son désir ardent était réduit en cendres. Il rajusta sa chemise et gagna la porte. Le visage à la fois surpris et furieux de Capella Bonaventure apparut. En d'autres circonstances, sa mine ahurie aurait été comique.

– Entrez, lui dit-il avec lassitude.

Elle pénétra dans le vestibule en le bousculant, comme s'il avait tenté de lui barrer le passage, s'immobilisa net à la vue de Moon Marchalaube. Elle la dévisagea, examina ses vêtements et passa à la chemise mal rajustée de BZ.

– Vous ?

Elle croisa les bras dans les replis de sa cape et s'avança vers Moon.

– Je croyais que je le trouverais en train de lutiner une petite vendeuse sans cervelle. Mais vous et lui... Voilà pourquoi les chasses continuent, voilà pourquoi tout ce que nous faisons n'est jamais assez. Vous... et lui !

– Non, dit Moon en ravalant son chagrin. Il est de notre côté, Capella. Il veut sauver les ondins. Il fait tout ce qu'il peut pour eux, tout comme il l'a fait pour notre peuple.

– Il contrôle la police de l'Hégémonie. Il contrôle les faits et gestes de son propre peuple, du moins c'est ce qu'il proclame. (Capella Bonaventure le scruta impitoyablement.) Et aujourd'hui, non seulement ils ont massacré les enfants sacrés de la Dame, mais ils ont aussi coulé nos bateaux, qui tentaient de s'interposer. Trois personnes sont mortes noyées, et mon petit-fils était parmi elles ! C'est comme ça que vous prétendez nous aider, prévôt ?

Moon lâcha à mi-voix une prière, ou une malédiction.

– Trois morts ? répéta BZ. Personne ne leur a donné

l'ordre de faire une chose pareille. Ils seront punis comme...

– Non ! hurla Capella. Non ! Le châtiment revient à la Dame. Il est de mon devoir de frapper les coupables en Son nom.

Et elle ôta ses mains de sous sa cape. BZ se figea en voyant luire deux lames métalliques dans ses poings serrés. Il se jeta en avant pour tenter de la déséquilibrer. Elle se rua sur Moon. Au moment où il l'agrippait, elle fit une brusque volte-face et brandit un couteau. Il ressentit une douleur aiguë au côté quand il s'empala sur la lame, emporté par son élan. Il saisit l'autre bras de Capella qui s'abattait férocement sur son visage. Elle avait le regard d'une furie et faisait preuve d'une force inouïe. Moon lui saisit le poignet pour protéger BZ. Capella lâcha son couteau. BZ tomba à genoux et entendit crier Moon. Les deux femmes se battaient. Il y avait du sang sur la deuxième lame.

– Prévôt !

Un uniforme bleu venait de surgir dans le vestibule. Kitaro se rua sur Capella Bonaventure. Son paralyseur ne lui était d'aucune utilité dans cet espace trop étroit. D'une prise, elle entraîna la femme qui se débattait loin de Moon.

– Ma Dame ! lança Kitaro. Vite, sortez d'ici ! J'ai demandé de l'aide.

Moon hésita. BZ serrait convulsivement son bras taché de sang. Une inquiétude éperdue se lisait dans le regard de Moon.

– Ça va, dit-il avec rudesse. Va-t'en avant qu'on n'arrive.

Elle acquiesça, le visage cireux, les mâchoires contractées. Il la regarda franchir le seuil et disparaître hors de sa vue. Kitaro se tourna vers lui.

– Prévôt...

– Non !

Il bondit quand Capella Bonaventure prit son élan, insensible à sa propre douleur, l'air dément, et planta son couteau par deux fois dans la poitrine de Kitaro. Celle-ci poussa un hurlement et s'écroula. L'expression de l'aînée des Bonaventure n'avait plus rien d'humain. Elle s'élança, le couteau brandi.

Il saisit le manche poisseux qui sortait de son flanc et tira la lame hors de sa chair avec un cri de souffrance. Adossé au mur, il se tint prêt à frapper.

— Plus un geste !

Le vestibule fut soudain envahi de flics de patrouille qui avaient répondu à l'appel de Kitaro. Capella Bonaventure les dévisagea, les yeux fous et indéchiffrables. Elle n'avait pas lâché son couteau. Leurs paralyseurs braqués sur elle, les flics l'avaient encerclée et ce cercle se refermait peu à peu.

— Lâchez ça, dit sombrement l'un d'eux. Allons, lâchez-le !

Elle fit face à Gundhalinu avec une sorte de désespoir, serrant convulsivement le couteau entre ses mains tremblantes, s'y cramponnant comme si c'était un trésor. Puis, subitement, elle retourna la lame vers elle et se la planta en plein cœur. Son gémissement fit frissonner Gundhalinu. Elle s'effondra comme une masse.

Les flics entourèrent BZ, le soutinrent, examinèrent sa blessure, s'activèrent pour épancher les flots de sang qui jaillissaient. La source écarlate les défiait.

Le prévôt regardait couler son sang. Les silhouettes bleues se penchaient sur les deux corps rigides gisant à ses pieds. Le bourdonnement dans ses oreilles se mua en un réseau de parasites dorés et noirs, puis les ténèbres happèrent le tout.

— Bon sang, comment cela a-t-il pu arriver ?

Assise au chevet de Gundhalinu, Jerusha leva les yeux vers Vhanu et répéta sa question pour la troisième ou la quatrième fois depuis qu'il était entré. Sur son lit, BZ était toujours inconscient.

— Est-ce qu'il va s'en tirer ? redemanda Vhanu au technomédecin qui examinait l'écran du moniteur, au-dessus du lit.

— Il s'en remettra, commandant. Il a perdu beaucoup de sang, mais nous lui ferons une transfusion. La lame n'a atteint aucun organe vital. Son activité cérébrale augmente. Il ne devrait pas tarder à se réveiller.

– Loués soient les dieux ! fit Vhanu. Comment a-t-il pu laisser entrer cette femme armée de couteau ? (Il fit face à Jerusha, exprimant les doutes qu'elle avait perçus dans son regard.) Pourquoi son système de sécurité ne lui a-t-il pas indiqué qu'elle était armée ?

– Il venait d'avoir une autre visite, dit Jerusha. Il a dû oublier de le réactiver.

Vhanu grogna.

– Kitaro ?

– Oui, monsieur. C'est ce qu'il semble.

Il lâcha une imprécation.

– Dieux des dieux ! Quelle lamentable tragédie ! Mais au nom d'un millier d'ancêtres ! Qu'est-ce qui a pu provoquer l'accès de démence de cette femme et la pousser à essayer d'assassiner le prévôt de justice ?

Jerusha haussa les épaules.

– C'est en relation avec la chasse aux ondins, répondit-elle en prenant soin de garder un ton neutre. Les ondins sont sacrés pour les Etésiens.

Il la regarda en fronçant les sourcils, attendant quelque critique.

– Capella Bonaventure était très conservatrice, achevait-elle sur le même ton. Fanatique, même.

– Les misérables *dashtanu*, marmonna-t-il. Après tout ce que nous avons fait pour eux. Rien n'a de sens ici ! Tout va de travers ! Mais bon sang, qu'est-ce que c'est que cet endroit ?

Il s'interrompit en voyant bouger Gundhalinu. Jerusha regarda BZ ouvrir les yeux. Il murmura quelque chose qu'elle ne comprit pas.

– BZ, dit-elle doucement – et il tourna la tête vers elle.

En trois pas, Vhanu fut auprès d'eux.

– Jerusha, souffla Gundhalinu, mi-étonné, mi-soulagé. (Il tenta en vain de se redresser, s'affala de nouveau avec une crispation de douleur.) Moon ? Est-ce qu'elle va bien ? Est-elle à l'abri ? A-t-elle pu s'enfuir ?

Jerusha acquiesça imperceptiblement et, d'un coup d'œil, désigna Vhanu pour alerter BZ.

– Qu'a-t-il dit ? demanda vivement le commandant. J'ai entendu « Moon ».

– Pas du tout.

– Si, il a dit « Moon ». C'est la Reine d'Eté ?

– Il ne sait pas ce qu'il dit, insista Jerusha. Je n'ai pas bien compris. Prévôt ? (Elle posa une main sur l'épaule de Gundhalinu, geste de réconfort et d'avertissement à la fois.) Le commandant est là avec moi, monsieur.

Gundhalinu cilla et fit la grimace.

– Vous êtes commandant, maintenant, m'dame, murmura-t-il d'une voix presque inaudible. Non... je veux dire, c'est moi... (Il émit un semblant de rire.) Vhanu, tu es là, ajouta-t-il avec un sourire. (Un sourire qui disparut presque aussitôt.) Est-ce qu'elle s'en est tirée ?

– Qui ? fit Vhanu.

– Kitaro. Est-ce qu'elle va bien ?

L'expression de Vhanu se modifia.

– Elle est morte, BZ.

– Non ! (Gundhalinu ferma les yeux et frissonna.) Oh ! non. Ô dieux ! non...

– Il n'y avait plus rien à faire, prévôt, dit Jerusha aussi gentiment qu'elle put. (Elle en voulait à Vhanu de pouvoir l'appeler BZ, comme un ami, alors qu'il lui interdisait d'en faire autant.) Elle est morte sur le coup.

– C'est ma faute.

– Non.

– Si nous n'avions pas...

Il s'interrompit. Jerusha coula un regard vers Vhanu mais ne put déchiffrer son expression.

– Puis-je le voir ? demanda une voix sur le seuil.

Surpris, Vhanu sursauta. *La Reine.* Jerusha se leva d'un bond.

– Bien sûr, ma Dame, murmura Vhanu en s'inclinant cérémonieusement.

Jerusha l'imita et Moon pénétra dans la pièce.

– Je suis venue dès que j'ai su la nouvelle, dit-elle en reportant toute son attention vers l'homme qui gisait sur le lit.

– Il vient de reprendre conscience, ma Dame, intervint Vhanu en s'interposant alors qu'elle s'avançait vers le lit. Ce n'est pas le meilleur moment pour lui parler.

Moon s'immobilisa. Jerusha remarqua que l'une de

ses mains se crispait nerveusement, l'autre, les doigts ouverts et étrangement rigides, pendait dans les plis de sa cape.

— Je vais bien.

La voix faible mais résolue de BZ venait de couper court à l'intervention de Vhanu. Il se redressa sur un coude. Jerusha lut dans son regard à quel point cet effort était pénible pour lui.

— Je suis si heureuse de l'entendre de votre bouche, prévôt Gundhalinu, dit doucement Moon.

Son soulagement dissimulait mal une émotion qui lui empourprait les joues.

— C'est l'une des vôtres qui a tenté d'assassiner le prévôt Gundhalinu, fit Vhanu. Et elle a tué un inspecteur de police.

— Je sais. (Elle redressa la tête.) Et a elle-même mis fin à ses jours. Les mots sont impuissants à exprimer mon regret qu'une chose aussi terrible ait pu se produire.

Tournant le dos à Vhanu, elle fit face à BZ. Soudain, son angoisse, son désir furent parfaitement visibles pour Jerusha.

— Je me sens responsable. Dites-moi si je peux faire quelque chose pour vous aider ?

Par le Batelier ! songea Jerusha avec un coup au cœur. *Elle était ici avec lui.* Kitaro n'avait pas de liaison avec BZ, contrairement à ce qu'elle avait laissé croire à tous les membres de la police. Elle lui servait de couverture. C'était avec Moon qu'il avait rendez-vous. Jerusha pesta en son for intérieur. Elle aurait dû le deviner plus tôt. Mais elle ne voyait guère BZ, ces derniers temps. Si elle avait toujours été au service de la Reine, elle aurait pressenti les choses, car elle la connaissait trop bien, au bout de tant d'années. Elle aurait su la vérité. Ah ! si seulement elle avait su...

— Vous pourriez empêcher votre peuple de nous mettre des bâtons dans les roues, lorsque nous chassons les ondins, pour commencer, dit Vhanu à Moon qui lui tournait le dos. Vous suscitez l'activité de dangereux fanatiques, comme cette Bonaventure.

Moon lui fit face.

– Ce qui l'a « suscité », répondit-elle d'une voix étranglée, c'est que vos chasseurs ont abordé des bateaux étésiens. Trois personnes ont été noyées, dont son petit-fils.

Jerusha se raidit et regarda Vhanu.

– Qui vous a dit cela, ma Dame ? demanda celui-ci d'un air glacial.

– L'un des miens, dit-elle avec une expression tout aussi glacée. Est-ce vrai ?

Vhanu se rembrunit.

– Est-ce la vérité, Vhanu ? demanda Gundhalinu avec effort.

– Bonté divine ! jeta Vhanu en regardant la Reine, ce n'est ni le lieu ni l'heure pour porter une pareille accusation. Le prévôt de justice vient de subir une tentative d'assassinat et...

– Vhanu, répéta Gundhalinu, en colère, est-ce la vérité ?

Vhanu se retourna et Jerusha put voir son regard.

– Les Etésiens sont intervenus pendant la chasse, comme d'habitude, monsieur. Nous leur avons lancé un avertissement. Il n'y a eu aucun blessé, selon les rapports.

Il ment, pensa Jerusha. *Par les dieux ! Il ment*.

– Je veux un rapport circonstancié, ordonna BZ.

– Entendu, murmura Vhanu. Mais je doute qu'il y ait une once de vérité dans...

– Immédiatement, commandant.

Vhanu cilla.

– Bien, monsieur, fit-il.

Il bouscula la Reine en sortant. Moon émit un bref cri guttural, de douleur et non de surprise.

– Pardonnez-moi ! Vous ai-je fait mal, ma Dame ? s'enquit Vhanu avec juste assez de sollicitude, et juste assez d'étonnement.

Il posa une main sur son bras, comme pour lui apporter un soutien. Jerusha la vit grimacer involontairement.

– Etes-vous blessée ? demanda-t-il.

Moon s'écarta.

– Je me suis froissé un muscle en soulevant des caisses, commandant Vhanu.

– En soulevant des caisses ? répéta-t-il, incrédule.

– J'aime aller travailler aux côtés de mon peuple, pour ne pas oublier qui je suis ni d'où je viens, commandant. Et pour ne pas perdre de vue ses problèmes concrets. Vous devriez essayer, vous aussi.

– Trop dangereux à mon goût, grinça-t-il.

Il quitta la pièce sans un adieu. Moon alla doucement fermer la porte et revint près du lit où elle s'assit avec précaution, caressant tendrement de sa main valide le visage et les cheveux de BZ. Il leva une main, lui aussi, et la posa sur la sienne tandis qu'elle se penchait pour l'embrasser sur la tempe, murmurant des paroles que Jerusha n'entendit pas.

Puis Moon se redressa et renvoya sa cape en arrière, d'un mouvement raide et maladroit. Sa main intacte était toujours dans celle de BZ.

– Maintenant, tu sais, dit-elle à Jerusha.

Jerusha vit sur leur visage la même lumière tragique. Lentement, elle se mit debout et les contempla avec une étrange nostalgie.

– Et j'ai oublié que je sais, lâcha-t-elle enfin, avec un sourire fugitif. Reposez-vous bien, mes amis.

Elle se détourna avant de voir leurs sourires et sortit sans les regarder.

TIAMAT : Escarboucle

Ariele Marchalaube s'immobilisa dans le couloir, regardant en direction de la porte de la chambre devant laquelle des extramondiens en uniforme montaient la garde. La colère la poussait, le doute la retenait. Au quartier général de la police, on lui avait dit qu'elle trouverait Jerusha Pala-Thion ici, à l'hôpital, avec le prévôt de justice qui avait survécu à une tentative d'assassinat. Une part d'elle-même cherchait à lui faire croire qu'elle aurait bien voulu que Capella réussisse dans son entreprise. Mais cette pensée lui donnait la nausée.

Elle la chassa de son esprit, coupable, comme si les hommes qui montaient la garde dans le couloir avaient pu lire dans ses pensées. Le prévôt était vivant, eh bien qu'il entende ce qu'elle avait à dire à Jerusha Pala-Thion. Elle se remit en marche, les deux flics se tournèrent vers elle d'un même mouvement. Ils se détendirent quand ils la reconnurent.

— Il faut que je parle au commandant Pala-Thion, dit-elle.

L'un des gardes murmura quelques mots inaudibles, comme se parlant à lui-même. Il finit par acquiescer.

— Vous pouvez entrer.

Elle s'avança hardiment, comme si elle savait parfaitement ce qu'elle allait faire. Jerusha l'attendait au milieu de la pièce, dans cet uniforme bleu-gris d'étrangère qu'elle avait fini par accepter comme faisant partie intégrante de son apparence. Derrière elle, le prévôt était assis sur son lit d'hôpital. Elle ne l'avait jamais vu sans uniforme.

Elle le contempla un long moment. Elle avait l'impression de le voir pour la première fois, de voir un être humain et non un arrogant et intraitable Kharemoughi. Elle songea à son frère en regardant ses yeux. Elle imaginait le visage d'un homme beaucoup plus jeune, passionnément épris de sa mère, prêt à renoncer à sa carrière, et même à sa vie pour elle. Elle se rappela le regard qu'il lui avait adressé, une fois, dans la Grand-Rue, et la façon dont elle avait réagi.

— Ariele, dit Jerusha avec une intonation où se mêlaient l'étonnement et la lassitude, qu'est-ce qu'il y a ?

— Je suis venue... Je suis venue souhaiter un prompt rétablissement au prévôt de justice, acheva-t-elle en baissant les paupières.

— Merci, Ariele Marchalaube, dit Gundhalinu. Veuillez dire à votre mère que je me remets.

— Ce n'est pas ma mère qui m'a envoyée ici, prévôt, répondit-elle d'un ton acerbe. Il y a plus d'une semaine que je ne lui ai parlé. J'ai quitté le palais voilà des mois.

– En ce cas, merci d'être venue.

Gundhalinu eut un sourire hésitant.

– Je suis venue parce que je voulais parler de quelque chose avec... tante Jerusha. Mais c'est aussi en rapport avec vous, prévôt. Avec votre peuple. Et... ce qui vous est arrivé. (Elle tenta de déchiffrer ses réactions.) Rendez-vous les Etésiens responsables de ce qui s'est produit ? demanda-t-elle hardiment. Et croyez-vous ce que Capella Bonaventure a dit, au sujet de vos chasseurs ?

– Je ne blâme en rien votre peuple, assura-t-il – et il fut surpris de voir qu'elle le croyait. Et je ne crois pas à ce que Capella dit.

– Elle avait dû entendre des rumeurs déformées, intervint Jerusha. Il n'y a aucune preuve.

Ariele ravala la réplique qui lui montait aux lèvres.

– Capella Bonaventure avait raison au sujet de ce qui est arrivé aux bateaux étésiens. Je l'ai vu.

Deux jours durant, elle s'était attendue à être convoquée, emmenée par les Bleus, comme Reede l'avait prévu. Mais cela ne s'était pas produit, et elle avait dû se résoudre à agir. Mais elle comprenait soudain pourquoi on ne lui avait pas demandé de comptes.

– Tu y as assisté ? fit Jerusha. (Son expression se modifia.) Comment ça ?

Ariele revit les événements en pensée.

– J'étais sur les lieux. J'avais suivi Silky le long de la côte.

– Silky ? coupa Jerusha. Est-ce qu'elle va bien ?

Ariele acquiesça et lut du soulagement dans le regard de sa tante. Elle retrouvait la femme qu'elle avait toujours connue, qu'elle avait aimée comme si elle était sa tante par le sang. Elle lui raconta tout, sans négliger aucun détail, mais elle choisit soigneusement ses mots, pour éviter de parler de Reede.

– Que faisait Silky si loin du territoire de la colonie ? Y avait-il d'autres ondins avec elle ? s'enquit Jerusha en plissant le front.

– Il y avait des centaines d'ondins sur la plage. On aurait dit qu'ils se rassemblaient en vue de quelque chose.

Jerusha jeta un coup d'œil vers Gundhalinu.

– Qu'est-ce qui a bien pu les amener à se comporter de cette façon, bordel ? Après tout le mal que nous nous sommes donné, Miroe et moi, pour leur prouver qu'ils devaient se tenir à l'écart des hommes. Tout était donc inutile ?

– Ils se rendaient peut-être à une sorte de Festival.

Jerusha se détourna et Ariele comprit qu'elle n'acceptait pas aisément cette idée.

– Qu'en penses-tu, BZ ? demanda-t-elle enfin. Y a-t-il trace d'un événement de ce genre dans les informations que vous avez ?

Il haussa les épaules, l'air songeur.

– Si cela n'arrive qu'en Été, probablement pas. Sauf si la tradition étésienne en a perpétué le souvenir dans quelque chant.

– Ce n'est pas impossible, murmura Jerusha. C'est peut-être ça, le véritable Festival.

– Alors, ils viennent à Escarboucle, dit Gundhalinu.

Et Ariele remarqua qu'il avait parlé comme s'il avait une *certitude*, avec la même conviction que Reede, au sujet des ondins. Jerusha lui jeta un curieux regard mais ne le questionna pas.

– Bonté divine ! BZ, si c'est vrai, ils feront des cibles parfaites pour les chasseurs.

– Si c'est vrai, alors la chasse s'arrêtera, dit-il en serrant le poing. Je veux qu'on observe les mouvements des ondins et qu'on me transmette ces observations.

Jerusha se tourna vers Ariele.

– Et tu as vu les chasseurs attaquer les Etésiens qui tentaient de s'opposer à eux ?

– Nous les avons vus éperonner deux bateaux...

– Qui « nous » ? fit Jerusha.

– Silky et moi. J'étais avec Silky.

Elle se maudit en son for intérieur. Mais, par chance, Jerusha n'insista pas.

– Capella Bonaventure a affirmé qu'il y avait eu des morts, énonça Gundhalinu en fronçant les sourcils. Ce serait un motif suffisant pour vouloir me tuer. La vengeance... Ça sent mauvais, Jerusha.

– Ça m'a tout l'air d'une tentative pour étouffer l'affaire, renchérit Jerusha.

BZ poussa un juron étouffé et s'agita sous ses couvertures.

– Ouvre une enquête. Vois ce que tu peux dénicher si les preuves n'ont pas déjà été détruites.

– Crois-tu que Vhanu soit au courant ?

Il lui jeta un regard aigu.

– Non. Bien sûr que non. (Il noua ses bras autour de ses genoux.) Ariele, tu dis qu'il y avait des centaines d'ondins sur la plage... mais, selon le rapport que j'ai eu entre les mains, le bilan de la chasse a été relativement maigre. Comment les ondins sont-ils partis ? Les as-tu avertis ?

Elle se raidit, hésita, regarda Jerusha qui l'encouragea à poursuivre d'un signe. Elle leur raconta la vérité, ou presque.

– Ils ont fait feu sur l'aéroglisseur de ma mère. J'ai dû me tirer avant que tous les ondins n'aient quitté la plage, expliqua-t-elle, rougissant en se souvenant de son impuissance et de sa colère.

– Et tu es sûre que Silky a pu se sauver ? insista Jerusha.

Ariele acquiesça. Jerusha posa ses deux mains sur les épaules de la jeune fille.

– Merci, Ari. Silky ne m'appartient plus, pas plus que tu n'appartiens à ta mère. Mais que les dieux protègent ceux qui voudraient vous faire du mal, à elle ou à toi.

Elle lui pressa doucement les épaules, en un geste d'affection qu'elle n'avait pas eu depuis des années. Puis elle la laissa aller. Ariele hésita, soudain désireuse de tout lui dire. Mais elle se contenta de se retourner vers la porte.

– Ariele ! lança Gundhalinu.

Elle pivota à contrecœur, touchée par la faiblesse de sa voix.

– Qui était avec toi ? demanda-t-il doucement.

– Je vous ai dit que...

Elle s'interrompit en voyant son expression. *La certitude*. Il savait qu'elle leur avait menti, aussi sûrement que s'il avait déchiffré ses émotions avec quelque machine extramondienne. Elle regarda Jerusha et lut la même conviction dans son regard. Leur expérience et son inexpérience avaient eu raison d'elle.

– Rien ne me force à vous le révéler. Je n'étais même pas obligée de venir ici. Les gens de votre peuple ont peur de vous dire que j'étais là-bas parce qu'ils savent que j'ai vu ce qu'ils ont fait.

– De quoi cette autre personne a-t-elle peur ? demanda Gundhalinu.

– De vous. De la police. Il est extramondien. Il redoute d'être déporté hors de la planète si la police apprend qu'il a assisté à la chasse et a tenté de s'interposer.

– Que faisait-il là-bas ?

– Il était avec moi. Il travaille pour ma mère, il étudie les ondins.

– Aucun extramondien n'étudie les ondins pour le compte de ta mère, intervint Jerusha.

– Il y en a un. Il y a Reede, et il est génial.

Les traits de Gundhalinu se figèrent.

– Reede ? Reede Kullervo ?

– Oui.

– Je le connais, murmura Gundhalinu. Il est génial. Mais il ne travaille pas pour ta mère.

Jerusha le dévisagea.

– Celui-là ? souffla-t-elle.

Il fit signe que oui. Son regard, toujours fixé sur Ariele, s'assombrit quand il comprit.

– Reede n'est pas celui que tu crois, Ariele. Mais il peut avoir confiance en moi. Dis-le-lui. Il veut sauver les ondins. Nous pouvons le faire ensemble. Je peux le protéger, je peux l'aider s'il accepte de me faire confiance. Le lui diras-tu ?

Elle l'observa longuement, en silence, enregistrant la ferveur et la lassitude désespérée peintes sur ses traits.

– Je le lui dirai, promit-elle enfin.

TIAMAT : Escarboucle

– Reede Kullervo !

La voix qui avait lancé son nom semblait provenir de toutes parts, surgissant des seuils enténébrés de la ruelle sombre et déserte. Les rues d'Escarboucle n'étaient jamais complètement plongées dans le noir, mais la nuit faisait naître des ombres en des lieux d'où elles disparaissaient pendant le jour. Reede s'arrêta pile et porta sa main à son arme. Des silhouettes obscures jaillirent des ténèbres plus denses des perrons et des venelles.

– Fils de pute ! marmonna Niburu, incrédule, saisissant lui aussi son arme, tandis qu'Ananke, à ses côtés, tournait sur lui-même.

Ils étaient environnés de Bleus. Les rares passants avaient déserté la ruelle en un clin d'œil.

– Lâchez vos armes, dit la voix.

Reede vit que les Bleus avaient déjà dégainé et braquaient leurs fusils sur lui. Les visières de leurs casques étaient baissées, les transformant en clones sans visages, impossibles à identifier. Il laissa tomber son arme et se débarrassa lentement de toutes celles qu'il portait, imité par ses compagnons.

– Le couteau dans votre botte aussi, lui intima doucement la voix.

Il comprit qu'on les examinait au détecteur. Il jeta son couteau et leva les bras.

– Que me voulez-vous ? demanda-t-il.

Il était plus surpris qu'effrayé. Les Bleus n'étaient pas du genre à jouer les milices privées.

– Je n'ai rien fait.

Dieux ! il n'avait pas eu sa dose. Il lui fallait l'eau de mort. S'ils le bouclaient, combien de temps survivrait-il ? La peur le paralysa. Il serra les dents.

A côté de lui, Niburu marmonnait *Terres sacrées d'Edhu ! Terres sacrées d'Edhu !* comme pour une incantation. Ananke gardait un silence de mort et scrutait les visages masqués qui les entouraient. Deux minutes plus tôt, tous deux rouspétaient d'avoir dû poireauter chez Tor, car Reede n'était jamais foutu d'être à l'heure. Ils auraient préféré y être encore, en cet instant ! Reede songea à l'endroit d'où il venait lui-même. *Un guêpier.*

— Merde ! marmonna-t-il — et il le répéta, encore et encore, comme un adhani.

— Vous êtes un étranger loin du pays, Kullervo, dit quelqu'un. Un autre étranger loin du pays désire vous entretenir du bon vieux temps.

— Rien... commença-t-il en amorçant un mouvement vers l'arrière.

Mais quelque chose lui effleura la nuque comme un souffle, et les ténèbres se refermèrent sur lui.

Il revint à lui très vite mais c'était probablement une fausse impression. Il s'assit avec précaution sur un divan ordinaire, dans un salon sévèrement meublé qui n'était pas très différent du sien. Il se secoua pour chasser hors de son crâne ce qui était peut-être le rêve de quelqu'un d'autre, tel un chien qui s'ébroue. Il se regarda, reconnut ses vêtements, ses tatouages, sut que le rêve était bien réel et s'abandonna à la fatalité du désespoir.

— Bonsoir, Kullervo-*eshkrad*, dit une voix familière.

Il sursauta et découvrit sur le seuil BZ Gundhalinu, prévôt de justice de Tiamat.

— Qu'est-ce que tu fous ici ? lâcha Reede.

— J'y vis.

Gundhalinu était vêtu d'un pantalon visiblement enfilé à la hâte, d'une tunique ouverte, révélant son torse bandé. Il avait les cheveux emmêlés. On l'avait tiré du lit sans ménagement. Lui non plus ne s'attendait pas à cette rencontre. Mais son expression disait qu'il la souhaitait depuis longtemps.

Reede se pencha, ses mains se crispèrent entre ses genoux.

— Où sont mes hommes ?

— Niburu et Ananke ?

Gundhalinu sourit, comme s'il en avait gardé un souvenir plus affectueux que de l'homme qui était présentement son hôte.

– Ils t'attendent, dit-il simplement. (Mais son regard se modifia et, pendant un instant fugitif, le sourire devint sincère.) C'est bon de te revoir, murmura-t-il comme si cette vérité le surprenait.

Reede le dévisagea, se remémorant avec acuité l'instant de leur séparation au Lac de Feu. Son incrédulité se mua en quelque chose d'infiniment plus authentique et plus perturbant, d'autres souvenirs affluèrent dans sa mémoire. Il porta sa main à sa bouche, la laissa retomber. Puis, renversé en arrière dans l'abri réconfortant du divan, il se força à se détendre.

– Qu'est-ce que tu me veux, Gundhalinu ?

Gundhalinu évoluait comme si chaque geste lui était douloureux. Il s'assit pesamment dans un fauteuil à armature de bois, vérifia l'heure sur l'écran de son système domotique et fit la grimace avant de reporter son attention sur Reede.

– Il s'agit de ce que je fais ici, Kullervo. Et de ce que tu y fais, toi.

Reede eut une petite grimace en coin.

– Félicitations ! Alors ? Ça te plaît d'être prévôt de Tiamat ?

Gundhalinu fit un signe de dénégation.

– Je n'ai pas choisi de le devenir. Ce n'est pas comme dans la recherche. En politique, il n'y a pas de réponses justes. On ne gagne jamais.

– C'est parce que tu as une conscience. (Reede eut un faible sourire.) Défais-toi de ta conscience et tu redeviendras un vainqueur.

Gundhalinu eut à son tour un sourire en coin, écho ironique de celui de Reede. Il referma les pans de sa tunique sur son torse. Sa main y demeura, pressant discrètement sa blessure.

– Si seulement la vie était aussi simple, murmura-t-il. Et toi, ça te plaît de travailler pour la Source ?

– Rien de nouveau là-dedans.

– Le fait de devenir un « marqué » de la Source n'a rien changé pour toi ? (Reede ne dit mot.) Jaakola a très mauvaise réputation, même parmi les siens. Et ce qu'on

voit n'est que la partie émergée de l'iceberg. Il a une influence tentaculaire, hein ?

— Tu m'as ramassé pour me faire dégoiser sur la
Source ? Je n'ai rien à t'apprendre que tu ne saches
déjà.

— Je sais.

— Suis-je en état d'arrestation ?

— Tu n'as rien fait d'illégal sur Tiamat, à ma connaissance.

— Alors, qu'est-ce que tu attends de moi, bordel de
merde ?

— Tu es sur Tiamat afin de synthétiser l'eau de vie
pour la Source ! (Reede garda le silence.) Pourquoi as-tu
laissé traîner un indice pour me mettre sur la voie, dans
le Hall du Survey ?

— J'en sais foutre rien, fit Reede avec un haussement
d'épaules. Juste pour l'amour du risque. Pour voir si tu
étais toujours assez malin pour piger.

— C'était un avertissement ou un appel à l'aide ?

Les poings de Reede se serrèrent.

— C'est plutôt toi qui as besoin d'aide, d'après ce que
je vois. (Il désigna la blessure de Gundhalinu et son expression épuisée.) Qu'est-ce que tu fabriques avec les
ondins ? Je te connais, tu ne veux pas de l'eau de vie, tu
en as peur. Mais tu les étudies comme si tu voulais la
même chose que moi. Et pendant que tu proclames que
tu t'opposes à ce qu'on les tue, ils les massacrent quand
même et ils essaient de te tuer, toi aussi.

— La politique, murmura Gundhalinu.

— L'amour, chuchota Reede en se penchant en avant.
Les rumeurs sont vraies. Tu aimes la Reine, voilà pourquoi ton action politique est absurde. C'est elle, la
femme dont tu m'as parlé sur Numéro Quatre. Celle
pour qui tu voulais changer le futur de toute la foutue
galaxie, rien que pour la revoir. (Il eut un rire bref.) Et
moi qui croyais que tu blaguais.

— Nous nous sommes mutuellement sous-estimés, lâcha Gundhalinu avec un peu d'amertume.

— On peut dire ça comme ça.

L'expression de Gundhalinu ressemblait étrangement
à du regret. Il détourna les yeux.

– J'espère qu'elle en vaut la peine, ajouta Reede.

Gundhalinu acquiesça. Reede entrevit en pensée une image qu'il s'interdisait de laisser paraître : un visage à peau noire, lumineux, voilé de mystère et de sensualité. *Son* visage. *Arrête ça !*

– Je suis navré, pour ta femme, dit Gundhalinu, comme s'il avait lu dans son esprit.

– Que sais-tu là-dessus ? jeta Reede, atteint à vif.

– Nous savons ce qui s'est passé lorsque tu t'es retrouvé sous la coupe de Jaakola au lieu d'être sous celle de Mundilfoere, lorsque tu l'as perdue. (Il hésita.) Nous savons qui tu es vraiment, Reede.

Reede se sentit rougir. *La chose de Mundilfoere. Un cerveau-réceptacle. Un dingue.* Il se leva.

– *Vanamoïnen*, murmura Gundhalinu.

Les genoux de Reede se dérobèrent sous lui. Il se rassit.

– Quoi ?

– Vanamoïnen. Tu es Vanamoïnen. La Confrérie t'a enlevé à nous. Nous n'avons cessé de te rechercher depuis.

Reede restait figé, à l'écoute, comme si quelque chose en lui paralysait sa langue, stoppait le flot de questions et de protestations. Il toucha son visage avec ses deux mains, en effleurant les contours si familiers, et pourtant si étranges. Il était baigné de sueur.

– Ils m'appelaient comme ça. « Le nouveau Vanamoïnen », murmura-t-il. Ils savaient. Ils savaient tous quelque chose... Mais je ne connais pas Vanamoïnen. Il est mort depuis deux mille ans ! Plus même ! Mon nom... *mon nom* est Reede Kullervo.

Ses doigts se plantèrent dans sa chair.

– Tu es deux personnes différentes, utilisant un même corps, expliqua Gundhalinu en forçant l'attention de Reede. Elles ne fonctionnent pas séparément, leurs influx sont brouillés. La Confrérie a réussi à mettre la main sur une scanographie du cerveau du véritable Vanamoïnen, réalisée il y a des milliers d'années. Et ils se sont servis de toi pour lui redonner vie. Mais tu n'étais pas en état de mort cérébrale lorsqu'ils ont introduit ses souvenirs dans tes circuits : mettons que ça a été une collision de plein fouet. Cela a causé beaucoup de dégâts.

— Comme une collision d'hologrammes, murmura Reede, le regard fixe. (Il laissa retomber ses mains, se concentrant sur cette image et retrouvant peu à peu un certain équilibre.) Comment a-t-on procédé ? demanda-t-il d'une voix redevenue presque normale. Je n'ai jamais entendu dire qu'on ait fait ça à qui que ce soit.

Gundhalinu hocha la tête.

— J'ignore comment ils ont conservé l'âme de Vana-moïnen, ton âme, pendant si longtemps. Si tu ne le sais pas, je ne crois pas qu'il y ait quelqu'un qui puisse te le dire.

— Mon âme...

Reede regarda son corps, comme vaincu par ce qui venait d'être énoncé. Il avait l'impression de se voir tout à coup de très haut.

— Je ne me souviens pas, marmonna-t-il, mais ce n'est pas impossible. (Il fronça les sourcils.) Mais pourquoi ?

— A toi de me l'apprendre, insista doucement Gundhalinu. Pourquoi es-tu revenu, ici, maintenant, après des milliers d'années ?

— Les ondins, répondit automatiquement Reede. (Il s'interrompit, médusé.) Par tous les... Oui, je pense que je suis là pour les ondins. Je les connais. Mais il ne s'agit pas de l'eau de vie. L'eau de vie ne fonctionna jamais parfaitement dans un corps humain, parce qu'il est génétiquement imparfait. (Il hocha la tête, stupéfait, exalté et effrayé par cette révélation.) C'est une voie sans issue. Les ondins sont...

Il tendit les bras, brassant l'air en pure perte. Gundhalinu l'observait avec ce regard familier qu'il avait toujours eu, un peu incrédule. Gundhalinu le dévisagea à son tour. Cela lui avait manqué. Cette expression lui rappelait... lui rappelait...

— Merde ! marmonna-t-il. Pourquoi ? Dieux ! Pourquoi moi ?

— Je l'ignore, moi aussi, Reede, murmura BZ. Certains indices semblent indiquer que tu as été victime d'une erreur.

Reede émit un petit rire bref, douloureux. Il glissa

une main sous sa chemise, sortit le pendentif et la bague réunis au bout de leur chaîne.

– C'est toujours un danger, lorsqu'on est un étranger loin du pays.

Gundhalinu eut un regard empli de compassion.

– Mais tu es là, maintenant, Vanamoïnen. On t'a ramené à la vie parce qu'on avait besoin de ton savoir. Tu es ici, et moi aussi, et j'ai besoin de ton aide. Et cela, je ne crois pas que ce soit un accident. Nous étions destinés à travailler ensemble, dans cette affaire.

Il se rendit vers Reede, à la fois pressant et plein d'espoir.

– Quoi ? fit Reede d'une voix voilée.

– Tu as raison, ce n'est pas l'eau de vie qui est importante chez les ondins. C'est la raison pour laquelle ils ont été créés, pour... pour... tu sais ce que je veux dire. Tu sais ce que j'essaie de te faire comprendre...

– Non. Pas du tout. De quoi me parles-tu, bordel ?

Gundhalinu sacra, de colère ou de frustration.

– Putain de merde ! Vanamoïnen ! Tu sais pourquoi c'est important. C'est toi qui as mis les ondins ici. Tu dois bien te rappeler pourquoi, par tous les dieux !

Reede sentit se lever un tourbillon dans son esprit, comme si on agitait des éclats de miroir dans un sas de chair vivante jusqu'à ce qu'il saigne.

– J'ignore de quoi tu parles ! Je ne suis pas Vanamoïnen ! Je suis *Reede* ! Et je pige que dalle à tout ça, alors la ferme ! Fous-moi la paix !

Il se leva et s'élança vers la porte. Il s'arrêta net quand une silhouette apparut, lui barrant le passage. Pendant une fraction de seconde, il crut voir Ariele, enveloppée dans une robe de chambre masculine. Mais les cheveux étaient différents, longs, un nuage argenté... Le visage était différent aussi, plus âgé. *La Reine*. Il se retourna vers Gundhalinu, comprenant tout.

– Reede Kullervo, dit la Reine en s'avançant vers lui, la main tendue.

Il lui serra machinalement la main, inclina la tête avec gaucherie.

– Ma Dame, murmura-t-il en se rappelant le titre en usage.

Puis il lâcha sa main comme si elle le brûlait. Il revit de nouveau Ariele en pensée, se demanda ce que la Reine savait, si elle était au courant. Il baissa les yeux.

— C'est vous qui avez aidé BZ à recréer le plasma astropropulseur, n'est-ce pas ? demanda-t-elle.

Et il eut la sensation que sa voix lui apportait comme un ancrage, apaisait sa panique. Elle l'observa encore un instant, avec une intensité étrangement réconfortante.

— Oui, répondit-il en dansant d'un pied sur l'autre.

Il jeta un coup d'œil à Gundhalinu, le vit incliner la tête.

— Nous avons tenté de trouver le moyen de protéger les ondins contre l'Hégémonie, dit-elle. Nous savons qu'ils sont intelligents, mais ce n'est pas assez. Nous pensons que leurs chants contiennent des informations codées. Mais l'ensemble est incomplet. Les massacres les ont décimés au point qu'ils ont perdu leur passé, et qu'ils ne comprennent même pas ce qu'ils ont perdu. Et ces chants sont, en un certain sens, importants pour la survie de l'Hégémonie. Si nous pouvions comprendre quelle est leur utilité, nous pourrions peut-être les sauver. Mais nous ne pouvons... nous ne pouvons...

Reede la dévisagea. Elle était affectée de la même incapacité à exprimer ce qu'elle pensait, comme Gundhalinu.

— Qu'est-ce qui vous arrive ? demanda-t-il en fronçant les sourcils.

Elle hocha la tête, frustrée.

— Je ne peux pas vous le dire, murmura-t-elle. Il ne peut pas...

— Au sens littéral, intervint Gundhalinu. Un système d'autoprotection.

Une lueur naquit dans les profondeurs de l'esprit de Reede, une étincelle de compréhension menaçant de tout incendier. Il tenta de saisir un souvenir, mais il lui échappa.

— Le Survey ? murmura-t-il. Vous voulez parler du Survey ?

Gundhalinu fit non de la tête, comme un muet. Reede laissa échapper un ricanement.

– Par les dieux ! Nous formons un joli trio ! Qu'est-ce qui se passe ici, bordel ? C'est contagieux ou quoi ?

Et il se donna un coup violent sur le crâne.

– Cela n'a pas d'importance, dit la Reine en lui retenant le bras. Vous n'avez pas besoin de comprendre. Croyez que c'est important. Cela suffira. Travaillez avec nous sur l'ondinchant, laissez votre esprit faire ce qu'il a été destiné à accomplir. Tout vous reviendra, peut-être.

Reede cilla, regarda la main qu'elle avait posée sur son bras. Son autre main restée libre vint se poser sur celle de Moon et la serra convulsivement.

– Reede. (Gundhalinu se leva de son siège et se traîna péniblement vers eux, presque à contrecœur.) Je sais que la Source a un moyen de te tenir. Si tu veux lui échapper, nous pouvons t'aider. Toute chaîne peut être brisée. Dis-nous simplement de quoi tu as besoin.

Reede se libéra de l'emprise de la Reine. Il prit une profonde inspiration et sentit les doigts osseux de la vérité le saisir à la gorge.

– Tu ne peux rien pour moi, Gundhalinu. (Il hocha la tête.) Personne ne peut rien pour moi.

– Dis-moi au moins quel genre d'ennuis tu as. Tu me connais, insista BZ en le regardant avec une étrange intensité. Tu sais que tu peux me confier ta vie sans hésiter. Et j'ai besoin de ton aide.

Reede hocha la tête avec conviction et commença à s'éloigner.

– Impossible. Je ne peux pas t'aider !

– C'est la raison même de ton existence !

Reede eut l'impression que sa vie vacillait.

– J'y réfléchirai. Il faut que je réfléchisse. Il faut que je m'en aille pour essayer de réfléchir.

Plein d'incertitude, il fila à la porte. Sur le seuil, il jeta un regard en arrière.

– Questionnez votre mari, à propos des ondins, ma Dame, fit-il avec aigreur. Il sait des choses qu'il ne vous a pas dites.

Ils ne firent aucun geste pour le retenir.

BZ enlaça Moon. Ils regardèrent disparaître la silhouette élancée et vacillante de Reede Kullervo.

– Dieux ! murmura Gundhalinu en entendant claquer la porte d'entrée. J'espère que j'ai bien fait.

– Pourquoi ne l'as-tu pas retenu ? demanda-t-elle.

Il la regarda, troublé.

– Je ne peux pas lui forcer la main, Moon. Pour l'instant, il a tout juste la force de tenir le coup. S'il s'effondre, nous aurons perdu Vanamoïnen à jamais. Nous ne pouvons pas prendre ce risque. Nous devons croire qu'il reviendra de lui-même.

– Ce n'est qu'un enfant, BZ, dit-elle doucement. (Elle avait vu son désespoir. Il connaissait une chose plus terrible que ses propres peurs les plus archaïques. Une chose qui gisait dans son regard.) Il est terrifié, murmura-t-elle.

Moon enlaça BZ et le serra à l'étouffer.

– Et il a toutes les raisons de l'être, soupira BZ, qui avait lu dans ses pensées. Que les dieux lui viennent en aide ! Allons nous recoucher.

Elle le suivit dans l'escalier.

– La Source le tient avec quoi, à ton avis ? Une drogue ?

BZ lui adressa un regard surpris.

– Probablement. Comment as-tu deviné ?

– Je n'ai pas oublié la Source, dit-elle en le suivant dans la chambre. Arienrhod lui avait acheté des germes pathogènes avec de l'eau de vie, à la fin du règne d'Hiver.

Il grimaça à ce souvenir.

– La Source excelle dans ce genre de trafics et de mélanges. Mais j'ignore avec quoi il tient Reede. C'est sûrement peu ordinaire, sinon Reede se le procurerait ailleurs.

Il se débarrassa de sa tunique, déboucla la ceinture de son pantalon et s'assit avec précaution sur le rebord du lit, pour pouvoir l'ôter plus aisément. Moon quitta la robe de chambre et s'enfouit sous les couvertures comme si elle se laissait glisser dans la mer. BZ s'allongea auprès d'elle et, pour un instant, elle oublia sa lassitude.

– BZ, de quoi parlais-tu, lorsque tu disais « nous » ?

« Nous savons »... « nous soupçonnons »... Tu l'as répété plusieurs fois et tu ne parlais pas de nous deux.

Il détourna les yeux, contrarié, ou tiraillé entre des sentiments contradictoires. Il finit par toucher doucement le tatouage de sibylle placé au creux de son cou.

– Je parlais du Survey.

– Le Survey ? répéta-t-elle, un peu incrédule. Ce nid de snobs kharemoughis qui se réunissent dans ce qu'ils baptisent un « club de rencontres » pour dire du mal de Tiamat ?

Il éclata de rire.

– C'est donc pour ça que tu n'as pas voulu en faire partie, lorsque je les ai forcés à admettre les Tiamatains ?

– J'ai d'autres choses plus urgentes et plus importantes à faire, riposta-t-elle en se redressant sur un coude.

– Il ne faut pas se fier aux apparences. Le Survey que tu connais n'est qu'une façade. Il recèle des profondeurs inconnues, des strates qui en dissimulent d'autres. J'ignore moi-même combien.

Elle réprima une brusque envie de rire en comprenant qu'il était sérieux.

– Je ne devrais pas te le révéler. Mais par les dieux ! S'il y a quelqu'un qui a le droit d'être au courant, c'est bien toi. Le véritable Survey est une organisation secrète dont la création remonte à l'époque du Vieil Empire. Elle a ses origines dans la vieille guilde colonisatrice de l'Empire. Je t'ai expliqué qu'il y avait alors un homme du nom de Vanamoïnen...

Moon l'écouta en silence tandis qu'il lui expliquait tout. Elle saisit toutes les nuances de la conversation avec Reede, elle sentit se métamorphoser sa conception de l'univers, sous l'effet d'un savoir presque aussi profond que celui dont ils partageaient tous deux le secret.

– Le Survey ne contrôle pas tout ce qui se produit au sein de l'Hégémonie, n'est-ce pas ? demanda-t-elle finalement.

BZ émit un rire bref.

– Etant donné ce qu'est la nature humaine, évidemment non. Même aux plus hauts niveaux, le Survey ne peut qu'exercer une influence. Avoir le contrôle, jamais !

– Et Reede Kullervo fait partie du Survey, et la Source aussi ?

BZ acquiesça.

– Il existe une faction du Survey qui se baptise la Confrérie, et dont le but n'est plus depuis longtemps la réalisation du bien suprême. Ceux-là ne veulent que leur bien propre. Ils suivent la même route, mais leur destination diffère. Pour la Confrérie, l'Hégémonie est une proie. Tout ce qui peut détruire l'équilibre du statu quo – drogue, corruption, guerres – sert ses intérêts, car chaque fois que la balance est faussée, c'est la Confrérie qui en profite. Reede était l'un de leurs serviteurs privilégiés et, aujourd'hui, il est leur instrument. Kitaro essayait de provoquer cette rencontre depuis des mois, mais on le surveille de si près que j'en étais venu à croire que cela n'aurait jamais lieu.

Il redevint silencieux, comme s'il songeait à l'étrange don apporté par la visite inattendue de Reede.

– Et toi, qui sers-tu ? demanda finalement Moon. Puisque Reede sert la Confrérie.

– Le statu quo. Cette faction s'attribue parfois le nom de Juste Milieu. Elle prétend poursuivre l'œuvre du Survey en maintenant les sphères d'influences définies par l'Hégémonie. Ce qui signifie que, pour eux, c'est Kharemough qui doit contrôler les mondes survivants du Vieil Empire. Enfin, ceux que nous connaissons. Pendant un temps, j'ai voulu croire que c'était aussi simple que ça.

– C'est ta venue ici qui t'a fait changer d'avis ?

– Cela n'a fait que mener à son terme un processus déjà engagé. Rien n'est jamais tranché. Ici le bien, là le mal. (Il lui adressa un sourire chargé d'ironie et de regret.) Sans l'ordre, le chaos n'aurait aucune raison d'exister... et sans le chaos, l'ordre n'aurait pas de raison d'être. C'est à eux deux qu'ils forment un tout. Dans sa vanité, le Survey appelle ça « le Grand Jeu ».

– Alors, qu'est-ce qui... ou qui est-ce qui est vraiment... au sommet de tout ça ?

– Je n'en sais rien, soupira Gundhalinu. A quelque

rang que je m'élève, il y a toujours d'autres niveaux au-dessus de moi.

– Alors, comment sais-tu à qui faire confiance ?

– Je n'ai aucun moyen de le savoir. Mais peut-être cela n'a-t-il aucune importance, pour ce qui est du Grand Jeu. Le réseau divinatoire avait besoin que Vanamoïnen revienne ici, sur Tiamat. Toutes les factions ont essayé de le contrôler, de le manipuler, et elles ont toutes échoué. Et pourtant, il est ici. C'est pourquoi je crois qu'il nous aidera. C'est pourquoi je suis persuadé qu'il ne faut pas lui forcer la main mais laisser faire les choses.

– Tu n'en as pas la certitude, conclut-elle doucement.

– Non. Je ne peux être sûr de rien.

– Quand j'étais petite, ma grand-mère m'a enseigné que les ondins étaient les Enfants de la Mer, bénis et protégés par elle. Et que je l'étais aussi.

Sa gorge se serra sous l'effet d'un brusque chagrin. BZ l'attira dans ses bras, l'embrassa sur le front, comme si elle était une petite fille.

– Et il y a eu un temps où j'ai cru que ma vie était finie, murmura-t-il en l'embrassant sur la bouche. Ô dieux ! comme je t'aime...

Elle ferma les yeux, sentit rouler des larmes brûlantes sur ses joues. Entre ses bras, elle avait encore la sensation que tout pourrait s'arranger.

– La nuit est presque finie, lui dit-elle en prenant son visage entre ses mains, en l'embrassant, en le touchant, en l'excitant de ses caresses.

– Le matin peut attendre, murmura-t-il.

Reede Kullervo était allongé dans son lit, les yeux grands ouverts sur le monde ténébreux de sa chambre. D'aussi loin que remontaient ses souvenirs, il avait toujours passé la plus grande partie de ses nuits à veiller, mais pas ainsi. Pas en connaissant le nom de celui qu'il retenait prisonnier dans son esprit et qui le retenait lui aussi prisonnier, dans un paysage cauchemardesque et dévasté, le punissant pour un crime dont il n'était pas l'auteur. *Il était Vanamoïnen*. Tout ce que Gundhalinu lui avait dit était vrai, il le savait, même s'il n'en avait aucun souvenir. Vanamoïnen le savait.

Il poussa une imprécation et roula sur le ventre, enfouissant son visage dans l'oreiller. *Qu'est-ce que je fabrique ici ? Qu'est-ce que je veux ?* C'est la raison même de ton existence, lui avait crié Gundhalinu. *Les ondins. Tiamat.* Mais pas l'eau de vie. *S'il les aidait, il comprendrait*, avait dit la Reine. Et il voulait les aider, il voulait comprendre. Ce besoin-là lui dévorait les entrailles.

Seulement voilà, ils ne pouvaient pas aider Gundhalinu. BZ et Moon ne pouvaient pas lui donner l'eau de mort, seule la Source avait ce pouvoir. Même si Gundhalinu mettait à sa disposition un laboratoire et tous les appareils qu'il lui demanderait, il ne parviendrait jamais à recréer à temps l'eau de mort. Il lui fallait sa dose régulière. Il commençait déjà à ressentir les effets du manque, car le fait d'avoir été retenu chez Gundhalinu lui avait fait manquer son rendez-vous avec TerFauw.

Il faudrait qu'il trouve le moyen de persuader Ter-Fauw de lui accorder une seconde chance, demain matin, qu'il invente quelque mensonge. S'il n'avait pas sa dose, il ne pourrait pas travailler. Il la lui fallait, et la suivante, et encore celle d'après. Sinon, il mourrait et ne serait plus d'aucune utilité à personne. Mais à quoi bon vivre, lorsque tout est impossible ? A commencer par lui : un type avec deux cerveaux. Au fond, il regrettait l'époque où il croyait simplement qu'il était fou.

– *Reede.*

Une voix en décomposition énonça son nom dans les ténèbres. Reede sentit la respiration lui manquer.

– Reede.

Il se redressa sur son lit.

– Qui est là ?

Il ne voyait devant lui que des ténèbres, des superpositions subtiles de gris sombre et de noir, les formes vagues et familières des meubles de sa chambre. Y avait-il vraiment quelque chose, là, au pied de son lit, une silhouette plus foncée que la nuit, un rougeoiement ?

– Tu sais très bien qui est là, Reede, chuchota la voix. *Un hologramme. Une projection. Un cauchemar.* Mais il ne rêvait pas. La Source ne lui avait encore jamais joué ce tour-là : envahir le sanctuaire de sa chambre, violer le seul lieu où il pouvait encore faire semblant de croire qu'il était un homme libre.

— Dis-le, murmura la Source. Dis-moi qui je suis.

— Maître, cracha Reede. (Il serra les couvertures contre lui, dans un accès de fureur impuissante.) Qu'est-ce que tu me veux ?

Il se maudit lui-même parce que sa voix avait tremblé.

— Tu as eu une entrevue nocturne, à ce qu'il paraît, Reede ? Avec le prévôt et la Reine ?

Ô dieux !

— Ce n'était pas mon idée.

— Quand comptais-tu m'informer de cela ?

— Il ne s'est rien passé, se défendit-il d'une voix rauque.

— Rien ? répéta la Source, sarcastique. L'ennemi numéro un t'emmène à une réunion secrète où il ne se passe rien. Ces gens-là te disent que tu *es vraiment* Vanamoïnen. Ils te demandent de trahir la Confrérie et de travailler avec eux, mais à part ça, il ne se passe rien.

— Tu sais parfaitement que je ne peux aller nulle part. En moins de deux jours, je serais un cadavre en putréfaction.

— Tu leur as dit qu'il était impossible de créer une forme stable d'eau de vie, railla la Source. Mais il ne s'est rien passé.

— C'était un mensonge ! Pour me débarrasser d'eux. C'est tout.

Il sentit la sueur ruisseler sur sa peau, scruta les ténèbres, espéra de toutes ses forces que la Source ne pressentait rien, ne pouvait lire dans ses pensées ou percevoir ses sensations.

— Tu pourrais me mentir, à moi aussi.

— Je ne te mens pas ! brailla Reede. A quoi ça me mènerait ?

— Oui, à quoi ? Si tu me trahis, tu crèveras, et le cerveau de Vanamoïnen disparaîtra avec toi, quoi que tu fasses et quoi que tu dises.

— Il va falloir du temps pour recréer l'eau de vie. Je te

l'ai déjà expliqué. Tu ne veux pas que je commette une erreur... (sa voix se fit tranchante) ... Comme ça m'est déjà arrivé.

– Non. (La Source émit un borborygme dégoûté.) Tu auras tout le temps qu'il faudra. Mais en attendant, la Confrérie a quelque chose à exiger de toi. De toute évidence, l'obsession de la Reine pour les ondins n'est pas du fanatisme religieux. Gundhalinu et la Reine savent quelque chose d'important à leur sujet, une chose si secrète que personne ne s'en doute, même pas le Juste Milieu. Tu vas nous aider à trouver ce que c'est.

– Comment ? fit Reede avec irritation. Ils n'ont pas voulu me le dire, ce soir. Ils ne le *pouvaient pas* ! (Il s'interrompit.) Que dois-je faire ? demanda-t-il, dissimulant le soupçon d'espoir qui venait de poindre en lui. Vous voulez que je fasse semblant de collaborer jusqu'à ce que je trouve de quoi ils...

La Source l'interrompit par un gros rire, et l'espoir s'évanouit.

– Tu ne demanderais pas mieux, hein ? Mais c'est non. Tu m'appartiens. Le cerveau de Vanamoïnen appartient à la Confrérie. J'ai constaté que ton histoire d'amour croît et donne de beaux fruits malgré toutes tes épines, Kullervo.

Reede ferma les yeux. Ses poings se serrèrent furieusement sur les draps.

– J'ai fait ce que tu voulais.

– Et tu y as mis tout ton cœur, on dirait. Cette petite écervelée est folle de toi. Elle raconte à ses copines que tu la fais mourir d'extase. Je crois même que si tu le lui demandais, elle te présenterait à sa mère.

Reede rouvrit les yeux.

– Tu veux que je l'épouse ? demanda-t-il, médusé.

– Non ! Je veux que tu lui donnes l'eau de mort.

Un cri étranglé jaillit de la bouche incrédule de Reede.

– *Pourquoi ?*

– Pour la réduire définitivement à notre merci. La Reine est sa mère. Gundhalinu est son père. Lorsqu'ils verront ce qui arrive à leur fille lorsqu'on retarde l'administration de l'eau de mort, ils partageront leur secret avec nous.

– Et s'ils ne le peuvent pas ?

Il n'y eut, pour toute réponse, qu'un halètement pénible.

– Et si je refuse ?

Silence.

– Jaakola !

Seuls le silence, et les battements précipités de son cœur.

TIAMAT : Escarboucle

– Ariele, chuchota-t-il, penché par-dessus son lit, telle une ombre, dans les ténèbres.

Il l'embrassa, l'éveillant avec un baiser. Elle ouvrit les yeux, ne sachant trop ce qui lui arrivait, et se débattit contre lui un instant ; il redit son prénom, et la sentit s'abandonner.

– Reede ? souffla-t-elle avec étonnement, car il avait jusque-là toujours refusé de venir chez elle.

Il ne répondit pas, couvrant de baisers son visage et son cou, essayant à tâtons de dégrafer sa chemise de nuit. Il finit par déchirer le tissu, à force d'impatience, mais il s'en moquait. Il rabattit la chemise vers le bas, et elle émit un petit cri de protestation et de surprise, tandis qu'il la dénudait. Mais elle se cramponna à lui alors qu'il l'embrassait de nouveau et que, se déshabillant à la hâte, emporté par un désir presque désespéré, il s'allongeait sur elle. Elle replia ses jambes autour de lui, l'accueillit en elle, impatiente, éperdue, et il la posséda, lui accordant le seul don qu'il sût donner jusqu'à ce qu'elle crie de plaisir, jusqu'à ce qu'il ait sa propre délivrance.

Ils restèrent allongés l'un contre l'autre, toujours unis, le cœur battant, pendant un long moment.

– Je pars, dit-il enfin, l'embrassant avec une douceur

infinie avant de se séparer d'elle. Je veux que tu viennes avec moi.

Il se redressa et elle l'imita, s'asseyant face à lui dans la pénombre.

– Cette nuit ?

– Oui.

– Où vas-tu ? En extramonde ?

– Non. On ne me le permettrait jamais... Dans l'intérieur. Il faut que tu viennes avec moi.

– Pourquoi ?

– Parce que je suis las de vivre, et que tu ne l'es pas.

– Je ne comprends pas...

– Peu importe. Il faut que tu me fasses confiance, c'est tout. Est-ce que tu as confiance en moi, Ariele ?

Lentement, elle hocha la tête. Il la prit par la main, l'amenant à se lever avec lui.

Alors, allons-y.

Ils volèrent vers le sud dans l'aéroglisseur de la Reine, à l'abri au cœur des ténèbres. A l'aube, ils survolaient encore les champs infinis de la mer. Ariele n'avait pas prononcé plus de quelques paroles pendant toute la durée du voyage, se contentant de rester blottie contre lui, la tête sur son épaule, sommeillant à demi ou endormie. Il commençait à avoir mal, à cause de la pression exercée par le poids de son corps : la sensibilité de ses terminaisons nerveuses s'exacerbait. A mesure que s'écoulaient les longues heures nocturnes et silencieuses, la détérioration de son système nerveux s'accentua, et la conscience aiguë qu'il avait de ses symptômes augmenta son inconfort. Mais il ne la réveilla pas.

La nuit parut interminable ; pourtant, les premières lueurs de l'aube n'apparurent que trop tôt, et il sut que leurs heures de paix touchaient à leur fin.

Ariele remua enfin, éveillée par les premiers rayons du soleil, tombant sur son visage à travers le pare-brise. Elle se rassit, se frotta les yeux, examinant la côte lointaine et peu familière. Ils s'en éloignèrent, obliquant vers le large.

– Où sommes-nous ? demanda-t-elle.

– Loin. Pratiquement à la lisière des ultimes régions habitées du littoral. Je vais te déposer dans le dernier village étésien que je trouverai, et ensuite j'abandonnerai l'aéroglisseur dans la mer.

Elle le dévisagea comme s'il avait perdu la tête.

– Mais pourquoi, Reede ? Pourquoi sommes-nous ici ? C'est à cause des ondins ?

– Non, fit-il d'un air sombre. Pas directement. Je veux que tu m'écoutes avec attention. Je ne travaille pas pour ta mère...

– Je sais.

Il lui adressa un regard aigu, mais dit seulement :

– Ne m'interromps pas. Je travaille pour quelqu'un qui s'appelle la Source. Je suis son biochimiste. Il m'a amené ici pour que j'étudie les ondins, afin de synthétiser l'eau de vie pour son compte.

Elle le contempla fixement, en silence.

– Je... je lui appartiens... (Il éleva sa paume, lui montrant la cicatrice. Il l'avait vue la regarder parfois, mais elle n'avait jamais osé le questionner là-dessus.) Il me donne des ordres, et je les exécute, sinon, il me prive de ma drogue. Si je n'ai pas ma dose, je meurs.

– Il... c'est lui qui t'a amené à te droguer ?

– Non, fit-il rudement. C'est moi-même. Mais il contrôle mon approvisionnement. Je t'ai amenée ici parce qu'il veut que je te fasse prendre cette drogue.

Elle resta saisie ; il lut de la peur dans ses yeux.

– Je t'ai amenée ici parce que je refuse de lui obéir ! s'écria-t-il avec colère. Il m'a ordonné de faire connaissance avec toi ; il m'a ordonné de devenir ton amant, il m'a obligé... à tout. Mais ça, non, je refuse. Par le Passeur...

– A tout... ? dit Ariele d'une petite voix tremblante. Je ne le crois pas. Pas tout. Pas la nuit dernière...

Elle se toucha les lèvres, les seins. Le regarda, et il se sentit brûlé par ce regard.

Il concentra résolument son attention sur les étendues bleu-vert de la mer. Enfin, il aperçut ce qu'il cherchait.

– Là, fit-il en pointant le doigt. Les îles des Confins. Ce sont les dernières zones habitées de l'extrême Sud. Il y a un village étésien dans l'une d'elles. Elle est si lointaine que ses habitants connaissent à peine l'existence d'Escarboucle. Elle reste habitable tout au long du cycle climatique de Tiamat, aussi ils ne sont jamais obligés d'en partir. Tu pourras leur dire que ton bateau a chaviré et que la mer t'a échouée sur leurs rives.

— Toute seule... ? demanda-t-elle faiblement.

Il eut un silence plus parlant que tous les mots. Elle le scruta un instant, puis baissa les paupières. Ses mains se crispèrent, sur ses genoux.

— Et puis après, quoi ? Tu veux que je vive avec eux comme une... une *dashtu* dans une cabane de pierre ?

— Les Marchalaube ont vécu ainsi pendant des générations, jeta-t-il. Même Arienrhod a mené cette vie-là, avant le Changement. Tu as ça dans le sang ; tu t'habitueras.

— Et pendant combien de temps devrai-je mener cette existence ?

— Peut-être tout le reste de ta vie.

— Quoi, toujours ?

— Si tu sais ce qui est bon pour toi. La Source veut se servir de toi contre ta mère et Gundhalinu. Il croit qu'ils détiennent quelque chose d'important, et il est prêt à tout pour se l'approprier. Il te fera prendre l'eau de mort et, lorsque tu seras accro, il t'en privera. Il s'imagine qu'en te voyant mourir à petit feu ta mère et Gundhalinu lui donneront tout ce qu'il demande. Mais même s'ils le veulent, ils ne le pourront pas. Et moi, je suis impuissant contre lui. Personne ne peut rien. Sauf toi. Tu peux disparaître, une bonne fois pour toutes.

— Et tout ça... parce que je t'aime ? dit-elle d'une voix brisée. C'est à cause de ça que je me retrouve dans cette situation ? Je ne reverrai jamais Escarboucle ? Ni ma famille ? Ni...

Il vit son angoisse, sa déception, sa rage impuissante, et il eut la gorge serrée en la voyant mesurer toute l'étendue de ce qu'elle venait de perdre, comprendre tout le mal qu'il lui avait fait avec quelques mots. Ses yeux se remplirent de rage, de haine... de honte et de désir incoercible, lorsqu'elle murmura :

— Ni toi... ?

Il eut une inspiration saccadée, se débattant avec la même rage désespérée contre un intolérable destin. Il n'avait jamais voulu ça, jamais voulu d'elle... Elle lui avait été imposée par force, contre sa volonté. Elle avait été utilisée comme un instrument de supplice par l'homme qui avait l'art consommé de le torturer. Il aurait dû la haïr. Et pourtant... Il se détourna d'elle, avant qu'elle puisse lire dans son regard le même désir incoercible.

Il se mit à consulter les écrans et les appareils alors qu'il n'y en avait nul besoin ; tout lui était bon pour essayer d'oublier sa présence. Mais ses sens enregistraient en traîtres le moindre de ses gestes, de ses mouvements, comme si son corps était une extension du sien... et il se retrouva, sans trop savoir comment, en train de la caresser, de l'embrasser, de la serrer contre lui. Il gémit doucement, choqué comme s'il venait de toucher des fils électriques dénudés, et cette douleur provoquée par ses nerfs en dégénérescence intensifia aussi son excitation sexuelle avec une perversité délicieuse. Il enlaça Ariele plus étroitement encore, savourant chaque sensation comme si elle était la dernière.

— Tu vas... tu vas aller le retrouver ? murmura-t-elle. *La Source*.

— Non. Je vais me laisser couler dans l'hovercraft. Qu'il croie que nous sommes morts ensemble.

Un élan de terreur le submergea, à la vision des eaux froides se refermant sur lui, envahissant ses poumons, prenant possession de lui, enfin. Il se força à se rappeler que ce serait rapide, fini en quelques secondes, s'il désactivait le système de secours et heurtait l'eau comme il fallait. Il se força à songer à ce qui l'attendait, sinon.

Il la sentit se raidir contre lui.

— Emmène-moi, alors, murmura-t-elle. Laisse-moi partir avec toi. Je ne veux pas vivre sans toi...

Il l'écarta de lui, lui serrant les bras à lui faire mal.

— Non ! Alors, il gagnerait, cet immonde salaud ! Il faut que tu vives ! (Il la secoua.) Tu le dois, si tu m'aimes.

— Mais alors, pourquoi ne pouvons-nous pas vivre tous les deux ? Le prévôt nous aidera. Gundhalinu a dit qu'il te connaissait, et qu'il pouvait t'aider. Il n'est pas trop tard...

— Pour moi, si ! Il ne peut pas me procurer ce dont j'ai besoin. Je vais mourir, Ariele, tu m'entends ! Bordel de merde ! A moins de me traîner à plat ventre devant la Source et le supplier de me donner ce qu'il me faut, je suis un homme mort. Et il refusera, si je ne t'en fais pas prendre à toi aussi.

— Mais puisque c'est juste une drogue...

Il eut un rire âpre, une sorte de cri d'incrédulité, un peu comme un homme promis au bûcher sentant pour la première fois la morsure des flammes. Il se sépara d'elle.

— Le village étésien se trouve dans la prochaine île. Tu descendras là.

— Non !

Elle fit un brusque mouvement en avant. S'en prit aux instruments, luttant contre eux et contre lui, déverrouillant le pilote automatique et passant en système manuel. L'hovercraft fit une embardée et piqua du nez tandis qu'il la repoussait brutalement contre la portière. Il tenta de reprendre le contrôle de l'appareil, mais elle se précipita de nouveau sur lui, l'empêchant d'atteindre le panneau des commandes. « Ariele ! » hurla-t-il, la giflant dans un geste de panique désespérée. Elle retomba sur son siège, y resta rivée sous l'effet de l'accélération alors qu'ils tombaient à pic vers la mer.

Il hurla des ordres frénétiques au système de commandes informatique de l'aéroglisseur, ramenant en arrière le manche du contrôle manuel de toutes ses forces, tentant d'infléchir le cours de leur chute mortelle. Il n'était pas un pilote expérimenté, il avait toujours laissé à d'autres le soin de le piloter. Maintenant, il se maudissait pour cela.

Tout à coup, il capta dans son champ de vision une ligne ocre pâle, des éclats de couleur rouille et gris-vert, comprit sans trop savoir comment qu'ils touchaient terre au lieu de s'écraser.

L'appareil heurta le sol dans un énorme craquement et tourbillonna comme une toupie, tressautant et fusant en avant sur la surface rocailleuse des falaises. Il s'immobilisa brutalement au beau milieu d'un fourré de fougères arborescentes. Des branchages se rabattirent sur eux, recouvrant le pare-brise de leurs frondaisons.

Haletant, Reede demeura affalé sur lui-même, retenu par les entraves protectrices de secours. Ariele remua à côté de lui, émettant un léger gémissement. Puis elle se tourna vers lui, tenant sa main contre sa joue. Il vit, entre ses doigts, l'empreinte écarlate qu'il avait laissée sur sa peau.

– Pourquoi ne nous as-tu pas laissés nous écraser ? cria-t-elle farouchement, d'une voix brisée.

Il se renversa en arrière, appuyant son corps douloureux contre le dossier. Des ecchymoses révélatrices apparaissaient déjà sur sa peau, du sang coula d'une de ses narines, glissant sur sa lèvre. Il l'essuya d'un revers de manche.

– Tu ne veux pas mourir, dit-elle. Pas plus que moi. Nous pouvons demander de l'aide par radio...

– Sors d'ici. J'ai dit dehors ! hurla-t-il en voyant qu'elle ne bougeait pas.

Il attendit qu'elle eût repoussé le filet de sécurité et lui eût obéi, avant de descendre. Se défiant d'elle, il ordonna la fermeture des portes lorsqu'ils furent tous deux dehors, chacun d'un côté de l'appareil. Il examina l'hovercraft, constatant les dégâts qui endommageaient le train d'atterrissage, les débris laissés par l'appareil dans son sillage. Le propulseur était foutu. Ils ne pourraient pas redécoller.

Il regarda autour de lui. Cette île n'était pas la bonne. Celle qu'il avait voulu atteindre se découpait dans le lointain, à bonne distance. En pivotant sur lui-même, il pouvait voir entièrement l'îlot où ils avaient échoué : un misérable rocher anonyme, dépassant à peine au-dessus des eaux. *Coincés.* Il eut un haut-le-cœur, déglutit convulsivement, s'empêchant à grand-peine de vomir. Par chance, l'hovercraft avait atterri sous les fougères géantes, seul refuge de l'endroit. Seul élément vivant à part eux, et de rares oiseaux de passage. Le bosquet dissimulerait très bien l'appareil. Enfin, si les autres n'utilisaient que des détecteurs visuels lors des recherches aériennes. Cela leur permettrait de gagner un peu de temps.

Il se retourna vers Ariele.

— Le village se trouve sur la prochaine île, la grande, là-bas. Tu es une excellente nageuse. Trouve quelque chose qui puisse flotter. Tu la rejoindras en quelques heures.

Elle le contempla fixement, pendant un long moment.

— Non, dit-elle.

— Putain de merde, Ariele !

Il avança sur elle, poings serrés.

— Je ne te laisserai pas. Je ne te laisserai pas.

Elle se mit à pleurer, en silence. Il s'immobilisa, et la regarda verser des larmes sur lui, sur eux. Il avait l'impression que son corps était envahi par des vers invisibles, et il avait envie de hurler.

— Très bien, fit-il avec amertume. Reste, puisque tu le veux. Tu t'imagines que c'est « juste une drogue » ? Eh bien, regarde donc ce qui va se passer. Regarde ce que tu deviendras, si jamais tu retournes à Escarboucle. Reste, et que le diable t'emporte !

Il abattit son poing contre la porte de l'aéroglisseur, et ce geste déclencha des élancements douloureux à travers tout son corps.

— Ecarte-toi de l'appareil ! Ne m'approche pas ! hurlat-il avec fureur en la voyant esquisser un pas vers lui. Mets-toi quelque part où je puisse te voir, là, sous les arbres.

Elle battit en retraite, et s'assit au pied d'une fougère géante, relevant les genoux et les entourant de ses bras. Puis elle le regarda. Dans la pénombre, ses yeux formaient deux taches noires.

Il se laissa glisser au sol, contre le flanc de l'aéroglisseur, s'asseyant sur la surface dure et granuleuse, bloquant l'accès de la porte. Il sortit son paralyseur de sa ceinture et le posa près de lui. Il savait qu'elle guetterait l'occasion d'atteindre la radio. Elle ne le croyait pas. Elle croyait encore à une issue possible. Il espéra pouvoir l'en empêcher assez longtemps. Ainsi, elle en verrait assez pour comprendre. Et alors elle l'abandonnerait sans se retourner.

Il s'adossa contre l'aéroglisseur. Partout où sa chair était en contact avec la paroi, la souffrance était là. Mais il était trop las pour se passer d'un appui. Les rayons du soleil, filtrant à travers le feuillage, réchauffèrent la carcasse de l'appareil, le sol où il reposait ; réchauffèrent sa peau. *Dieux, ce qu'il faisait chaud, ici...* Pas autant qu'à Ondinée, mais ce serait sûrement le cas lorsque le Plein Eté atteindrait son zénith. Il faisait plus chaud qu'à Escarboucle et sur la côte Nord, en tout cas. C'était un réconfort, même si cela lui mettait la peau en feu, s'il avait l'impression d'être un insecte prisonnier sous un globe de verre. Il lui semblait que c'était un acide qui coulait dans ses veines, et non du sang.

Le temps passa. Le soleil et les ombres se promenaient lentement sous le feuillage paisible. Ariele restait immobile ; et lui aussi. Parfois, des oiseaux passaient dans son champ de vision. Le bruissement des frondaisons se mêlait alors au bruit de la mer. Son murmure incessant et doux semblait devenir de plus en plus sonore, comme si les eaux se rapprochaient, se refermaient peu à peu sur lui, pour le noyer...

Il se releva en poussant un cri, alors que l'eau tombait sur son visage – se retrouva debout sous la pluie, regardant le ciel bleu-noir, tandis qu'au-dessus de leurs têtes un orage passait. Les gouttes déferlaient sur lui, à la fois brutales et douces. Il se laissa glisser contre la portière mouillée de l'hovercraft, se retrouvant de nouveau assis dans la boue ocre. La terre détrempée, à la fois tiède et fraîche, offrait un contact apaisant pour ses doigts. Il regarda ses mains, enflées et violettes. On aurait dit qu'on lui avait mis d'autres mains que les siennes. Il releva les yeux. Ariele était toujours misérablement pelotonnée au pied de la fougère, sous le précaire abri des feuilles. Elle l'appela par son nom en voyant qu'il la regardait.

Il ne répondit pas. Il renversa sa tête en arrière et contempla le ciel, laissant la pluie baigner son visage ; il attendit que le ciel cesse de pleurer.

L'ondée disparut aussi vite qu'elle était venue, emportée par un vent frais. Les Jumeaux reparurent dans le ciel, à mi-course, embrasant les nuages d'une infinité d'arcs-en-ciel qui se démultiplièrent, dessinant des motifs irisés. Il les regarda se faire et se défaire, à la fois émerveillé et triste. Quelque part, en un lieu perdu aux confins de l'espace et du temps, il avait vu des nuées d'étoiles dans un ciel nocturne lumineux comme un vitrail... De tous ses souvenirs, aucun n'était plus beau que celui-là. Il n'avait jamais vécu un moment comparable, depuis. Il se demanda s'il avait tout simplement oublié de remarquer les beautés qui l'entouraient ; ou si c'était l'approche de la mort qui les lui révélait.

Au coucher du soleil, Ariele se leva enfin et vint jusqu'à lui. Il saisit gauchement le paralyseur et le braqua sur elle. Elle le regarda en plissant le front, avec un visage tellement dénué d'expression qu'il en devenait totalement transparent. Il eut l'impression qu'elle était en verre, et qu'elle était sur le point de se briser.

— J'ai faim, dit-elle seulement.

— Il n'y a rien à manger.

— Il y a des provisions de secours à l'arrière.

— Très bien... va les chercher, marmonna-t-il. Tiens-toi à distance de la radio.

Elle acquiesça en rougissant. Lentement, péniblement, il s'écarta pour lui permettre d'entrer dans l'appareil, la surveilla tandis qu'elle prenait la nourriture et ressortait de la cabine, puis reprit sa place. Elle s'accroupit, à courte distance, en prenant soin d'effectuer des gestes précis et sans ambiguïté. Elle lui offrit de quoi manger. L'odeur lui donna des nausées. Il refusa d'un signe. Elle lui offrit de l'eau. Il but avec avidité, comme si toute l'eau de la mer elle-même n'aurait pu suffire à étancher sa soif. Tendit son verre pour qu'elle le remplisse de nouveau ; vomit tout à coup, violemment, répandant les restes de son ultime repas sur le devant de ses vêtements.

Elle s'avança pour lui venir en aide. Il lança le verre dans sa direction, jurant et crachant. Elle se releva tant bien que mal, ramassa les conserves. Elle retourna à sa place sous l'arbre.

N'ayant pas la force de bouger, Reede resta assis comme il était, jusqu'à ce que la puanteur de ses vomissures lui redonne la nausée ; soulevé de haut-le-cœur, il recracha tout le peu qui restait dans son estomac. Il demeura à sa place, mouillé, puant, épuisé ; la regardant fixement tandis que l'obscurité s'épaississait peu à peu. Elle ne mangea rien, tandis qu'il la surveillait.

Finalement, il ne put même plus distinguer sa silhouette dans l'ombre noire des arbres. Il crut entendre des pleurs, mais il n'en était pas sûr. Elle ne faisait aucun mouvement perceptible. Il ne distinguait que le bruit de la mer et le murmure des arbres, et sa propre respiration, de plus en plus sifflante et rauque. Il se demanda si elle dormait ou si elle veillait, comme lui, seule et effrayée. Il eut envie de l'appeler, pour qu'elle vienne vers lui, qu'elle le réconforte, le prenne entre ses bras pendant l'ultime nuit de sa vie.

Ses sphincters se relâchèrent, et il sut qu'il allait déféquer dans son pantalon, sans pouvoir s'en empêcher. Il ne l'appela pas. Il était heureux que la nuit soit tombée et qu'elle ne voie pas ce qui était en train de lui arriver... qu'il ne le voie pas lui non plus. Le matin viendrait bien assez tôt. Alors elle saurait. Alors elle comprendrait.

Des crampes lui contorsionnèrent les jambes. Il poussa un cri involontaire ; mordit le tissu de sa manche pour ne pas crier de nouveau tandis qu'il les contraignait lentement, centimètre par centimètre, à reprendre leur position première. Il ne savait plus s'il faisait chaud ou froid ; son corps brûlait de fièvre, était secoué de frissons. A travers les arbres, il apercevait un ruban de ciel nocturne, rougeoyant comme un lit de braises. Il vit se lever la nouvelle lune, vaste et sombre sur le fond d'étoiles, tel un trou dans la nuit. Pareille à un trou noir, comme la singularité qui existait au-dedans de lui, et ne lui livrait jamais ses secrets, même en cet instant...

La mer l'appela et, par-dessus sa voix, il crut entendre aussi celle des ondins. Bien qu'ils eussent quitté ces parages depuis longtemps, remontant vers le nord pour atteindre leur but inconnu... ou pour être réduits au silence à jamais.

Il se sentit dériver vers une sorte d'inconscience, et s'y abandonna, fuyant la souffrance. Il imagina qu'il était lui-même un ondin, qu'il mêlait sa voix à leurs chants sacrés, suivant l'élan presque mystique qui les emportait vers le nord et Escarboucle. Vers l'âme de l'océan. Il en eut une vision, au loin devant lui, à travers les ombres bleutées de son monde ; sentit le souffle de sa respiration, le grondement subsonique de sa voix puissante, l'appelant à franchir les portes de la mort, qui luisaient comme les mâchoires dentues du Passeur, prêtes à arracher sa chair de ses os et à broyer ses os en poussière.

Et pourtant, à mesure qu'ils approchaient, la voix se tut, comme il l'avait prévu ; il n'y eut plus de mouvement. Les portes s'ouvrirent, accueillant les ondins qui venaient offrir leurs chants de renouveau et recevoir une bénédiction pour la période de paix qui venait de s'écouler.

Des ombres obscurcirent les couleurs aquarellées de son monde imaginaire. Des silhouettes étrangères, mais reconnaissables, y faisaient irruption depuis les hauteurs, étirant un filet pour les prendre au piège, lui et les siens, pour les noyer ; puis les haler sur des ponts de navires ou des rives et trancher leurs gorges, recueillir leur sang, les détruisant ainsi avec tous leurs secrets...

Je suis un homme ! cria-t-il alors que le filet s'abattait sur lui comme un linceul. *Pas un ondin... un homme !* Mais il était nu, et il se noyait ; il était un cadavre vivant, et il les regardait lui trancher la gorge, et il se noyait dans son propre sang...

Reede s'éveilla dans un hoquet étranglé. Il avait du sang dans le nez et la bouche, sur le visage. Il se pencha en avant, toussant et crachant, luttant convulsivement pour respirer. L'hémorragie finit enfin par se calmer. Il s'affala sur le flanc, incapable de se redresser, et resta replié sur lui-même, comme un fœtus, sentant ses muscles se raidir, et son corps se détruire peu à peu, hâtant l'échéance ultime. Il eut des délires et des rêves : des images d'une beauté bouleversante se muant toujours, comme sa chair, en cauchemars de souffrance et de décomposition. Mais il était heureux d'avoir de tels rêves, parce qu'ils l'empêchaient de savoir vraiment ce

qui était réel, ce qui était réellement en train de lui arriver.

L'aube vint. Il gémit, ouvrit les paupières et regarda
le jour. Ses yeux enflés n'étaient plus que des fentes.
Etonné, il découvrit Ariele endormie près de lui, sur le
sol. Il se demanda depuis combien de temps elle était là.
Il éprouva un étrange sentiment d'euphorie et de paix
durant les quelques secondes où il comprit que ce n'était
pas un rêve.

Le flingue ? Où est passé le flingue ? Il se redressa dans
un élan de panique, contraignant ses muscles contractés
et raidis à obéir, avec un cri animal de souffrance. Le
paralyseur était sur le sol, à l'endroit où il l'avait posé ;
il s'était affalé dessus pendant la nuit. Il tendit le bras
pour le saisir et vit sa main. Elle était enflée et noire,
pareille à un moignon de chair brûlée tremblant au bout
de sa manche. Il émit une imprécation étranglée et
ferma les paupières. Sa chair était spongieuse, élastique,
comme de la cire chaude. Bientôt, elle se détacherait de
ses os comme celle d'un lépreux.

Il rouvrit les yeux en sentant remuer Ariele. Elle se
redressa en position assise, se frotta les yeux et regarda
la mer ; elle paraissait hébétée, comme une personne ar-
rachée à un mauvais rêve qui en retrouve un prolonge-
ment dans le réel. Elle avait les yeux rouges, comme si
elle avait beaucoup pleuré.

Elle se détourna lentement, jusqu'à ce qu'il soit face à
elle. Elle se figea, saisie ; oubliant sa propre existence
dans l'horreur de la découverte. Elle demeura ainsi sans
bouger, sans presque respirer, regardant son corps torturé qui s'obstinait à vivre, haletant, émettant de petits
hoquets sifflants et pénibles.

Un soubresaut de chagrin et de terreur la secoua enfin.

– Par la Dame et tous les dieux, dit-elle d'une voix
tremblante. Reede... ?

Comme si elle ne pouvait se résoudre à croire qu'il
était bien cette chose, là devant elle. Il acquiesça. Elle
porta convulsivement ses mains à sa bouche.

– Par notre Mère à Tous, mais qu'est-ce que c'est ?
Qu'est-ce qui t'arrive ? Pourquoi... ?

158

– Je t'avais avertie... C'est l'eau de mort.

Elle eut une sorte de râle, rauque et profond, comme si, pour un instant, son agonie était devenue aussi la sienne. Elle comprenait, maintenant. Enfin, elle comprenait. Il sourit. La vit s'horrifier plus encore alors qu'elle déchiffrait le sens de son expression. Elle se leva d'un bond.

– Tu n'as pas le droit ! Tu ne feras pas ça ! Je vais appeler Gundhalinu...

Elle s'élança vers la portière de l'hovercraft, criant le code qui en commandait l'ouverture. Il saisit le paralyseur à deux mains et tira au jugé. Ariele poussa un cri de rage et de désespoir et s'affala sur la terre ocre, tandis que la porte de l'appareil s'ouvrait au-dessus d'elle comme une aile d'oiseau.

Reede détourna lentement la tête, aperçut ses jambes, son dos. Il ne pouvait distinguer son visage, dans la pose où elle était. Et elle ne pouvait plus le voir. Il se mit à gémir sans pouvoir se maîtriser alors que, par contrecoup, des élancements de douleur le traversaient à la suite du mouvement brusque qu'il venait d'effectuer. *Noyade... la mer... les ondins... se noyer... douleur... mort... aidez-moi, je vous en prie, aidez-moi...* Quelqu'un hurlait dans son crâne, quelqu'un d'autre, il ne savait trop qui ; le prisonnier criait... *Vanamoïnen...*

Il tenta de s'éclaircir les idées. Lorsque l'effet du choc paralysant se serait dissipé, il n'aurait plus la force d'empêcher Ariele d'avertir quelqu'un. Elle ne croyait toujours pas ce qu'il lui avait dit – que personne ne pouvait la protéger contre la Source. Maudite soit-elle, de lui compliquer la tâche ainsi, de lui rendre les choses plus dures... Pourquoi refusait-elle de l'écouter ? Il avait voulu en finir proprement. Il avait voulu que personne ne le voie dans cet état ; et pourtant quelqu'un assistait à ça, et il fallait que ce soit elle. Qu'elle le voie vomir, et se putréfier, et mourir... parce qu'elle l'aimait. Il laissa tomber le paralyseur, élevant une main vers son crâne douloureux ; il la reposa sur ses genoux, ramenant une poignée de cheveux entre ses doigts gonflés et nécrosés. Il la fixa un long moment.

Il fallait mettre la radio hors d'usage. Il le fallait. S'il parvenait à faire ça, ensuite, il pourrait s'abandonner et attendre la fin. Tout se terminerait : sa souffrance... les ondins... *Tout serait détruit, perdu, inutile...*

Il parvint sans trop savoir comment à se mettre debout, refusant d'entendre les cris qui lui échappaient tandis que les feux de l'enfer consumaient sa chair. Il crapahuta jusque dans la cuisine, s'affala sur le siège du pilote, sanglotant, crachant du sang, incapable de voir et de penser. Il n'était que souffrance. Finalement, il tendit la main vers le communicateur, sur le tableau de bord. Cette main se retrouva dans son champ de vision ; il vit une phalange, saillant hors de la chair à demi morte.

La main eut un soubresaut en arrière, comme si elle avait été actionnée par un marionnettiste. Et quelque part dans son cerveau déchiqueté, le prisonnier exulta. *Tu es mon réceptacle. Tu n'as pas le choix*, disait l'Autre. *Je dois vivre. Je dois vivre.*

Son cri de révolte et de fureur s'étrangla dans sa gorge. L'Autre lui dictait ses mots, et il les expulsait de force, dans un crachement de sang. Il dut répéter les ordres deux fois avant que les instruments comprennent et réagissent.

— Jaakola... murmura-t-il dans le communicateur en versant des larmes de sang. Je la tiens. Je ferai tout ce que tu voudras. Aide-moi...

TIAMAT : Escarboucle

— Hé, Marchalaube !

Arraché à sa rêverie solitaire, Sparks releva les yeux et vit Kirard Set Wayaways se frayer un chemin jusqu'à lui, parmi les danseurs qui encombraient la piste.

— J'espérais bien te trouver chez Tor, dit Kirard Set en parvenant près du box et en s'asseyant face à lui.

Il avait cet air entendu qui exaspérait Sparks.

— Qu'est-ce qu'il y a ? demanda celui-ci.

— J'ai un message à transmettre... et toi aussi.

Sparks haussa les sourcils d'un air stupéfait.

– Il s'agit de la Confrérie ?

– Bien entendu, dit Kirard Set en jetant un regard circonspect vers la foule. La Source a dû repartir pour Ondinée. Pour ses affaires. Il compte revenir bientôt sur Tiamat...

– La griserie des voyages en hyperlumière, marmonna Sparks avec envie, en se rappelant ses rêves de jeunesse.

– Nous devrions porter un toast au progrès, mais je vois que nous n'avons pas de verre à lever.

Kirard Set eut un geste vers la table vide, comme pour quêter une explication, ou une invitation. Haussant les épaules, Sparks n'accorda ni l'une ni l'autre.

– En quoi le départ de la Source me concerne-t-il ? demanda-t-il sans ambages.

– Nous devons poursuivre notre tâche actuelle, nous occuper des labos de traitement et de l'approvisionnement... C'est TerFauw qui mène la danse chez *Persiponë*, en l'absence de Jaakola.

– Tu m'as parlé d'un message.

Kirard Set hésita, et le malaise de Sparks s'accrut.

– C'est un message pour ta femme, lâcha-t-il. Au sujet d'Ariele, et de Kullervo.

– Lequel ? demanda Sparks.

Il avait parlé plus vivement qu'il ne l'aurait voulu. Kirard Set se renversa en arrière sur son siège, comme pour se mettre hors de portée.

– Tu sais déjà qu'ils ont une liaison... mais ce que tu ignores peut-être, c'est que Kullervo est un camé. Il est accro d'une drogue qu'il a lui-même créée, une sorte de forme bâtarde de l'eau de vie. Il l'a baptisée « l'eau de mort ». Le truc est mortel. Et il en a donné à Ariele.

Sparks se pencha en avant, agrippant la table à deux mains.

– Quoi ?

Wayaways détourna les yeux.

– La Source veut obtenir quelque chose de la Reine, ou de Gundhalinu, marmonna-t-il. S'ils ne le lui donnent pas, il privera Ariele de cette drogue. (Il fouilla à l'intérieur de sa veste). Tiens. Voilà un enregistrement vidéo

de ce qui arrive au... drogué. Si j'étais toi, je ne regarde-
rais pas.

Il flanqua l'enregistrement sur la table : une sorte de
pastille, typique de la technologie extramondienne.
Sparks la saisit nerveusement entre ses doigts.

– Où sont-ils ? Où l'a-t-il emmenée ? Par tous les
dieux...

– C'est pas ton problème, bonté divine ! siffla Kirard
Set. Tu appartiens à la Confrérie, maintenant. Ta femme
te cocufie avec le père de ses bâtards ; Ariele n'est même
pas ta vraie fille, tu l'as dit toi-même. Saisis donc ta
chance, bordel. Ce qui arrive te rapportera gros, tu
m'entends, à condition que tu tiennes bien ton rôle.
Tout ce que tu as à faire, c'est de transmettre ce truc à
la Reine. Dis que ce sont des inconnus qui te l'ont remis,
prends l'air affolé qui convient ; mais n'oublie jamais
une chose : ce n'est qu'un jeu, une comédie.

Sparks se rappela les rudes et utiles leçons que la
Confrérie lui avait apprises. Il inspira profondément, re-
prenant contrôle de lui-même, retrouvant son sang-froid.

– Juste une comédie, répéta-t-il d'un air dénué d'expression.

Il plaça la pastille enregistrée dans sa sacoche avant
d'affronter à nouveau son compagnon.

– Et quel secret détiennent-ils, selon la Source ? Excepté le secret de leur liaison, bien entendu, fit-il avec
un sourire sardonique.

Un demi-sourire soulagé apparut sur le visage de Kirard Set.

– Quelque chose sur les ondins.

– Tout ce qu'ils savent là-dessus, je le sais aussi, rétorqua Sparks en fronçant les sourcils.

– Le Survey leur a peut-être apporté de nouvelles informations.

– Allons donc, fit Sparks. Jaakola a des entrées au
Survey dans tous les mondes de l'Hégémonie. Il pourrait
découvrir le secret en question sans avoir à... *(tuer ma
fille)* recourir au chantage.

– Alors, ils détiennent peut-être réellement une information qu'ils sont seuls à connaître. (Kirard Set

haussa les épaules.) De toute façon, ce n'est pas notre affaire. Réjouis-t'en.

— Qu'est-ce qui prouve qu'il détient Ariele ? Qu'une telle drogue existe ? dit Sparks avec une désinvolture feinte.

— Tu as vu Ariele en ville, récemment ? Ou Kullervo ?

— Non.

— Personne ne les a vus. Jaakola les a emmenés avec lui sur Ondinée, pour que les deux destinataires de son message comprennent qu'ils n'ont pas d'autre choix que de lui obéir, s'ils veulent la sauver. Il la ramènera ici au moment opportun.

Sparks détourna les yeux, scrutant la foule, espérant y apercevoir la chevelure argentée, le sourire familier d'Ariele ; espérant l'entendre rire, ou même l'apostropher avec colère, pour le rejeter comme il l'avait rejetée... Mais il ne vit que des étrangers, dans un univers bruyant et chaotique.

— Plus vite tu délivreras le message, mieux ça vaudra pour tout le monde, dit Kirard Set.

Il se leva et se fondit dans la foule, sans un adieu.

Sparks demeura immobile un long moment, fixant la surface vide de la table. Puis, incapable de se retenir, il sortit la pastille vidéo de sa sacoche et la logea dans le lecteur placé en bout de table. Une image en trois dimensions surgit dans l'espace, devant lui. Il regarda... regarda encore, paralysé par la stupéfaction. Pour finir, il se força à allonger le bras vers le clavier du lecteur et abattit son poing dessus, faisant disparaître les images atroces, obscènes, dont il ne pouvait plus détacher les yeux.

— Excusez-moi, Sparks Marchalaube...

Il releva un visage hébété vers le servo de Tor, qui venait de l'aborder et ajoutait de sa voix atonale :

— Il n'est pas permis de regarder de tels visuels en public. La prochaine fois, veuillez vous retirer dans une salle privée, par égard pour les autres clients du club.

Il acquiesça en silence, incapable de répondre.

— Puis-je vous apporter quelque chose pour vous calmer les nerfs, monsieur ? Un sachet d'iestas ? Un bol de poisson en marinade ? demanda le servo.

– Apportez-moi à boire. Quelque chose de corsé. Six verres. (Le servo le dévisagea.) J'attends des amis, expliqua-t-il avec irritation.

Le servo inclina poliment la tête et s'éloigna. Il rapporta les six verres demandés en un temps record. Sparks les avala plus vite encore qu'on ne les lui avait apportés. Cela n'eut pas le moindre effet sur ce qui se passait dans son crâne. Assis face aux six récipients vides alignés devant lui, il vit se dérouler et se redérouler indéfiniment les images gravées dans sa mémoire. Sûr qu'il serait poursuivi à jamais par cette vision.

Au bout d'un moment, le servo se représenta à sa table. Il examina la rangée de verres vides, les places vides, spéculant en silence.

– Vos invités ont du retard, Sparks Marchalaube ?

– Rapportez-m'en encore six.

– Bien, monsieur.

Resté seul, Sparks contempla encore les verres, se mit à les déplacer, composant et défaisant machinalement des figures géométriques. *Je n'ai pas d'enfants. Ce n'est pas ma fille.* Il avait prononcé ces mots à voix haute devant plusieurs personnes... et il avait cru être sincère en les énonçant. Il s'était détourné de ses enfants, malgré leur confusion et leur chagrin ; il avait pris ses distances car depuis qu'il était certain de la vérité, il ne supportait plus de les regarder en face.

Il lâcha une imprécation à mi-voix, alors que l'hallucination hideuse qui hantait son esprit cédait la place aux souvenirs... Ses enfants rieurs, se cramponnant à ses vêtements ; ses enfants bâtissant des châteaux de sable ; courant vers lui pour lui apporter des coquillages ou des pierres colorées comme si c'étaient de précieux trésors... Il se souvint de leurs jeux animés dans les couloirs du palais, apportant de la joie et de la vie dans cette tombe glaciale où sa propre jeunesse était morte. Il se rappela leurs rires et leurs pleurs, leurs crises de colère ; la musique de leurs flûtes. Et la façon dont ils le regardaient alors, avec un amour sans réserve. Gundhalinu les avait peut-être engendrés, mais c'était lui qui les avait vus grandir. Leur jeunesse, leurs cœurs lui avaient appartenu. Il étaient *ses* enfants...

Une vision atroce submergea soudain tous ces souvenirs : cette fois, c'était Ariele qu'il voyait souffrir et mourir ; c'était Ariele dont la chair se détachait de ses os sous ses yeux horrifiés...

– Sparks...

Il releva les yeux en tressaillant. Flanquée du servo, Tor Marchétoile se tenait devant lui.

– Merci, Polly, dit-elle en congédiant la machine d'un geste.

Et elle s'attabla face à Sparks sans y être invitée. Elle compta la ribambelle de verres vides, fit la grimace.

– Pollux est venu m'avertir que tu buvais comme un trou, ce soir, et ça ne te ressemble pas. Qu'est-ce que tu préfères ? Boire encore, ou parler de ce qui ne va pas ?

Il ouvrit la bouche, se ravisa en hochant la tête ; son regard erra vers le lecteur vidéo.

– Est-ce que ça a un rapport avec l'enregistrement que tu regardais ? Cela aussi, ça ne te ressemble pas.

Il parut surpris ; elle haussa les épaules.

– Pollux voit tout, Tor sait tout... C'était quelqu'un de connaissance ? murmura-t-elle avec une inquiétude soudaine.

– Non. (Il serra le poing, s'éclaircit la gorge.) Tor... as-tu vu Ariele, ces jours-ci ? Ou Reede Kullervo ?

– Attends-moi ici, dit-elle en se levant. Surtout ne bouge pas, je reviens tout de suite.

Il patienta. Elle revint avec deux hommes. Il identifia aussitôt les acolytes de Kullervo, car le duo l'avait frappé. Il eut un élan de soulagement et d'espoir, qui s'anéantit de lui-même lorsqu'il vit l'expression de leurs visages. Ils s'attablèrent tous les deux face à lui, le plus petit des deux hommes se hissant sur le banc avec l'aisance due à une longue pratique. Tor s'assit près de Sparks, mais elle tendit passagèrement le bras par-dessus la table, mêlant ses doigts à ceux du petit homme dans une brève étreinte sensuelle. Sparks remarqua qu'il avait le visage marqué de coupures et d'ecchymoses.

Son compagnon, l'Ondinien, extirpa un animal de dessous ses vêtements et le posa sur la table. Il se mit à lui caresser le dos et Sparks se demanda lequel, de l'homme ou de l'animal, avait le plus besoin de ce geste de réconfort.

— Niburu et Ananke, dit Tor en présentant les nouveaux arrivants comme s'ils formaient une paire indissociable. Ils...

— ... travaillent pour Kullervo. Je sais, murmura Sparks.

— Voici Sparks Marchalaube Etésien, dit-elle en duo.

— Nous savons qui il est, répondit le petit homme d'un air circonspect.

Sparks s'avisa qu'ils le connaissaient davantage pour ses relations avec la Source que pour son lien avec la Reine.

— Vous avez besoin de parler, énonça Tor.

Et elle se renversa sur son siège en croisant les bras.

— Où est Kullervo ? demanda Sparks.

Les deux autres se dévisagèrent, l'air hésitant.

— Par la Dame et tous les dieux, Kedalion, insista Tor, dis-lui ce que tu sais.

— Reede est sur Ondinée. Du moins, c'est ce qu'il paraît.

— Alors, que faites-vous encore ici ? s'enquit Sparks d'un air soucieux.

— J'en sais rien... fit sombrement Niburu. TerFauw nous a ordonné de ne pas bouger.

— Pourquoi Kullervo est-il parti sans vous ? Je croyais que vous étiez son équipage ?

— Nous le sommes. Je ne sais pas. Il s'est passé quelque chose... on est allés le retrouver un matin, et il n'était plus chez lui. Il n'était nulle part. TerFauw m'a tabassé, il ne voulait pas croire qu'on n'était pas dans le coup. Après ça, on n'a plus rien su. Et puis aujourd'hui, TerFauw nous a convoqués et nous a appris que la Source avait emmené Reede sur Ondinée. On ne va pas tarder à le rejoindre, à ce qu'il paraît. Je ne m'attendais pas du tout à ça ; il effectuait toujours ses recherches sur les ondins, et je croyais... (Il hocha la tête.) D'après les questions que TerFauw m'a posées, je pense que Reede a dû essayer de s'enfuir et qu'ils l'ont repris. Mais je n'arrive pas à concevoir ce qui a pu le pousser à faire ça. La Source le traite comme une merde, mais il sait bien qu'il n'y pas d'issue.

Il pressa le plat de sa main marquée contre la table, comme s'il voulait écraser un insecte.

— Savez-vous quelque chose sur... ma fille ?

Sparks sentit que Tor se tournait vers lui. Quant à Niburu, il parut d'abord interloqué. Puis, lentement, une expression de compréhension se peignit sur son visage.

— Reede était... euh, ils passaient beaucoup de temps ensemble. (Il hocha la tête.) Je ne l'ai pas vue depuis... depuis que Reede...

La phrase resta en suspens. Sparks prit une profonde inspiration.

— Ce soir, on m'a chargé de transmettre un message à ma femme, la Reine, de la part de la Source. Je suis censé lui dire que... notre fille a été emmenée sur Ondinée. Que Reede Kullervo l'a rendue dépendante d'une drogue qu'il a inventée, une chose qui s'appelle l'eau de mort. On m'a remis un enregistrement de ce que ça fait... de ce que ça fera à Ariele si ma femme et le prévôt de justice ne donnent pas à la Source ce qu'il réclame...

— Quoi ? demanda Ananke.

— J'en sais rien ! Vous ne croyez pas que je le lui donnerais moi-même, sinon ?

Ananke grimaça. Il regarda Niburu.

— Tu crois que c'est le truc auquel il est accro ?

Niburu acquiesça, l'air sombre.

— Et c'est quoi... l'eau de mort ? s'enquit Tor.

Ses traits se crispèrent, dans l'attente de la réponse, comme si elle s'attendait à recevoir un choc.

— Kirard Set m'a dit que c'était une forme bâtarde de l'eau de vie.

— Et ça a quel effet ?

Sparks tendit le bras, touchant le lecteur ; l'image en trois dimensions se matérialisa tel un brouillard mortel dans l'espace qui les séparait. Il regarda, impuissant à se dérober à l'atroce spectacle, entendant les hoquets d'horreur de ses compagnons, leurs jurons étouffés.

— Ferme ça, fit Tor. Mais arrête ça, bordel !

Il coupa la diffusion à l'instant où elle allongeait le bras, tentant de le faire elle-même. Elle lui flanqua un coup de poing dans l'épaule, et encore un autre.

— Bordel de merde ! Bordel de merde ! cria-t-elle.

Il ne fit rien, ne dit rien, tandis qu'elle s'affalait de nouveau contre le mur. Elle abattit brutalement sa main sur la table. Sonnés, Niburu et Ananke se dévisageaient, figés dans la même pose. Tor finit par regarder Sparks, d'un air d'excuse.

— Il l'a fait prendre à Ariele ? murmura-t-elle. A Ariele ?

Sparks acquiesça.

— Et Reede... marmonna Niburu.

— C'est lui qui lui a donné ça... (Le regard de Tor flamboya de nouveau.) Salaud ! lança-t-elle à Niburu. Tu m'avais assuré qu'elle était en sûreté ! Tu m'avais juré qu'il ne lui ferait pas de mal...

— Reede ne lui ferait jamais une chose pareille, il l'aime, protesta hâtivement Ananke.

Niburu posa une main sur son bras, d'un geste apaisant.

— Il ne lui en aurait jamais fait, s'il avait eu ses doses à temps. Mais nous ne savons pas depuis combien de temps il était en manque. Que feriez-vous, pour arrêter ça... ?

Il désigna l'espace libre qui les séparait, et que hantait encore ce qu'ils avaient vu un instant plus tôt.

— Je suis navré, reprit-il en se tournant vers Sparks. Je regrette, Tor. Je n'aurais jamais cru qu'une telle chose puisse se produire... Et merde ! je ne veux pas partir comme ça. Je ne veux pas que tu te souviennes de moi de cette manière-là...

Les traits de Tor se détendirent, alors qu'elle se libérait de sa colère inutile.

— Je sais, fit-elle avec un soupir. Sparks, tu as bien dit que c'est Kirard Set qui t'a mis au courant ? Qu'a-t-il à voir avec tout ça ?

— Il est... en affaires avec la Source. Et moi aussi.

Tor le dévisagea, incrédule d'abord, puis convaincue, et enfin résignée.

— A croire que c'est une épidémie, hein ? fit-elle.

Dieux, mais comment des cœurs tendres comme nous ont-ils échoué dans ce cloaque ? Y a-t-il quelqu'un qui ne travaille pas pour la Source, dans cette foutue galaxie ?

– Moon, énonça amèrement Sparks. Et Gundhalinu.

– Pas encore, marmonna Niburu.

– Je sais quelque chose d'autre sur Kirard Set, dit Ananke. (Il se pencha en avant tandis que le quoll s'aventurait parmi les verres et les reniflait.) Vous vous souvenez de cette fameuse nuit ? Ariele et Elco Teel ?

Niburu et Tor acquiescèrent, sourcils froncés. Tor saisit l'animal et le caressa.

– Quelle nuit ? demanda Sparks.

– Elco Teel a refilé une drogue sexuelle à Ariele à son insu et il l'a emmenée à... à...

Ananke s'interrompit et baissa les yeux.

– A une partouze, lâcha Niburu.

– Reede l'a sauvée, enchaîna Tor, posant une main sur le bras de Sparks pour prévenir toute réaction. Il a risqué sa peau pour la tirer de là à temps. Elle n'a eu aucun mal. Elle était complètement partie de toute façon et, à mon avis, elle ne se souvient même pas de ce qui lui est arrivé. Mais, à dater de ce moment, ils sont devenus amants.

Sparks secoua la tête. Les images qu'il avait de lui-même, de Reede, de sa fille lui parurent se défaire et partir à la dérive, comme des gouttes d'huile sur de l'eau.

– Reede était comme un *pashayan* – une épée flamboyante, reprit Ananke avec un regard brillant. Il y avait une douzaine de types, mais il les a affrontés et ils ont détalé comme des rats. Et ensuite, il a fait couler le sang de ce petit merdeux d'Elco Teel. J'ai bien cru qu'il allait avoir une crise cardiaque, lorsque Reede lui a mis un couteau sous le nez...

– Ouais, je l'ai déjà vu comme ça, approuva Kedalion. Un *pashayan*. Tu te souviens de cette nuit chez Ravien, quand on l'a rencontré...

Ananke sourit. Une expression particulière se peignit sur son visage, mi-affectueuse, mi-peinée.

– En quoi cette histoire concerne-t-elle Kirard Set ? demanda Sparks avec impatience.

Ils se tournèrent vers lui d'un air presque froissé, comme s'il avait interrompu les réminiscences communes de deux hommes en deuil. Mais Ananke expliqua :

– C'est Kirard Set qui avait donné à son fils la drogue pour Ariele. Et c'était la Source qui l'avait remise à Kirard Set... (Il pressa son front à deux mains, comme pour rassembler ses souvenirs.) Reede avait chargé Elco Teel de dire à son père que c'était terminé entre la Source et lui. Qu'il les tuerait tous les deux, s'ils se mêlaient de ses affaires.

– Tu ne m'avais jamais parlé de ça, fit Niburu.

– Ah bon ? lâcha Ananke avec un haussement d'épaules.

– Mais pourquoi Kirard Set a-t-il fait une chose pareille ? demanda Tor. Il n'arrêtait pas de raconter un peu partout que son fils épouserait Ariele un jour et qu'elle serait la prochaine Reine d'Eté. Je n'ai jamais eu de sympathie pour ce sale fils de pute. Mais quel intérêt avait-il d'agir comme ça ? Il voulait obtenir les faveurs de la Source ? Ou alors, il est tout simplement ignoble à ce point-là ?

– Toutes ces explications sont vraies, dit Sparks. Mais il y a plus... C'est plus compliqué. La Source n'est pas seulement un baron de la drogue. Il est impliqué à des niveaux de corruption que nous ne pouvons même pas imaginer, vous et moi...

Il aurait fallu en dire plus, mais il s'interrompit, redoutant de parler davantage ; pour leur sauvegarde, et la sienne. Quelque chose cliqueta sur la table, devant lui. Il ramassa l'objet. Une chaîne avec deux ornements. Il les examina de plus près, voyant un anneau d'argent serti de deux soliis, accouplé à un pendentif dont la forme ne lui était que trop familière. *La Confrérie*. Il releva les yeux, croisant le regard en attente de Niburu.

– C'est à vous ? demanda-t-il.

– A Reede. Il le portait toujours sur lui, toujours. Il disait que c'était son porte-bonheur. Mais je l'ai retrouvé dans sa chambre, après sa disparition... Une fois, il y a longtemps de ça, il l'avait laissé tomber. Je l'ai suivi pour le lui rendre, et je l'ai trouvé en compagnie d'une douzaine de gens qui se seraient étripés entre eux s'ils s'étaient croisés dans la rue au grand jour. Ils voulaient me liquider, mais Reede les en a empêchés. Il m'a dit de me tirer en vitesse et d'oublier ce que j'avais vu... C'est une sorte de société secrète, hein ? Un truc beaucoup plus vaste et beaucoup plus puissant que n'importe quel cartel. C'est bien de ça que vous voulez parler, n'est-ce pas ?

— Vous brûlez, dit Sparks en faisant disparaître le pendentif et les joyaux entre ses doigts. Ces gens sont derrière tout ce qui se passe ici, j'en suis sûr. Et pour espérer tirer Ariele de leurs griffes, il faut quelqu'un qui ait leurs moyens et leur influence. Gundhalinu possède ce genre de pouvoir. C'est probablement pour ça que la Source l'a emmené en extramonde. En tout cas, ça signifie qu'il n'est pas sûr de lui à cent pour cent.

— Si elle est dans la citadelle de la Source, personne ne pourra l'en tirer, lâcha Niburu.

— Vous m'avez dit que TerFauw vous a ordonné de rentrer à Ondinée ?

Niburu acquiesça, l'air mal à l'aise.

— Vous allez rejoindre Reede dans cette citadelle ?

— C'est ce qu'il a dit.

— Emmenez-moi avec vous.

— Pas question. C'est impossible. On ne peut pas vous faire passer clandestinement.

— Avec ce truc-là, si.

Sparks fit danser le pendentif au bout de sa chaîne. Niburu lui montra sa paume et la marque qu'elle portait.

— Sans ce truc-là, non. Même ce pendentif ne vous protégerait pas. Il n'a pas protégé Reede. Ils ne prêtent guère attention aux « marqués », du moment que c'est le signe de la Source qu'ils portent. Mais vous, vous ne l'avez pas.

Sparks examina la cicatrice en forme d'œil, la gravant dans sa mémoire.

— Ça peut s'arranger, fit-il.

Niburu grimaça, et resta silencieux un long moment.

— Non, finit-il par dire. Je suis désolé. Je ne peux pas.

Je m'en tiens à ma règle de vie : « Baisse la tête et espère que les Forces du Mal ne te remarqueront pas. »

– Les Forces du Mal vous ont déjà mis la main dessus, lui rétorqua Sparks en désignant son visage contusionné. Ça vous plaît d'être l'esclave de la Source ?

Niburu se rembrunit, et glissa un coup d'œil du côté de son partenaire.

– Non, grommela-t-il. Mais j'aime mieux ça que d'être mort. Et je crois que ça vaut pour nous deux.

Ananke acquiesça, d'un air grave.

– Et Reede ?

– Quoi, Reede ?

– J'ai vu de quelle façon la Source le traite. Ce qui peut lui arriver vous est égal ? demanda Sparks, songeant à leur réaction lorsqu'il leur avait montré les effets de l'eau de mort.

Il y eut un temps de silence puis, approuvé de la tête par Ananke, Niburu lâcha d'une voix bourrue :

– Non, j'imagine que non. Je pense que ça compte beaucoup...

Il parut surpris.

– Quand la Source aura obtenu ce qu'il veut, ou même s'il ne l'obtient pas, il est probable qu'il les tuera tous les deux.

– Il ne tuera pas Reede, protesta Niburu. Il a trop de valeur.

– Possible. Peut-être que vous vivrez très heureux et que vous passerez toute votre existence en esclavage, en regardant la Source détruire votre ami, esprit, corps et âme. Et peut-être pas... Si la Source décide de tuer Reede, quel sera votre sort, à votre avis ?

Ils le regardèrent en silence.

– Reede veut se tirer de là-bas, non ?

– Ouais. Oh, pour ça oui... Nous le voulons tous, admit Niburu. Mais, comme vous l'avez déjà dit, la Source a trop de pouvoir.

– Ils doivent s'attendre à ce que Gundhalinu tente quelque chose. Mais ils n'ont sûrement pas prévu ce que je vous propose. Si Reede aime ma fille autant que vous le prétendez, alors je crois qu'il nous aidera une fois que nous serons dans la place.

172

– Par les Terres Sacrées, fit Niburu, ce serait une entreprise suicidaire. Et vous nous demandez d'y participer.

– C'est ma fille, répondit Sparks. Et vous avez le choix.

Niburu et Ananke se rapprochèrent, entamant un conciliabule tandis que Tor caressait l'animal de l'Ondinien.

– Sparks, dit-elle tout à coup, même si tu arrives à les sortir de là et que vous vous en tiriez vivants, qu'est-ce que tu feras ensuite ?

– Je les ramènerai ici.

– Mais puisqu'ils n'y étaient pas à l'abri...

– Ils le seront, si Gundhalinu est averti. Tu veux bien aller le voir ? Aller voir Moon ? Transmets-leur le message de Kirard Set... et dis-leur tout ce que tu sais sur lui, pendant que tu y es. Explique-leur où je suis parti. Dis à Gundhalinu qu'ils devront se tenir prêts à nous protéger, lorsque nous reviendrons. Il comprendra ce qu'il doit faire. Remets-lui ce pendentif...

– Et l'enregistrement ? demanda Tor en prenant le bijou.

Il baissa les yeux.

– Fais ce que tu crois, répondit-il enfin. C'est aussi leur fille.

Elle le dévisagea avec surprise. Mais son incrédulité ne dura pas. Sparks se retourna vers Niburu et Ananke.

– Et l'eau de mort ? demanda Niburu. Qu'est-ce qui se passera, quand ils seront en manque ?

– Nous nous procurerons un échantillon, pour en fabriquer davantage. Il doit y avoir un moyen de les maintenir en vie en attendant d'y parvenir. Nous le trouverons. Si nous pouvons pénétrer dans la citadelle et les en faire ressortir, nous aurons toute la logistique dont nous aurons besoin pour rester libres et en vie. Voulez-vous tenter le coup ?

Ils se regardèrent une nouvelle fois, puis Niburu finit par acquiescer, imité par son compagnon.

– Nous vous emmènerons sur Ondinée, dit-il. Après... on verra. Nous partons demain.

Il se tourna vers Tor, et son regard se fit mélancolique. Il eut un soupir.

– Très bien, fit Sparks. Je serai prêt. Votre heure sera la mienne.

– Tor ? dit Ananke d'une voix hésitante. Vous voulez bien garder le quoll pour moi... jusqu'à ce qu'on revienne, ajouta-t-il gauchement. Vous savez ce qu'ils aiment...

Il se débarrassa de la bandoulière spéciale qu'il portait à l'épaule, tandis que Tor l'examinait pensivement.

– Oui, bien sûr, murmura-t-elle. Je prendrai soin de lui... jusqu'à votre retour à tous.

Elle se tourna une fois de plus vers Niburu, lui adressant un sourire triste. Puis elle prit le quoll sous son bras, saisit le pendentif. Et, se glissant hors du box, elle les quitta sans ajouter un seul mot.

TIAMAT : Escarboucle

– Par le père de mes ancêtres ! Tu ne peux pas faire ça, BZ. Tu ne peux pas promulguer une nouvelle interdiction de chasser les ondins. C'est un suicide politique !

Gundhalinu se leva de son siège, et se dirigea vers le seuil de son bureau. Il s'immobilisa à mi-chemin, faisant face à son commandant de police.

– Je n'ai pas le choix, Vhanu.

– La prévôté est furieuse. Le Comité central exige...

– Je sais ce qu'il exige.

– Nous serons tous limogés. Tout notre gouvernement, comme je t'en avais averti...

– Eh bien, qu'il en soit ainsi.

– Mais pourquoi fais-tu ça ? Je ne comprends pas !

– Comme je l'ai expliqué aux membres de la prévôté, les ondins sont en train de migrer vers la cité. Cela les met à notre merci. Tant que je ne saurai pas pourquoi ils font cela, les chasses doivent cesser, assena Gundhalinu.

Et il se dirigea de nouveau vers la porte.

– Je t'ai posé une question, BZ, reprit Vhanu, passant du tiamatain au sandhi. Mais pourquoi agis-tu ainsi ? Tu n'es plus l'homme que j'ai connu. Que t'est-il donc arrivé ? C'est à croire que tu as perdu l'esprit, ajouta-t-il en retenant son ami par le bras.

– Je n'ai pas le choix, répéta Gundhalinu en évitant de le regarder. Et parle en tiamatain, NR. Je t'ai déjà rappelé plusieurs fois de t'y efforcer.

Il se libéra de son emprise et gagna le seuil.

– Où vas-tu ? interrogea Vhanu alors qu'il ouvrait la porte.

– J'ai une affaire personnelle à régler.

Gundhalinu était conscient d'avoir parlé d'un ton glacial. Mais il n'éprouvait plus ni colère, ni déception, ni espoir, comme si toutes ces choses étaient mortes au-dedans de lui, le laissant vide de tout sentiment. Il quitta le bureau sans même un regret.

Il descendit la Grand-Rue, jusqu'au cœur du Dédale, regardant les étalages remplis de denrées locales et d'importation, les murs des ruelles fraîchement repeints. La ville n'était plus ce qu'elle avait été dans sa jeunesse : ornée de fanions et de lumières colorées, animée par les musiciens des rues et les saltimbanques, envahie par les maisons de jeu. Du temps où les déplacements interstellaires de l'Hégémonie avaient lieu en fonction des Portes Noires, la situation de Tiamat avait fait d'Escarboucle un grand astroport d'escale. La cité n'aurait sans doute plus jamais la même importance ou la même notoriété : mais ce n'était pas plus mal. Elle aurait de toute façon sa part des bienfaits de l'Hégémonie. Sur ce plan, il avait tenu la promesse qu'il s'était faite. Il avait redonné un avenir à Tiamat, et il y avait aussi apporté un peu de justice. Il pouvait être fier de lui – il aurait dû l'être.

Il aperçut sa propre image dans une vitrine et se hâta de détourner les yeux. Il avait l'impression d'être aussi dénué de substance que ce reflet. Il était venu affronter des difficultés qui s'étaient révélées assez faciles à résoudre, au bout du compte. Mais il n'avait jamais soupçonné quel serait le véritable problème. Et il comprenait maintenant que ses conséquences potentielles pouvaient être plus terribles encore qu'il ne l'avait d'abord pensé.

Plus il songeait aux carences du réseau divinatoire, plus il s'avisait qu'il avait été témoin de ses défaillances pendant des années : réponses obscures, imprécises, incomplètes, ou carrément erronées. Il avait entrepris une enquête, afin de répertorier tous les incidents, et il lui avait fallu des mois pour récolter ces données. Mais à mesure qu'elles s'accumulaient, il avait été médusé par le nombre de ces erreurs, et leur multiplication constante au fil des ans.

De plus, ses recherches lui avaient révélé quelque chose d'inattendu et d'infiniment plus effrayant : les sibylles et les devins eux-mêmes étaient affectés, ils ne parvenaient pas à entrer en Transfert, subissaient des sortes de crises. Alors, il avait compris qu'une panne totale du réseau aurait non seulement de graves conséquences sur les civilisations qui l'utilisaient, mais aussi sur les milliers, voire les millions de sibylles et devins qui étaient pour ainsi dire les neurones du cerveau divinatoire. Ils mourraient tous avec lui, ou deviendraient fous...

Il regarda son pendentif trifoliolé, éprouvant une sensation de froid au creux de l'estomac. Les sibylles et les devins étaient porteurs d'une forme de géniomatière, ainsi que les ondins. L'intelligence artificielle qui contrôlait le réseau divinatoire était très probablement constituée de géniomatière, elle aussi. Et il avait vu les ravages que la géniomatière en dégénérescence avait opérés au Bout du Monde... Il savait ce qu'elle avait fait à sa mère qui, lorsqu'elle en avait découvert au cours de ses fouilles archéologiques, avait déterré une sorte de bombe à retardement. Si l'ordinateur divinatoire tombait en panne, ce serait la fin d'Escarboucle, et peut-être même la fin de Tiamat. De son peuple, en tout cas. Il ne resterait plus qu'un paysage de cauchemar...

Il n'avait confié cela à personne, pas même à Moon. Il n'avait révélé ses informations à personne. C'était impossible. S'il avait fait part de ses inquiétudes, on l'aurait pris pour un fou. Il était sûr que Vanamoïnen pouvait percer le secret des ondins... mais Kullervo ne lui avait toujours pas donné signe de vie. Et il ne pouvait plus faire appel à Kitaro, désormais. Si Reede ne revenait pas vers lui, et très vite, ils ne pourraient sans doute pas trouver la solution avant qu'il soit trop tard, avant que les prédictions de Vhanu se réalisent. Alors, ce serait le commencement de la fin...

Il s'immobilisa en se voyant parvenu devant le club de Tor Marchétoile, son point de destination. Il regarda un instant sa façade tapageuse, puis se força à entrer, non sans éprouver une certaine gêne. Il ne s'était jamais intéressé aux maisons de jeu, sauf d'un point de vue professionnel, du temps où il était un Bleu. Il n'aimait pas spécialement perdre. Et il n'aimait pas non plus les activités qui ne lui permettaient pas d'enrichir son savoir. En plein jour, et revêtu de son uniforme de prévôt de justice, il se sentait aussi peu à sa place que possible en un tel lieu.

L'activité y était réduite, car on n'était encore qu'au milieu de l'après-midi. Son entrée ne passa pas inaperçue. Les buveurs et les joueurs se détournèrent vers lui avec une vague appréhension. Mais, comme il restait immobile dans l'entrée, ils reprirent peu à peu leurs occupations.

Un servo s'approcha de lui en énonçant :

– Bonjour, prévôt Gundhalinu. Si vous voulez bien me suivre. Tor Marchétoile vous attend.

Il rebroussa chemin et Gundhalinu lui emboîta le pas, sans trahir sa surprise. Il supposa que le servo faisait office de videur, car ce n'était pas le genre d'appareil auquel on confiait le soin d'accueillir des clients, en général. Il franchit à sa suite une porte masquée par un rideau, un étroit couloir, et un escalier, et se retrouva dans l'appartement privé de Tor Marchétoile.

– Bonjour, prévôt, lança-t-elle, congédiant le servo d'un geste.

Assise sur un reclinium – relique extramondienne de l'ancien temps –, elle était adossée au dossier sculpté dans une pose désinvolte, probablement pour se donner contenance. Un animal était blotti à côté d'elle, sur les coussins. Elle le caressait doucement, tandis qu'il observait le nouveau venu de ses yeux noirs et brillants.

– Je suis heureuse que vous ayez pu venir, ajouta-t-elle.

Une ombre passa sur son visage, comme si elle venait de se rappeler la raison de son invitation. Il se contenta d'incliner la tête, non sans éprouver une sensation désagréable au creux de l'estomac. Il regarda autour de lui, examinant la pièce. Les tables et les étagères étaient recouvertes de souvenirs et de bibelots divers, mélange contrasté d'objets ravissants ou hideux, condensé visuel et ironique de l'existence de leur propriétaire. Un peu nostalgique, il s'avisa avec surprise qu'à une autre occasion il ne lui aurait pas déplu de les regarder. Mais aujourd'hui, ce n'était pas le cas.

Le billet de Tor, qu'un messager lui avait remis chez lui, indiquait qu'elle voulait le voir aujourd'hui, ainsi que Moon, et qu'il s'agissait d'une affaire urgente. Il ne fournissait pas d'explication, mais cela avait suffi pour qu'il vienne.

– Où est la Reine ? demanda-t-il.

– Je suis là, BZ.

Il se retourna, et vit Moon sur le seuil de la pièce voisine. Elle s'avança jusqu'à lui et l'embrassa. Surpris, il regarda Tor lorsqu'il releva la tête, pour jauger sa réaction. Elle sourit en voyant son expression.

– Lorsque je vous ai vus ensemble il y a vingt ans, j'ai été choquée, prévôt. Ce n'est plus le cas aujourd'hui... Je dirigeais *Persiponë* pour le compte de la Source, ajouta-t-elle.

Il tressaillit, au brusque rappel des souvenirs que cela évoquait. Il se tourna vers Moon, qui acquiesça avec un sourire triste. Il hocha la tête, l'air résigné.

– Tout de même... murmura-t-il.

– La discrétion n'est plus de mise, BZ, dit doucement Moon. Le lien qui nous lie est la raison même de notre présence ici.

L'appréhension le gagna de nouveau.

– De quoi s'agit-il ?

– Vous feriez mieux de vous asseoir, dit Tor.

Il s'installa à côté de Moon sur les coussins de brocart d'une vieille causeuse d'importation. Il l'entoura de son bras, et la sentit tendue par l'inquiétude. Tor se leva ; son animal de compagnie émit un gémissement de protestation, mais ne bougea pas.

– C'est un quoll ? demanda BZ en reconnaissant enfin l'animal.

– Oui.

– Où l'avez-vous eu ? demanda-t-il, car il n'en avait jamais revu nulle part depuis qu'il avait quitté Numéro Quatre.

Dos tourné, Tor se tenait devant une petite table.

– C'est un Ondinien qui me l'a donné.

– Du nom d'Ananke ? fit BZ avec une soudaine prescience.

Elle se détourna brièvement vers lui.

– Oui.

Elle prit un objet dans un tiroir secret, puis traversa la pièce et le lui fourra dans la main.

– Vous savez ce que c'est ? demanda-t-elle.

C'était un pendentif orné d'un solii, au bout d'une chaîne. Le signe de la Confrérie. A côté, il y avait une bague sertie de deux soliis jumeaux. Il se rappela aussitôt où il avait déjà vu cet ensemble si particulier. Il en eut le cœur serré.

– C'est à Reede, dit-il à Moon. Où avez-vous eu ça ?

– Sparks me l'a remis.

– Qu'est-il arrivé à Reede ?

Tor lui raconta tout.

– ... et Sparks m'a chargée de vous avertir. De vous dire d'être prêts à les protéger, s'ils... quand ils reviendront. Il a dit que vous sauriez de quoi il veut parler.

BZ remua enfin, pour la première fois depuis qu'elle avait commencé son récit. A côté de lui, Moon était aussi immobile qu'une statue ; seuls ses yeux étaient animés, et semblaient quêter autour d'elle quelque réconfort ou quelque issue. Qui n'existaient pas.

– Dieux, murmura finalement Gundhalinu.

Jamais il n'aurait dû laisser repartir Reede, la nuit où il l'avait vu chez lui. Il avait commis une énorme erreur de jugement. Reede avait paniqué, et s'était enfui. Maintenant, il était aux mains de la Source... et Ariele aussi.

– Sparks est parti ? Il est déjà parti à leur recherche ?

Tor acquiesça. Il jeta une imprécation et s'effondra sur son siège.

– Il a dit qu'il tenterait de les faire sortir de là tous les deux ?

– Oui.

– Enfer et damnation !

Il ne pouvait même plus révéler à Marchalaube la véritable nature de l'ennemi qu'il s'apprêtait à affronter, et l'importance énorme de l'enjeu.

– Où est le... l'enregistrement qui montre les effets de l'eau de mort ? demanda Moon d'une voix atone.

Tor détourna les yeux.

– Je ne l'ai plus. Je l'ai vu en partie. Quelqu'un... tombait en lambeaux. Des morceaux de chair... (Elle blêmit.) C'est pire que tout ce que vous pourriez imaginer. Vous n'avez pas besoin de voir ça. Vous ne voudriez pas voir ça. Vous ne voudriez pas.

Des larmes humectèrent les yeux de Moon, mais ne coulèrent pas.

– Reede Kullervo n'était pas mourant, lorsque nous l'avons vu, fit-elle avec colère. Je ne comprends pas. Comment cette « eau de mort » opère-t-elle ?

– Il s'agit sûrement de ce qui se produit lorsqu'elle cesse d'agir, murmura BZ. Je ne connais aucune drogue de ce nom-là. Mais ça pourrait être une création de Reede. Une tentative de recréation de l'eau de vie, à en juger par son nom de baptême. Une forme instable de géniomatière. *Un cauchemar.* Si la Source détient son stock, je comprends pourquoi il a pensé qu'on ne pouvait rien pour lui.

– Vous voulez dire qu'on ne peut l'avoir nulle part ailleurs ? demanda Tor. Personne d'autre n'en fabrique ?

– Non. Et je n'en ai même pas un échantillon.

Se détournant vers Moon, il vit son air saisi et bouleversé.

– Il cherchera forcément à en rapporter un ici, lui assura-t-il. Je peux faire analyser et reproduire la drogue, si c'est nécessaire. Ils auront tout ce dont ils peuvent avoir besoin...

– S'ils reviennent, énonça faiblement Moon. Il doit

bien y avoir un moyen de les aider. Tu as des relations,
BZ...

– Selon Sparks, la Source a justement dû prévoir votre intervention, objecta Tor. Il sait que vos... euh, vos
contacts tenteront de les sauver. Sparks a souligné qu'il
ne s'attend pas à le voir débarquer. Il tient à le surprendre.

BZ acquiesça à contrecœur.

– On doit tout de même pouvoir faire quelque chose
pour l'aider.

Il crispa les poings, démangé par l'envie furieuse
d'étrangler quelqu'un.

– Mais, et s'il échoue ? Nous ne pouvons pas donner à
la Source ce qu'il demande, dit Moon.

Son visage était étrangement, anormalement calme,
comme si elle était au-delà de la peur et du chagrin.

– Vous ne savez pas ce qu'il veut, c'est ça ? Vous ne
l'avez pas ? s'enquit Tor.

– Si, nous savons. Nous sommes les seuls à savoir.
Mais nous ne pouvons pas le lui donner. C'est *impossible*. C'est bien ce qu'il y a de plus affreux...

Elle ferma les paupières. Tor regarda Gundhalinu,
sans comprendre. Elle lut sur son visage la même
conviction, la même impuissance.

Moon se leva, et BZ s'avisa qu'il n'y avait en effet
plus rien à ajouter ; qu'il était inutile de rester là plus
longtemps. Tor quitta son siège et se rapprocha de
Moon, plaçant un instant ses deux mains sur ses épaules. Elle avait les larmes aux yeux.

– Il la sauvera, murmura-t-elle. Je sais qu'il le fera.

Moon redressa la tête.

– Ou il mourra en essayant, souffla-t-elle. Merci, Tor.

Tor eut un geste farouche.

– Ne me remercie pas pour ça ! Crache-moi à la figure, maudis-moi si tu veux de t'avoir apporté cette
nouvelle... mais pour l'amour des dieux, Moon, ne me dis
pas merci !

Moon eut un pauvre sourire, leva la main pour essuyer doucement une larme sur la joue de Tor.

– Il ne s'agit pas de ça, dit-elle. Tu sais bien de quoi
je veux parler.

Et elle s'éloigna, tête basse.

— Qu'allez-vous faire de Kirard Set ? demanda abruptement Tor.

Moon fit volte-face.

— Je vais le faire arrêter, dit BZ.

— Non, intervint Moon. Non. Laisse-le-moi.

— Que vas-tu lui faire ? interrogea Tor.

Moon eut une hésitation.

— La Mer le jugera, énonça-t-elle finalement. Selon les lois traditionnelles de notre peuple.

Tor acquiesça, dans un mélange de satisfaction et de malaise. Moon et Gundhalinu quittèrent le club ensemble, sans entendre le bruit tonitruant qui y régnait, sans remarquer les regards fixes que les clients braquaient sur eux.

— BZ, demanda Moon une fois dehors, tu te souviens de ce que Reede nous a dit au sujet de Sparks ?

Il fit signe que non, l'esprit ailleurs. Le Jeu les avait tous réunis ici, sur Tiamat, et il avait été sûr que la prochaine distribution des pièces mettrait Reede dans leur camp... Il n'avait pas songé un seul instant qu'il serait, au contraire, expulsé du plateau de jeu. Il avait cru que la visite nocturne de Reede était la rencontre sans risque que Kitaro lui avait promise. Mais il s'était trompé là-dessus et maintenant le seul homme qui pouvait percer l'énigme des ondins était prisonnier de la Confrérie.

Dieux, mais pourquoi tout avait-il tourné à la catastrophe ? Ceux qui avaient conduit Kullervo jusque chez lui avaient-ils mal exécuté les ordres de Kitaro parce qu'elle n'était plus là pour les guider ? Ou bien s'agissait-il d'un acte de l'ennemi, d'un mouvement inattendu de quelque joueur inconnu, destiné à ramener la pièce cruciale du jeu dans le camp du chaos ?

— BZ ? redit Moon.

— Non, répondit-il distraitement, je ne sais pas...

— Reede a prétendu que Sparks nous avait caché des choses. Il nous a conseillé de le questionner sur les ondins. On ne peut plus l'interroger, maintenant. Mais on devrait peut-être fouiller dans ses dossiers.

Il la dévisagea, s'avisant que ses pensées avaient suivi

le même cours que le sien, mais qu'elles n'avaient pas abouti dans une impasse. Cependant, il hocha la tête.

– Sparks n'a aucune formation technique. Il est impossible qu'il ait pu découvrir quelque chose d'utile.

– Sparks est très intelligent, répondit Moon en le regardant bien en face. Il a passé une bonne moitié de son existence à étudier les ondins. La majeure partie de ce que nous savons sur leur langage résulte de son travail. Ne le sous-estime pas. Il a du sang kharemoughi dans les veines, après tout.

La bouche de BZ se crispa. Il baissa les yeux.

– Bon, très bien.

– Viens au palais avec moi. Tout son travail est réuni là, au Collège des Devins.

Il acquiesça. Ils retraversèrent la ville, jusqu'au palais, et Moon le mena dans l'endroit qui était devenu à la fois l'appartement de Sparks et son lieu de travail. BZ survola du regard la « chambre » improvisée dans un angle de la vaste pièce, déjà presque entièrement envahie par les livres et les équipements électroniques. Des vêtements et effets personnels étaient empilés à la va-comme-je-te-pousse dans des coffres en bois, ou sur des étagères, à côté des dossiers de Sparks. Il éprouva un élan de culpabilité, pris d'une brusque sympathie pour l'homme dont il avait si profondément bouleversé la vie privée.

– Par où commence-t-on ? s'enquit-il.

Moon hésita, regardant elle aussi autour d'elle. Comme si elle n'avait jamais vu cette pièce, ou la trouvait méconnaissable.

– Il me semble que tu devrais peut-être examiner ses fichiers de données. Je... je vais fouiller dans ses affaires.

Il acquiesça, acceptant à la fois la tâche qu'elle lui assignait et son désir de ne pas bafouer son mari en permettant à son rival d'examiner ses effets personnels.

Il s'assit devant le terminal et l'alluma ; passa en revue le contenu des fichiers, dossier par dossier. De temps en temps, il faisait transférer certains éléments dans son propre ordinateur, en vue d'un examen approfondi. Mais il ne trouvait rien de bien extraordinaire.

Moon s'activait en silence autour de lui, examinant feuillets de notes manuscrites, livres, enregistrements divers, et les triant par piles. Une partie de lui-même la suivait dans ses déplacements, tandis que l'autre examinait le flot de données qui défilaient devant ses yeux. Elle effectuait ses recherches avec détermination, en contenant ses émotions. Mais, parfois, il la surprenait à hésiter, comme si elle était tombée sur quelque chose qui éveillait son chagrin. Il s'empressait alors de détourner la tête.

Le dernier sommaire défila enfin devant lui. Il se redressa sur son siège en entendant la voix de synthèse de l'appareil lui annoncer que l'accès à ce fichier était protégé par un code secret.

— Merde ! marmonna-t-il.

— Qu'est-ce qu'il y a ? lui demanda Moon, à l'autre bout de la pièce.

— Il y a un fichier protégé.

— Et ici, il y a un tiroir fermé...

Il la vit tenter de l'ouvrir avec un couteau trouvé parmi les papiers. Elle poussa une brusque exclamation lorsque le tiroir céda et s'ouvrit. Elle s'assit au bureau et commença à en explorer le contenu. Elle éleva dans sa main une petite pochette brodée de perles. Puis elle la posa sur la table. Elle prit quelque chose d'autre : un pendentif en argent au bout d'une chaîne, frère jumeau de celui de Reede. Elle leva les yeux vers lui, lui montrant ce signe de ralliement de la Confrérie.

Il vit la sombre émotion qui l'agitait à la vue de cet objet dont elle connaissait désormais la signification. Elle le lâcha, et il tomba au sol avec un cliquetis sonore. Elle se pencha de nouveau vers le tiroir, et en sortit d'autres choses : une médaille extramondienne, un collier en perles de verre, un vieux calibreur... Elle prit encore un objet, avec précaution, comme s'il était fragile. Il vit une boucle de cheveux pâles, scellée dans une fiole de verre soufflé.

— Les tiens ? demanda-t-il.

Elle fit non de la tête.

— Ceux d'Arienrhod ?

Elle plaça le petit flacon sur le bureau, avec un soin exagéré.

– Ça pourrait être les siens. Ou ceux d'Ariele...

Tout à coup, les larmes qu'elle avait contenues jusque-là débordèrent malgré elle. Elle lui tourna le dos, enfouissant sa tête entre ses mains, secouée de sanglots silencieux.

– Je ne savais même pas qu'elle sortait avec lui. J'aurais pu empêcher ça, sinon ! C'était ma seule fille, et je ne l'ai jamais vraiment comprise...

BZ se leva et alla la rejoindre, s'agenouilla devant elle. Sa brusque crise de désespoir le laissait désemparé et sans voix ; alors il se contenta d'attirer sa tête sur son épaule, de l'entourer de ses bras. Elle l'enlaça d'un geste convulsif, mouillant sa veste de ses larmes.

– J'aurais dû l'arrêter ! Je le tenais entre mes mains !

– Ce n'est pas ta faute...

Il lui redressa la tête, la forçant à le regarder.

– Tout n'est pas fini, reprit-il en dominant tant bien que mal le tremblement de sa voix. Nous ne devons pas nous laisser paralyser par l'émotion. Nous ne pouvons pas nous le permettre. Le temps presse...

Elle s'essuya d'un revers de manche, en acquiesçant.

– Je sais, fit-elle en prenant une longue inspiration saccadée.

Elle s'écarta de lui, redressa les épaules. Elle prit un autre objet dans le tiroir, et le posa sur le bureau. C'était un livre dont la couverture était si abîmée par l'usure et le temps que le titre n'était plus lisible.

Surpris, il le saisit, ne pouvant, comme toujours, résister à la curiosité. Il avait eu une véritable passion pour les livres, dans sa jeunesse. Le caractère primitif mais profond de leur système de stockage de données, leur capacité à franchir toutes les barrières technologiques, leur maniabilité, leur contact et leur odeur l'avaient toujours fasciné. Il avait lu quantité de romans du Vieil Empire, drogué par le balancement des phrases, par le pouvoir d'évocation des mots, qui débridaient son imagination.

Mais ensuite, il était venu sur Tiamat, dans l'antique et mystérieuse Escarboucle, pour tenter de réaliser ses rêves ; et après ça, il n'avait plus guère eu le cœur de lire, ou le temps... Il ouvrit le livre, regardant la page de garde. Le titre, en tiamatain, était transcrit dans l'alphabet phonétique universel : il s'agissait d'un ouvrage sur la fugue. Il feuilleta les pages, vit des notes manuscrites accumulées dans les marges. Des formules mathématiques côtoyaient des notations musicales ; il y avait des flèches, des points d'interrogation et des abréviations dont le sens lui échappait. Mais l'ensemble éveilla des résonances dans son esprit. Il referma le livre, regardant Moon.

— Je peux le prendre ?

— Tu crois que c'est ce que nous cherchons ?

— Je l'ignore. Mais ça mérite d'être examiné de plus près. Dis-moi, connais-tu les codes que Sparks utilisait pour protéger l'accès à ses fichiers personnels ?

— Je ne savais même pas qu'il avait des fichiers secrets... Je savais si peu de choses. Il s'est détaché de nous, pas seulement de moi, lorsqu'il a su... Il a eu tellement de chagrin. C'était comme si on lui avait tout pris. Il l'a toujours aimée plus que n'importe qui d'autre, je crois. Mais il refusait même de lui adresser la parole. Et maintenant, il est parti à sa recherche...

BZ posa doucement une main sur son épaule. Elle pressa sa joue tout contre, fermant les paupières. Quelqu'un apparut sur le seuil de la pièce et s'y immobilisa avec surprise. Ils tressaillirent l'un et l'autre, découvrirent Tammis qui les regardait. BZ se leva précipitamment, avec maladresse, se tenant à distance de Moon. Tammis s'avança vers eux, les regarda avec une compassion muette.

— On m'a dit que tu étais là. J'ai une nouvelle à t'annoncer...

Moon se raidit. Mais il se mit tout à coup à sourire. La fierté et le plaisir lisibles sur son visage les émurent tous deux.

— Merovy et moi, nous allons avoir un enfant.

BZ laissa échapper une exclamation étouffée ; Moon parut saisie. Tammis sembla déconcerté par l'expression de sa mère. Il se tourna vers BZ.

– Nous vivons de nouveau ensemble. On s'en tire bien, lui dit-il. Et c'est à vous que je le dois...

Il s'interrompit, ne disant ni « prévôt » ni « père ». Il tendit la main. BZ la lui serra. Il aurait voulu l'embrasser, mais il n'osait pas...

– Félicitations, dit-il. Je suis très honoré de l'apprendre.

Tammis sourit, avec une expression passagère de regret, avant de se tourner une nouvelle fois vers sa mère. Il changea de visage.

– Qu'est-ce qui ne va pas ?

Elle pressa sa main contre sa bouche, hochant la tête en un geste d'excuse silencieux ; ses yeux se remplirent de larmes.

– Assieds-toi, Tammis, dit doucement BZ.

Il expliqua la situation en évitant de les regarder ; il ne supportait pas l'idée de voir leurs réactions.

– Par Notre Mère à Tous, murmura Tammis lorsqu'il eut fini.

– Je suis navrée de gâcher ta merveilleuse nouvelle, murmura sa mère.

Elle se leva et vint le rejoindre. Son regard exprimait de lourds regrets. Mais tout à coup, elle sourit.

– Je n'arrive pas à le croire, fit-elle. Merci de m'avoir apporté un peu de baume au cœur, dans une telle journée.

Tammis se leva et ils tombèrent dans les bras l'un de l'autre. BZ les regarda s'étreindre avec cette affection spontanée qu'il aurait voulu pouvoir manifester à son fils un instant plus tôt. Un enfant, songea-t-il, c'était un rayon d'espoir dans l'existence.

– Tu crois que p'pa pourra ramener Ariele ? demanda enfin Tammis en se séparant de sa mère.

– Je ne sais pas, soupira Moon.

– Pouvez-vous les aider ? demanda-t-il en se tournant vers BZ. Pouvez-vous envoyer la police là-bas ?

– Ce n'est pas si facile, répondit BZ. Mais par mes ancêtres, je ferai tout ce qui est en mon pouvoir.

Son regard se reporta vers l'ordinateur allumé, et les secrets qu'il refusait de livrer.

– Tammis, connaîtrais-tu les codes secrets de... ton père, par hasard ?

Il savait que la question était inutile, car Tammis et Sparks n'avaient jamais été très proches. Il l'avait posée tout de même et, à son grand étonnement, Tammis acquiesça :

– Il avait l'habitude d'utiliser des fragments d'ondinchant. (Il haussa les épaules, en voyant l'air surpris de BZ.) Il ne m'en a parlé qu'une fois, un jour où je lui ai apporté une information inédite sur les ondins...

Il tira une flûte de sa sacoche ; BZ s'avisa alors qu'il en portait toujours une avec lui, tout comme Sparks. Tammis observa un instant le fragile coquillage, l'air soudain ailleurs.

– Qu'y a-t-il ? dit Moon avec douceur.

– Je me demandais si p'pa serait allé me chercher, lâcha-t-il d'une voix presque inaudible.

Il s'avança vers l'ordinateur, devant lequel BZ était allé se rasseoir, et joua une brève série de notes. Il n'y eut pas de changement. Il essaya une autre série, puis encore une autre. Après une douzaine d'essais de ce genre, l'écran s'anima tout à coup, les barrières invisibles tombèrent, et des données commencèrent à défiler.

BZ échangea un sourire de triomphe avec Tammis. Puis il se retourna face à l'écran, enregistrant les symboles qui défilaient, grâce aux techniques d'absorption visuelle que le Survey lui avait enseignées. *L'ondinchant contient des enchaînements identiques à ceux de la fugue...*

Des notes s'élevèrent, alors que le programme reproduisait les passages d'un enchaînement musical, puis commençait à les imbriquer entre eux, tandis que s'alignaient sur l'écran les équations mathématiques définissant les relations variables des sons les uns par rapport aux autres. Fasciné, BZ regarda, tout juste conscient de la présence de Moon et de Tammis, qui poursuivaient ensemble l'examen des affaires de Sparks.

Lorsqu'il eut pris connaissance du fichier, il le rappela une nouvelle fois. Sparks avait trouvé quelque chose, il en était certain... La structure mathématique de la musique constituait un code, et ce code éveillait un écho, quelque part dans son esprit.

Il regarda et écouta de nouveau, tandis que le réseau de relations musico-mathématiques reprenait forme sur l'écran et dans l'air, pris tout à coup d'une admiration respectueuse pour l'art subtil de leur créateur. Et soudain, il comprit que la musique elle-même n'était qu'un vecteur, c'était l'information mathématique qu'elle contenait qui était l'élément primordial. Et ces équations, ces relations-là, il en connaissait la signification... Des mois durant, il avait travaillé sur des problèmes similaires avec Reede Kullervo, alors qu'ils tentaient de domestiquer le plasma astropropulseur. Les éléments mathématiques inclus dans la musique concernaient la manipulation de la géniomatière.

Mais il y avait des « trous », des manques, dans l'enchaînement logique : des éléments capitaux avaient été perdus, détruits en même temps que les chants qui les contenaient. Il vit les tentatives que Sparks avait faites pour reconstituer ces éléments manquants – les vaillants efforts d'un esprit intelligent et plein de ressources qui manquait de la formation mathématique et informatique nécessaire pour mener sa découverte à son aboutissement. Il éprouva tout à coup une admiration sans réserve pour ce que Sparks Marchalaube avait accompli. Il interrogea l'ordinateur, puis lui donna une autre série d'ordres, envoyant les données dans son système informatique personnel et lui transmettant des instructions pour effectuer les transformations sérielles nécessaires, pour poser les bonnes questions...

– Tu as trouvé quelque chose, dit Moon.

Et il s'aperçut tout à coup qu'elle se tenait debout derrière lui avec Tammis, et qu'ils l'observaient sans doute depuis un moment.

– Pas moi, Sparks. Il a trouvé la clé de l'ondinchant. C'est basé sur la théorie de la fugue... La structure de la musique renferme des équations mathématiques. Au niveau le plus fondamental, la musique a une structure mathématique, expliqua-t-il en voyant leurs regards d'incompréhension. Chaque ton a une relation précise, et immuable, avec tous les autres. On peut donc exprimer des relations mathématiques complexes dans le cadre d'une structure musicale telle que celle de la fugue, comme si c'était une sorte de code. Sparks en a reconstitué les structures de base. Tout est là. Cela concerne la manipulation de la géniomatière. J'ai demandé à mon ordinateur d'appliquer à ces données un programme qui devrait pouvoir recréer les segments manquants. Nous allons peut-être comprendre en vue de quoi ces chants ont été conçus...

Il contempla l'écran, tandis que les appels obsédants des ondins s'élevaient dans l'air – une reconstitution de synthèse, mais étrangement réaliste.

– Tu connais déjà la réponse, murmura Moon.

Il se retourna vers elle, vit que son regard brillait, sous l'effet d'une vision surprenante.

– Les ondins viennent vers la cité, dit-elle. Il n'y a qu'une seule raison possible à cela...

Elle s'interrompit, mais son regard acheva pour elle la pensée qu'elle ne pouvait formuler : *la matrice a besoin d'eux*.

Une connexion se fit soudain dans l'esprit de Gundhalinu, et la révélation eut lieu.

– Entretien de la géniomatière... murmura-t-il. Mais oui, par tous les dieux ! *La matrice a besoin d'eux*. (Il se leva et la serra dans ses bras.) Ça colle ! fit-il. C'est bien ça !

– De quoi parlez-vous ? demanda Tammis.

Moon et BZ le regardèrent d'un air d'excuse.

– Nous ne pouvons pas te l'expliquer, Tammis, dit sa mère en baissant les yeux. Pas encore.

– Mais tu crois que ça aidera Ariele ?

Il y eut un silence.

– Je l'ignore, lâcha enfin BZ. Nous devons espérer que oui.

Moon chassa le désespoir qui s'était à nouveau emparé d'elle.

– Il est tard, dit-elle à son fils. Rentre donc retrouver Merovy et transmets-lui mes félicitations et toute mon affection. (Elle eut un bref sourire.) Mais ne lui parle pas de ce que nous avons fait ici ce soir. N'en parle à personne, Tammis, je t'en prie.

Il acquiesça d'un air grave, et l'embrassa une dernière fois.

– Merci pour ton aide, dit BZ au jeune homme.

– Et merci pour la vôtre, répondit Tammis d'une voix émue.

Il fit volte-face et s'éloigna vers le seuil. Moon le regarda partir d'un air malheureux et songeur.

– Que la Dame les bénisse, fit-elle d'une voix absente. On dit... on dit que la Mère aime les enfants par-dessus tout... Que la Dame vienne en aide à mes enfants. A nos enfants. (Elle soupira.) Pourquoi Tammis t'a-t-il remercié ?

– Parce que j'ai été un observateur impartial, fit-il en haussant les épaules.

Il l'enlaça soudain, lui adressant un sourire nostalgique.

– Je suis trop jeune pour être déjà grand-père, dit-il.

Elle lui répondit par un sourire doux-amer.

– Pas sur ce monde-ci. N'oublie pas que tu es à Tiamat. Reste avec moi, cette nuit, BZ, ajouta-t-elle en appuyant son visage contre son épaule.

Il acquiesça, sachant qu'il n'aurait pas dû accepter, mais qu'il n'était pas plus capable qu'elle de passer la nuit en solitaire, d'affronter seul ses peurs et ses espoirs.

Elle le guida jusqu'à sa chambre, car ils n'avaient ni l'un ni l'autre envie de souper. Ils s'allongèrent côte à côte, et comme ils n'avaient pas le cœur à faire l'amour non plus, ils restèrent étroitement enlacés, parlant peu, s'efforçant de penser encore moins. Elle s'endormit la première, trouvant un peu de paix entre ses bras. Et tandis qu'il veillait sur elle, il finit à son tour par sombrer dans le sommeil.

Il n'aurait su dire si des minutes, ou des heures, s'étaient écoulées, lorsque les portes s'ouvrirent avec fracas, le réveillant en sursaut. Il se redressa en position assise, étourdi, l'esprit embrumé. Moon se redressa sur un coude, ramenant les couvertures sur sa poitrine, alors que la lumière jaillissait dans la pièce et qu'ils se retrouvaient cernés par une demi-douzaine de Bleus.

– Vhanu ? fit Gundhalinu d'un ton incrédule. Mais que fais-tu ici, par l'enfer ? Au nom d'un millier de dieux, qu'est-ce que ça signifie ?

Vhanu les observa un instant. Ce que Gundhalinu lut alors dans le regard de son ex-ami – pitié, réprobation impitoyable, résolution désespérée – suffit à lui faire tout comprendre. Vhanu redressa les épaules, comme s'il s'apprêtait à saluer. Mais le geste ne vint pas.

– Prévôt Gundhalinu, je suis venu vous arrêter.

– Pour quel motif ?

Les traits de Vhanu s'affaissèrent.

– Il est de mon pénible devoir, prévôt... de vous informer que vous êtes accusé de trahison.

TIAMAT : Escarboucle

Moon suivit l'officier taciturne à travers les couloirs bondés du quartier général de la police. Tout autour d'elle, un mouvement de surprise se propageait, assorti de murmures malveillants, d'interrogations, de regards curieux. *Elle est venue voir Gundhalinu, son amant. On les a surpris tous les deux à poil dans le même lit. Un acte de trahison... Gundhalinu le héros, Gundhalinu le traître. Mais que peut-elle bien lui vouloir, maintenant qu'il est en taule ?*

Elle avait demandé à voir le prévôt Gundhalinu. Le sergent de garde avait fait un signe négatif et répondu : « Personne n'est autorisé à voir le prisonnier. » *Le prisonnier.* Aucune référence à ce qu'il était, la veille encore ; à ce qu'il avait représenté pour son peuple, à ce qu'il avait accompli pour l'Hégémonie. Elle avait alors demandé à voir l'inspecteur en chef. Il avait chargé un de ses officiers de l'amener jusqu'à lui, et c'était ainsi qu'elle se retrouvait en butte aux railleries.

Elle passait au milieu de tous ces gens sans presque remarquer leurs réactions. Elle était confrontée à des chagrins et des angoisses si profonds, que les quolibets de ces étrangers la laissaient froide. Ils s'en rendirent compte, sans doute, car peu à peu les murmures cessèrent. Son guide l'introduisit dans une pièce, l'annonça et s'esquiva après avoir salué Jerusha. Celle-ci regarda Moon d'un air surpris, par-dessus une énorme pile d'affaires. Puis elle se remit à entasser ces dernières dans un carton. Moon l'observa, sourcils froncés.

– Qu'est-ce que tu fais ?

– Je débarrasse mon bureau, répondit Jerusha d'une voix chargée d'ironie. Le commandant de police m'a informée ce matin qu'il a inculpé BZ pour trahison et décrété la loi martiale. Et que je ne suis plus inspecteur en chef à dater d'aujourd'hui.

– Par les Nichons de la Dame !

Moon referma la porte d'un coup de poing, et s'adossa contre le battant, soudain sans force.

– Le salaud ! Qu'il aille rôtir en enfer !

Elle dévisagea Jerusha, et lut une approbation totale dans son regard.

– As-tu vu BZ ? lui demanda-t-elle. Tu lui as parlé ? Il va bien ?

– Vhanu n'autorise personne à l'approcher. Surtout pas ceux qui pourraient être tentés de l'aider. Par le Batelier, j'ai essayé, mais rien n'y a fait !

Jerusha s'affala sur sa chaise. Moon se rapprocha du bureau.

– Tu dis qu'il a décrété la loi martiale. Qu'est-ce qui lui donne ce droit ?

– Il est le dirigeant de plus haut rang après le prévôt de justice. BZ étant déchu de son poste, c'est lui qui prend les affaires en main. L'état d'urgence se prolonge jusqu'à ce qu'il reçoive des ordres du Comité central, ou qu'on envoie un nouveau prévôt. En fait, ça lui donne le droit de faire tout ce qu'il veut, expliqua sombrement Jerusha.

– Et si je m'y oppose ? fit Moon.

Elle se retourna brusquement en entendant s'ouvrir la porte. Vhanu venait d'entrer.

– En ce cas, j'ai tout pouvoir pour faire appliquer mes décisions par la force, énonça-t-il d'une voix égale. (Il la salua d'une demi-révérence.) Ma Dame.

Son regard se porta sur Jerusha. Celle-ci se leva, et le salua avec raideur. Il rendit le salut d'un air inexpressif.

— Menaceriez-vous d'attaquer mon peuple ? lança Moon avec colère.

— Je ne ferai rien de tel, si vous ne m'en donnez pas l'occasion.

— C'est-à-dire ?

— J'ai l'intention de reprendre la chasse aux ondins. Si vous, ou votre peuple, tentez quoi que ce soit pour vous y opposer, il y aura des représailles. Inutile de vous préciser qu'en cas de conflit c'est vous, et non l'Hégémonie, qui vous retrouveriez du côté des perdants.

— Voilà donc votre conception de notre « autonomie » ! Si je comprends bien, l'Hégémonie n'intervient pas dans nos affaires, sauf s'il lui en prend l'envie ? Sauf si nous refusons de nous laisser exploiter au mépris de notre culture, de nos croyances, et du droit à la vie des ondins ?

— L'état d'urgence et la loi martiale sont justifiées dans une situation d'insécurité extrême ou de conflit, déclara Vhanu d'une voix atone. Notre but est de maintenir la paix.

— On m'avait dit que votre peuple place l'honneur avant tout. Je vois que j'ai été mal informée, jeta Moon.

Elle perçut le petit hoquet sidéré de Jerusha ; vit ciller Vhanu, et sut qu'elle l'avait piqué au vif.

— Je mesurerais mes paroles, si j'étais à votre place, ma Dame, rétorqua-t-il. N'était l'autonomie qui vous est si chère, vous seriez passible des mêmes inculpations que le prévôt de justice.

Elle s'empourpra.

— Vous n'aviez pas le droit...

— Pas le droit ? Vous n'aviez aucun droit de le séduire, pour l'amener à faire tout ce que vous vouliez ! Il n'avait pas le droit de tourner le dos à son propre peuple ! Pas le droit d'être aussi faible. Quelqu'un devait mettre un terme à cette folie, avant qu'il ait détruit tout ce que nous possédons ici. J'étais son meilleur ami, bordel de merde !

Il fut parcouru d'un tremblement, comme s'il se retenait à grand-peine de porter la main sur elle.

– Mais vous avez cessé de l'être lorsqu'il a refusé de vous accorder ce que vous vouliez, assena-t-elle froidement. Il m'aime, et je l'aime. Mais s'il a fait les choix qu'il a faits, ce n'est pas parce qu'il est mon amant. C'est parce que c'est un homme honorable.

Les lèvres tremblantes, Vhanu la dévisagea longuement. Il finit par détourner les yeux en marmonnant quelques paroles en sandhi. Elle traduisit en son for intérieur ces mots aigres : *putain barbare*.

– Préférez-vous parler votre langue maternelle, commandant Vhanu ? fit-elle en sandhi. Je la comprends très bien.

Il la regarda de nouveau ; les taches de son claires qui parsemaient sa peau brune devinrent écarlates.

– Je ne crois pas que nous ayons grand-chose de plus à nous dire, ma Dame. En quelque langue que ce soit, répondit-il en tiamatain.

Et il fit volte-face, s'apprêtant à sortir.

– Je veux le voir, dit Moon. Vous ne pouvez me refuser ce droit.

Il se retourna vers elle.

– J'ai bien peur que ce ne soit impossible. Il n'est plus ici.

– Comment ?

– Il est parti. Je l'ai expédié sur Kharemough, où il rendra compte de ses fautes devant la Haute Cour. S'il était resté ici, il y aurait eu risque de conflit. Je l'ai donc fait déporter sans tarder.

Elle accusa le coup.

– Vous avez eu peur qu'il ne parvienne à se faire entendre. Oui ! Qu'on lui donne raison et prenne son parti, parvint-elle à rétorquer.

– Gare à vos paroles, ma Dame, se contenta-t-il de répéter d'un air sombre.

Il s'inclina une dernière fois devant elle avec une courtoisie irréprochable, et ouvrit la porte. Il parut se raviser, et rajouta :

– A propos, je sais aujourd'hui que vos affirmations sur l'extinction des ondins étaient un pur mensonge. Mon peuple m'a fait savoir qu'ils ont littéralement envahi nos eaux territoriales. Ils sont loin d'être décimés.

– Non ! Ce n'est pas vrai, il n'y a pas d'autres ondins. Faites effectuer des recherches ailleurs, sur les autres mers, vous en avez les moyens. Vous verrez qu'elles sont vides. Il n'y a pas d'autres ondins.

Il la regarda en hochant la tête, comme si elle était plus digne de pitié que de mépris. Et il partit sans rien ajouter. Moon resta un instant figée, tentant de dominer son accès de rage impuissante. Puis elle finit par se tourner vers Jerusha.

Celle-ci était toujours assise derrière son bureau, et son regard sombre exprimait bien des interrogations. Elle fouilla dans sa poche, y prenant une poignée d'iestas, et les mâchonna pour calmer sa nervosité. Moon alla s'affaler sur un siège.

– Ce n'est pas possible, BZ ne peut pas être parti, gémit-elle.

– Rien n'est impossible, fit Jerusha d'un ton inexpressif.

– Mais il devait être là, c'était son destin. C'était leur destin à tous les deux... Nous étions tous à notre place. Et tout à coup, à l'instant où on était prêts... ils ne sont plus là.

Jerusha l'observa avec curiosité, prenant sans s'en rendre compte une expression qu'elle n'avait pas eue depuis bien des années.

– Dieux ! fit-elle. Il t'a encore parlé, c'est bien ça ? Le réseau s'est adressé à toi, comme la fois où tu m'as annoncé que tu deviendrais Reine ?

Moon acquiesça en silence.

– Qui est la troisième personne ?

– Reede... Reede Kullervo.

– Il travaille pour la Source, murmura Jerusha d'un air songeur. BZ voulait qu'on mette la main sur lui... sans passer par la voie officielle. Kitaro s'occupait de ça, avant que... (Elle laissa la phrase en suspens.) Que s'est-il passé ?

Moon la mit au courant des événements.

– Et qu'est-ce que vous étiez censés faire, tous les trois ? demanda Jerusha lorsqu'elle eut fini.

– Je... ça concerne la protection des ondins. Ils jouent un rôle très important, que je ne peux pas te révéler. Je ne peux t'en dire davantage. Mais si cet assassin de Vhanu... (Elle s'interrompit.) Si seulement il savait ce qu'il a fait ! Pas seulement aux ondins, ou à nous, mais à lui-même...

Jerusha poussa un grand soupir.

— Si je comprends bien, l'Hégé détient Gundhalinu en otage, et la Source tient Reede...

— Et Ariele.

— Ariele ? fit Jerusha en blêmissant. Mais pourquoi, par tous les dieux ?

— Elle avait une liaison avec Reede. Je n'étais même pas au courant... La Source les a enlevés. A cause... de la chose que je sais et que je ne peux pas révéler.

Elle lui apprit le reste, d'une voix presque dénuée d'émotion.

— Ils sont tous partis... Et je ne sais même pas si l'un d'entre eux pourra revenir.

— Peut-on faire quelque chose ?

— Rien. Rien du tout. Pour l'instant, je ne sais même plus où j'en suis.

Elle avait l'impression de s'être changée en pierre, de ne plus pouvoir bouger, paralysée par l'épuisement. Jerusha se pencha tout à coup en avant, ouvrant son communicateur.

— Prawer ! Dans mon bureau, tout de suite !

L'inspecteur Prawer fit son apparition quelques secondes plus tard. Il salua, adressa un bref signe de tête à Moon, qui se déroba à ses regards.

— M'dame ? fit-il.

— Vous prenez la direction des opérations en attendant que le commandant nomme un nouvel inspecteur en chef. Faites envoyer mes affaires à mon... au quartier général de la police locale, dit Jerusha.

Moon leva les yeux, éprouvant enfin quelque chose qui n'était pas un surcroît de désespoir.

— Je veux reprendre mon ancien poste, expliqua Jerusha.

— Accordé.

Moon se leva. Jerusha contourna son bureau, lançant un trousseau de clés à l'inspecteur.

— Tenez. Dites au commandant Vhanu... (Elle marqua

une interruption, crachant une cosse d'iesta dans la corbeille à papier. Prawer eut une légère grimace.) Dites-lui... que c'est un *mekrittu*. Comme tous ses ancêtres avant lui.

Prawer la dévisagea avec stupéfaction.

– Dieux, je ne peux pas dire ça au commandant...

– Rapportez-lui mes propos mot pour mot. C'est un ordre. Et avertissez les hommes. Gundhalinu n'est plus là.

– Plus là ? répéta Prawer, l'air effondré.

Elle acquiesça.

– Bien, m'dame. Considérez que c'est chose faite.

Il salua. Jerusha lui rendit le salut. Il s'avança dans la pièce, vers le bureau, tandis qu'elle sortait avec Moon. Lorsqu'elles se retrouvèrent enfin au-dehors, elle émit un grand soupir de satisfaction.

– Enfin ! C'est bien agréable de ne plus avoir à penser à cette saloperie d'endroit, lâcha-t-elle en se retournant vers l'entrée du quartier général.

– Que signifie *mekrittu* ? demanda enfin Moon.

Jerusha eut un sourire acide.

– C'est la plus basse des basses classes, sur Kharemough. C'est comme si on traitait un Etésien de « tueur d'ondins », élevé à la puissance dix. (Elle se rembrunit de nouveau.) La seule erreur que Gundhalinu ait commise, c'est de prendre cet individu borné pour son égal.

Elle suivit Moon, qui se dirigeait déjà vers l'extrémité de la ruelle.

– Tu veux mon avis ? lui dit-elle.

– Vas-y. J'ai besoin de voir les choses sous un autre angle. Chaque fois que je crois entrevoir une issue, elle est barrée par un mur de flammes...

Elle leva les yeux vers le haut, songeant à la menace de Vhanu et aux feux venus du ciel qui pouvaient détruire son monde, si elle provoquait la colère de l'Hégémonie.

– Alors, attends que nous en sachions davantage, dit Jerusha. BZ a des amis, et pas seulement ici ; aussi sur Kharemough. Il se pourrait qu'il parvienne à revenir... A moins que Kullervo ne devienne l'atout maître, si

Sparks parvient à le ramener ici avec Ariele... Kullervo pourrait être l'arme de combat idéale.

Moon continua d'avancer vers la Grand-Rue. Son esprit se remettait lentement à fonctionner.

— Dans les deux cas, nous pourrions bien attendre des semaines, et même des mois, avant de savoir à quoi nous en tenir. Et pendant ce temps-là, les ondins mourront. (Elle hocha la tête.) Je sais que tu as raison : je ne peux que patienter, attendre. Mais je ne resterai pas les bras croisés. BZ avait l'intention d'effectuer une analyse des données que Sparks a constituées sur l'ondinchant. Je peux la faire à sa place.

— Tes systèmes informatiques sont interfacés avec le réseau gouvernemental de l'Hégémonie, non ? demanda Jerusha.

— Oui. Pourquoi ?

— C'est la loi martiale. J'ignore si tu pourras encore avoir accès au réseau. Vhanu pourrait restreindre tes possibilités, dans ce domaine. Et en tout état de cause, il pourra contrôler tout ce que tu feras.

Moon toucha son pendentif trifolié.

— Je peux accéder à un système bien supérieur à celui de cette ville. Vhanu n'a aucun contrôle sur le réseau divinatoire. Et je crois connaître les questions à poser pour obtenir les réponses dont j'ai besoin. Je vais réunir le Collège des Devins, et essayer de leur expliquer du mieux que je peux la... situation. (Sa gorge se noua malgré elle, sur ce dernier mot.) Jerusha, que vont-ils faire à BZ s'ils...

— L'Hégémonie ne pratique pas la peine de mort, répondit son amie. Mais elle a des geôles dont les prisonniers aimeraient mieux subir la peine capitale... Cela dit, BZ pourra éviter de s'y retrouver, ajouta-t-elle hâtivement. Il a beaucoup d'influence.

— Et beaucoup d'ennemis, par conséquent. Je le ramènerai ici, Jerusha. Par la Dame et tous les dieux... je leur ferai payer ça, même si je dois y passer tout le reste de mon existence. (Elle marqua une interruption.) Mais si j'échoue, tout le monde en souffrira...

Jerusha la regarda sans mot dire. Elles atteignirent l'extrémité de la ruelle, où les agents d'escorte attendaient Moon. Elle leur annonça le retour de Jerusha dans leurs rangs ; ils accueillirent la nouvelle avec des hochements approbateurs et des sourires.

Jerusha se tourna vers Moon, l'air grave.

– Y a-t-il quelque chose que je puisse faire pour toi, maintenant que je suis de nouveau à ton service, ma Dame ?

Moon hésita, fouillant dans son esprit, cherchant un élément sur lequel elle pouvait avoir prise.

– Oui, dit-elle enfin. Je veux que tu arrêtes Kirard Set Wayaways.

Jerusha tressaillit, puis acquiesça.

– Je m'en charge. Immédiatement. J'emmène Clearwater avec moi, si tu n'y vois pas d'inconvénient.

Moon inclina la tête. Elle tendit la main, et Jerusha la lui serra à la manière traditionnelle.

– Bienvenue chez toi, dit-elle – et elle eut un sourire, enfin.

Jerusha se dirigeait vers la maison de Kirard Set Wayaways. Clearwater suivait en silence, bien qu'il brûlât d'envie de l'interroger, elle le savait.

Elle frappa à la porte d'entrée et attendit, tandis qu'une image inattendue surgissait soudain dans son esprit. Le souvenir datait de l'époque du règne d'Arienrhod : debout au bord du Puits, du temps où les vents y soufflaient encore avec fureur, Kirard Set attendait l'arrivée de l'inspecteur Pala-Thion et du sergent Gundhalinu ; il tenait un sifflet en os à la main. Au bout de toutes les années écoulées, Jerusha revoyait encore son sourire cruel, à la vue de leurs visages anxieux ; la joie mauvaise avec laquelle il laissait les vents leur frôler les talons, tandis qu'ils traversaient le pont pour se rendre à leur audience avec la Reine des Neiges. Jerusha découvrait soudain qu'elle désirait toujours prendre sa revanche, après si longtemps.

La porte s'ouvrit, mais ce ne fut pas Kirard Set qui parut sur le seuil. Ce fut sa femme, Tirady Graymount.

– Inspecteur en chef Pala-Thion... murmura-t-elle.

Elle s'appuya contre le chambranle de l'entrée, d'un geste mal assuré. Ses pupilles étaient anormalement dilatées, sous l'effet d'allez savoir quelle drogue. Elle aperçut l'agent qui escortait Jerusha et sembla intriguée.

– Que voulez-vous ?

– Je suis venue arrêter votre mari.

Tirady parut avoir du mal à enregistrer l'information.

– L'Hégémonie le fait arrêter ?

– Non, pas l'Hégémonie. (Jerusha baissa les yeux sur son uniforme bleu, qu'elle n'avait pas encore quitté, et haussa les épaules.) Je travaille pour la Reine, maintenant.

– Oh ! fit Tirady comme si tout s'éclairait d'un coup. Eh bien, mon mari n'est pas là. Je suis navrée que vous l'ayez manqué, dit-elle avec un curieux sourire.

– Et j'imagine que vous ignorez où je peux le trouver ?

– Si, je le sais. Il est allé chez *Persiponë*. Pour affaires. (Elle eut un sourire d'une cruauté consommée.) Vous savez où ça se trouve. Si vous vous dépêchez, vous le rattraperez là-bas.

– Merci pour votre coopération, dit Jerusha, gommant toute surprise ou ironie de son intonation.

– Mais je vous en prie, c'était un plaisir, murmura Tirady. Passez une bonne journée.

S'éloignant aussitôt avec Clearwater, Jerusha entendit claquer la porte d'entrée. Elle ne s'interrogea guère sur les relations du couple ; elle n'avait pas grand mal à imaginer comment Kirard Set avait pu amener quelqu'un à se droguer, ou à accomplir une cruelle vengeance.

Elle entra chez *Persiponë* avec son compagnon, et ils s'immobilisèrent au-delà du seuil, clignant des paupières. La salle était plongée dans un clair-obscur étudié. Jerusha éprouva un frisson étrange, sentant le passé remonter jusqu'à elle par bouffées fiévreuses. L'*Enfer de Persiponë* était exactement semblable à ce qu'il avait été du temps d'Arienrhod. Aujourd'hui comme alors, il servait de couverture aux activités de la Source, le baron de la drogue auquel la Reine des Neiges avait fait appel lorsqu'elle avait voulu exterminer les Etésiens. Les Bleus avaient empêché tout cela, et Jerusha avait arrêté la Source en personne. Mais il était parvenu à leur échapper et à disparaître.

Et voilà qu'il avait repris ses activités sur Tiamat, et qu'il détenait Ariele prisonnière. Si elle avait pu l'arrêter pour de bon, autrefois, rien de tout cela n'aurait eu lieu. Hélas ! elle avait échoué et elle était aujourd'hui impuissante contre lui. Mais il restait toujours Kirard Set.

Une femme vêtue d'un fourreau noir s'avançait maintenant vers elle et Clearwater. Elle portait une perruque noire emprisonnée dans une résille d'argent, et son visage était recouvert de dessins colorés, au point d'en être méconnaissable. Elle s'appelait Persiponë, et avait la même apparence que vingt ans plus tôt. Mais à cette époque-là, c'était Tor Marchétoile qui portait ce travestissement, et servait de « femme de paille » à la Source. La nouvelle patronne n'était qu'une employée anonyme de la pègre. Et contrairement à ce qui se passait alors, le club ne bénéficiait pas de la protection des Bleus.

— Soyez la bienvenue, inspecteur en chef. Que puis-je pour vous ? demanda Persiponë avec un sourire.

— Amenez-moi Kirard Set Wayaways, énonça Jerusha d'un ton catégorique.

Persiponë inclina la tête, et se retira à l'arrière du club. Jerusha attendit. A côté d'elle, Clearwater poussait de petits sifflements médusés en regardant autour de lui.

— J'ai pas claqué ma paie là où il fallait, commenta-t-il.

Au bout de quelques instants, quelqu'un se dirigea vers eux. Ce n'était ni Persiponë ni Wayaways. *Ter-Fauw*.

— Que voulez-vous ? fit-il d'un ton rogue.

— Kirard Set Wayaways, dit Jerusha.

— Et qu'est-ce qui vous fait croire qu'il est ici ? Il pourrait être n'importe où ailleurs dans la Grand-Rue, répondit TerFauw en tiamatain, avec un accent à couper au couteau.

— Sa femme m'a indiqué qu'il était ici. Pour affaires.

Jerusha désigna du geste la direction d'où était venu

TerFauw, allusion aux salles dissimulées et aux activités secrètes du club.

– Il se pourrait qu'il soit déjà parti.

– Oh, non. Vous me l'auriez déjà dit, sinon.

TerFauw émit un grognement.

– Et que lui veut l'Hégé ?

– Pas l'Hégé. La Reine. Son peuple.

Un sourire déplaisant apparut sur le visage de TerFauw.

– Eh bien, que lui veut la Reine ?

– Devinez.

Il hocha la tête, l'air songeur.

– Très bien. (Il se détourna brièvement, faisant un geste de la main.) Amenez-le.

Trois hommes surgirent d'un seuil ténébreux. Celui du milieu était Wayaways, et il n'avait pas l'air heureux d'être là. Les autres étaient armés. Jerusha le devina à leur façon de se mouvoir.

– La Reine d'Eté te demande, annonça TerFauw d'une voix inexpressive.

– La Reine... ? fit Wayaways.

Et Jerusha vit se peindre sur son visage l'expression terrorisée qu'elle désirait tant voir.

– Allons-y, ordonna-t-elle avec un sourire satisfait.

Kirard Set se tourna vers TerFauw, l'agrippant par le devant de sa tunique.

– Non... Vous ne pouvez pas la laisser faire ça ! Je suis l'un des vôtres, bonté divine ! Je suis un étranger loin du pays, la Source m'a promis que la Confré...

TerFauw lui flanqua un coup de poing brutal au creux de l'estomac, le faisant se plier en deux, le réduisant au silence. Sur un signe de lui, ses deux hommes de main redressèrent Wayaways.

– Va retrouver ta Reine, lui siffla-t-il au visage. Et supplie-la de ne jamais te laisser revenir ici. Jamais !

D'un geste atroce et imprévisible, il enfonça un doigt dans l'œil de Kirard Set. Celui-ci hurla, se couvrant le haut du visage avec la main.

Jerusha prit une profonde inspiration, se contraignant à ne pas saisir son arme, tandis que TerFauw tournait le dos au groupe et disparaissait dans les profondeurs obscures du club. Ses hommes de main le suivirent, sans un mot.

Jerusha attendit que les hurlements de Wayaways s'apaisent, qu'il ôte sa main de dessus son œil ensanglanté.

– Allons-y, lui dit-elle.

Sonné, le visage blême, il la suivit sans protester.

KHAREMOUGH : Base orbitale n° 1

– Votre visiteuse vous attend, Gundhalinu-ken.

– Merci.

Gundhalinu dépassa le garde, s'avançant sur le seuil de la salle des visites. On s'adressait à lui sous le titre de « Gundhalinu-ken », car c'était le seul auquel il eût encore droit depuis son arrestation. Son tatouage de devin était toujours bien visible, au-dessus du col échancré de sa combinaison de prisonnier. Mais on lui avait enlevé son trèfle : *il aurait pu s'en servir comme d'une arme*.

La salle des visites était petite, très éclairée, peinte dans un ton de vert reposant. Elle était moquettée, ornée de tableaux. Il y avait une table en son centre ; et au milieu de cette table, une barrière invisible, un champ de forces, le séparait de la femme qui se tenait de l'autre côté.

Immobile, il regarda fixement sa visiteuse et l'enfant qu'elle tenait dans ses bras. Il réalisa qu'il était resté en état de choc, depuis son arrestation. Qu'il avait été jusqu'à présent incapable d'affronter sa situation et les réactions qu'elle provoquait en lui.

– Dhara... dit-il.

– BZ ? murmura-t-elle.

Et il vit dans son regard l'incertitude dont il avait gardé le souvenir, et qu'elle dissimulait toujours sous un calme apparent, lorsqu'elle était en sa présence. La voyant hésiter, il s'avança et s'assit devant la table, l'invitant ainsi à l'imiter.

Elle s'installa face à lui. Elle portait une tunique longue et un pantalon, et ses cheveux, maintenus par des attaches, retombaient en plis gracieux, comme des ailes. Elle installa le bébé sur la table, auprès d'un sac rempli de jouets. L'enfant se mit à fouiller dedans avec délices, le vidant de son contenu.

— Ton fils te plaît ? dit enfin Pandhara. BT Gundhalinu... Mais c'est tellement vieux jeu. Je l'appelle Pitchoun.

Le bébé leva la tête en l'entendant prononcer son nom. Elle lui toucha affectueusement le nez, du bout du doigt. Il sourit, et tendit sa petite main vers elle.

— Il est magnifique, murmura BZ. Encore plus beau que sur les holos que tu m'as envoyés. Dieux, ce qu'il a changé...

— C'est la spécialité des bébés, fit-elle, un peu tristement. Il a tes yeux, tu ne trouves pas ?

BZ soupira, songeant à l'autre garçon aux yeux semblables qui était loin de lui, sur Tiamat.

— Oui, dit-il. Je suis de ton avis.

Elle poussa tout doucement l'enfant vers lui.

— Tu as vu ? murmura-t-elle au petit. C'est papa.

BZ tendit les bras, touchant la barrière invisible. Le bébé le regarda, comme s'il remarquait sa présence pour la première fois. Il s'agrippa un instant au bras de sa mère, l'air intrigué. Puis il sourit d'un air ravi, et tendit ses petites mains. Lorsqu'il se heurta à la barrière, il tambourina dessus avec ses poings, essayant d'atteindre son père. BZ le regarda, rempli d'une joie et d'une nostalgie si immenses qu'il en avait le souffle coupé.

— *Ecartez-vous de la barrière.*

BZ retira ses mains d'un geste saccadé en recevant une légère décharge. Le bébé retomba sur son arrière-train, et se mit à pleurer. Pandhara le saisit entre ses bras, pour le consoler. BZ se leva d'un bond, avec fureur.

— Vous n'aviez pas besoin de faire ça ! hurla-t-il à l'adresse des murs.

Seul l'écho de sa voix lui répondit, alors il se rassit. L'enfant se calmait peu à peu.

— Sommes-nous surveillés ? demanda Pandhara avec

un regard noir de colère. Ils m'avaient dit que nous aurions droit à notre intimité...

– C'était sans doute une réaction automatique, expliqua BZ, sans en avoir la moindre certitude.

Le bébé gigota dans les bras de sa mère, se tournant vers lui, tendant les bras et appelant :

– Ba ! Ba !

BZ leva instinctivement les mains, puis les rabaissa, les faisant disparaître sous la table. Il serra les poings. Pandhara prit une petite balle remplie de lumières colorées et l'agita devant l'enfant. Il la prit, la mordilla, et finit par se rasseoir au creux des genoux de sa mère.

– Comment vont les choses, à la propriété ?

– Bien, répondit Pandhara d'une voix tendue. Tout va bien. Vraiment.

– Et tes travaux ? As-tu encore du temps à leur consacrer, depuis la naissance de BT ?

Elle sourit.

– Eh bien, moins qu'avant. Mais j'ai demandé à Ochi – tu sais, ma jeune sœur – de demeurer avec nous en attendant qu'elle finisse ses études. Elle le garde de temps en temps, pendant que je travaille. Sinon, il n'y en aurait que pour lui, hein, mon Pitchoun ?

Elle regarda son fils, qui lui tendit sa balle.

– Jolie balle, lui dit-elle.

– Zili balle, répéta-t-il.

– Et ta vie à toi ? risqua BZ sans parvenir à garder un ton dégagé. J'espère que tu peux voir tes amis et que tu ne te sens pas trop... seule.

Elle le contempla longuement.

– Non, je ne suis pas seule, répondit-elle enfin. Mes amis viennent me voir, il y a presque toujours quelqu'un à la propriété ; elle est si belle. (Elle baissa les paupières.) Je vois assez souvent Therenan Jumilhac, depuis quelque temps... tu te souviens sûrement de lui, nous avons dîné ensemble... Il sait s'y prendre avec les enfants. BT l'adore.

– J'en suis heureux, dit BZ avec un sourire.

Elle releva les yeux.

– BZ, j'ai essayé de venir plus tôt. Ils ne voulaient pas me permettre de te voir. Mais KR Aspundh est intervenu, je ne sais trop comment. Il t'envoie son meilleur souvenir et regrette de n'avoir pu venir te rendre visite avec nous. Il n'est pas en très bonne santé, en ce moment, et les trajets spatiaux lui sont interdits. Il m'a chargée de te dire qu'il fait tout ce qui est en son pouvoir pour t'aider. Qu'il sait que les accusations qu'on porte contre toi sont injustes.

— Fais-lui part de toute ma gratitude, et souhaite-lui un prompt rétablissement. Selon mes avocats, le Comité central tente de cacher ce qui s'est passé sur Tiamat, en arguant qu'il s'agit de la sécurité de l'Hégémonie, afin que je ne puisse pas m'expliquer devant le peuple. Mais Pernatte lui-même m'a fait savoir que mon procès sera largement couvert par tous les médias de l'Hégémonie. C'est lui qui dirige le Secrétariat, et il a toujours été un de mes plus fidèles partisans.

Pandhara voulut parler, se retint. Elle fronça les sourcils, l'air intriguée.

— J'ignore moi-même ce qui s'est passé là-bas, BZ. Ils n'ont même pas voulu me dire quelles sont les charges qui pèsent contre toi.

— Je suis accusé de trahison. « Complot contre la sécurité de l'Hégémonie », voilà leur formule.

Pandhara parut stupéfaite.

— Mais cela implique une peine d'emprisonnement à vie, si tu es déclaré coupable.

Sans remise de peine possible.

— Ma vie serait épargnée, du moins. Nous sommes des gens civilisés, après tout... Et ce ne sera pas comme si on m'envoyait aux Camps des Cendres. Où que je sois, je pourrai essayer de les faire changer d'avis. Ils ne m'enverront pas dans un lieu trop désagréable. Ils me doivent bien ça, soutint-il pour la rassurer. (Il se força à hausser les épaules, à sourire.) Prenons les choses comme elles viennent, Dhara. Le jugement est loin d'être rendu. Si je peux présenter ma défense comme il convient, je serai disculpé.

Elle conserva son expression bouleversée ; mais elle acquiesça, se maîtrisant avec effort.

— Comment cela est-il arrivé, BZ ? Qui a porté ces accusations ?

– Vhanu.

– *Vhanu ?* Mais, il était comme un frère, pour toi...

– Oui, murmura BZ, un frère. Dès notre arrivée à Tiamat – en fait, bien avant ça, mais je me refusais à l'admettre –, nous avons été en complet désaccord sur la façon dont l'Hégémonie devait diriger les choses. J'aurais dû voir venir le coup... L'ironie de l'affaire, c'est que je n'ai pas soupçonné un seul instant quel serait le véritable problème que je rencontrerais là-bas. Rien de ce que je redoutais ne s'est produit, au bout du compte. Les difficultés sont venues au sujet de l'eau de vie... Dieux. Il n'est pas possible que ça se termine comme ça.

– Et la Reine ? demanda Pandhara avec une hésitation à peine perceptible. Est-elle mêlée à cette histoire ?

Il la regarda, lut dans ses yeux de la nostalgie et de la compréhension.

– Oui, dit-il. C'est notre... relation qui a rendu la situation critique.

Il se remémora une fois de plus son arrestation, l'humiliation qu'il avait éprouvée lorsqu'on l'avait tiré du lit de Moon au beau milieu de la nuit et emmené en prison. Il s'efforça d'oublier.

– Dhara, je... j'ai deux enfants, sur Tiamat. Moon était enceinte, au moment de mon départ. Je l'ignorais. Ils ont grandi sans moi.

Il regarda le petit enfant qu'elle tenait entre ses bras, et qu'il ne pouvait serrer contre lui. Un vide, une solitude immenses l'envahirent. Il demeura figé, n'osant bouger, de peur que le moindre mouvement ne lui fasse perdre toute maîtrise de lui-même. Il ne pouvait pas se permettre de s'effondrer, pas maintenant. Cela aurait été terrible pour elle, et pour lui.

Elle resta elle aussi silencieuse, le regardant contempler leur enfant.

– Je suis tellement navrée, murmura-t-elle enfin.

– Il ne faut pas. (Il se força à continuer, d'une voix ferme et égale :) De toute façon, j'aurais dû effectuer les mêmes choix, même si je n'avais pas été amoureux d'elle. On avait besoin de moi, là-bas. Je ne m'étais pas trompé. Il fallait que j'y retourne, que je fasse ce que j'ai fait. Tiamat est infiniment plus important pour l'Hégémonie qu'on ne le soupçonne, et les ondins aussi... Et pourtant, ça se termine comme ça.

C'était son amour pour Moon qui l'avait conduit à revenir sur Tiamat. C'était leur passion mutuelle qui lui avait révélé le rôle véritable qu'il était destiné à y jouer. Et pourtant, cet amour était en même temps sa seule erreur. C'était parce qu'il y avait cédé, au mépris des conventions et de la sensibilité de son peuple, qu'il était devenu vulnérable, et qu'on l'avait arrêté. Et Moon se retrouvait désormais seule à devoir porter leur lourd fardeau.

— Mais je suis prêt à affronter ce procès, bordel ! Après tout, si je suis de retour ici, c'est peut-être pour ça. Pour modifier le cours des choses, pour proclamer la vérité...

— BZ, dit soudain Pandhara avec angoisse, il n'y aura pas de procès.

— Quoi ?

— Il n'y aura pas de procès, on ne te permettra pas de te faire entendre.

— Mais si, Dhara. On m'a certifié...

— Ils t'ont menti ! KR m'a dit que le Secrétariat prononcera lui-même ta sentence.

— C'est impossible...

— Tout le monde t'a menti, même Pernatte, même tes avocats.

Elle se retourna brusquement, alors que les portes s'ouvraient de chaque côté de la pièce et que des gardes armés y faisaient irruption.

— Nous étions surveillés ! jeta-t-elle. Ils nous ont trompés en tout !

BZ se leva d'un bond.

— Va trouver Aspundh ! Dis-lui que Moon est seule à connaître la vérité. Il faut qu'il entre en contact avec elle...

Les gardes le rejoignirent à ce moment et l'empoignèrent, l'entraînant loin de la barrière.

— BZ ! cria Pandhara.

Les gardes la saisirent par les bras et elle tenta de leur résister alors qu'ils la traînaient vers la porte. Le bébé se mit à pleurer. Elle cessa de lutter, et se laissa emmener. Mais sa tête restait tournée vers BZ.

— Dis-le-lui ! hurla-t-il.

Les gardes lui firent franchir le seuil, refermèrent la porte, et il ne la vit plus.

TIAMAT : Escarboucle

Les premières lueurs de l'aube se répandirent sur les contreforts d'Escarboucle, au bas de la cité, soulignant les formes obscures des gréements et des treuils, des appontements et des quais, baignant d'un rougeoiement sinistre les silhouettes humaines qui attendaient là. Le ciel s'éclaircit de seconde en seconde. Une traînée de lumière se forma à la surface des eaux, reliant le bout de la jetée, où se tenait Moon, au disque étincelant du soleil qui surgissait à l'horizon.

— L'heure est venue, dit Moon. Amenez-le.

Jerusha Pala-Thion et son escouade d'agents menèrent devant elle Kirard Set Wayaways, à travers le petit groupe de témoins silencieux. Au bas du quai, un bateau attendait. Deux policiers, l'un et l'autre étésiens, étaient à bord.

Moon affronta sans remords le regard terrorisé de celui qui se tenait devant elle.

— Kirard Set Wayaways, vous comparaissez devant nous sous la double accusation d'actes de violence et de trahison contre votre propre peuple. Je n'ai pas le pouvoir de vous juger, car je ne suis pas la Dame, seulement l'instrument de Sa volonté. Par conséquent, je vous livre au jugement de la Mer, de par les lois traditionnelles de notre peuple.

— Vous divaguez ! siffla Kirard Set. Vos rituels ne me concernent en rien. Je suis hivernien, vous n'avez pas le droit de me faire ça...

— Vous le direz à Arienrhod, lorsque vous la verrez, fit Moon à voix basse.

Elle se détourna en entendant des murmures dans la

petite foule massée derrière elle. Une escouade de la police hégémonique venait dans leur direction, à travers le dédale des quais. Leur chef leva une main, stoppant ses hommes à quelque distance.

– Que les dieux soient loués... balbutia Kirard Set. Je savais qu'ils viendraient. Je savais qu'ils ne vous permettraient jamais de me faire ça, espèce de sale démente... A l'aide ! hurla-t-il. Aidez-moi ! Ils veulent me noyer !

Au signal de Jerusha, les policiers de l'escorte, tous étésiens, brandirent leurs armes. L'officier extramondien se sépara de ses hommes et s'avança vers eux, bras ballants, dans une attitude pacifique. Il adressa une inclinaison de tête respectueuse à Moon.

– Ma Dame. (Il se tourna vers Jerusha.) Bonjour, euh, commandant Pala Thion.

Il la salua, comme pour s'excuser d'avoir trébuché sur son nouveau titre. Jerusha lui rendit son salut avec un léger sourire.

– Bonjour, lieutenant Devu. Que fait donc votre patrouille sur les docks, à cette heure ? Cela n'a rien d'habituel, n'est-ce pas ?

– Non, commandant, répondit-il en posant sur Moon et ceux qui l'entouraient un regard légèrement troublé. Le commandant Vhanu a ordonné une chasse aux ondins.

Il désigna du geste les Bleus qui l'attendaient. Moon s'aperçut qu'ils étaient équipés différemment de l'ordinaire, et comprit tout à coup pourquoi. Elle se raidit ; vit se contracter les traits de Jerusha.

– Mais d'abord, m'dame, vous pourriez peut-être m'expliquer ce qui se passe ici ? Vous savez qu'en cas de loi martiale, les réunions de plus de dix personnes sont interdites. Que faites-vous à ce citoyen ?

– C'est un procès, expliqua Jerusha. Il est accusé de kidnapping et de trafic de drogue. Entre autres.

Devu fronça les sourcils.

– Ici ? Maintenant ? Comme ça ?

– Selon les lois étésiennes, lieutenant, intervint Moon, il va être jugé par la Mer.

– Ils vont me noyer ! hurla Kirard Set. Aidez-moi...

– Vous allez le noyer ? demanda Devu en fronçant les sourcils.

– Il va être conduit en pleine mer, jusqu'au point où le rivage cesse d'être visible, expliqua Moon d'une voix égale. Et il devra alors regagner la côte à la nage. Il ne dépend que de lui qu'il se noie ou non. La Mère de Mer le jugera. Telle est notre loi, depuis des siècles.

– C'est une infamie ! cria Kirard Set. Vous ne pouvez pas les laisser faire ça ! Vous êtes un Kharemoughi, un homme civilisé, par les dieux !

– Et je suis le chef indépendant de mon peuple, rétorqua Moon en redressant les épaules. Il est l'un d'entre nous et il a violé nos lois, lieutenant.

– Comment s'appelle-t-il ? demanda Devu, en regardant Jerusha.

– Kirard Set Wayaways Hivernien, répondit celle-ci en balançant négligemment son paralyseur au bout de son bras. Il est de Tiamat.

– Wayaways ? Je vois, fit le lieutenant avec un curieux petit sourire. Ce n'est pas de notre ressort.

Il commença à s'éloigner.

– Restez, si vous voulez, dit Moon. Voyez le sort que la Mer réserve à ceux qui ont offensé Son sens de la justice.

Le lieutenant Devu parut de nouveau mal à l'aise.

– Une autre fois, peut-être. Le devoir nous appelle.

– Présentez mes respects au commandant, lança-t-elle en le fixant hardiment.

Il s'inclina, adressa un signe de tête à Jerusha, et s'éloigna rapidement.

– Non ! hurla Kirard Set.

Mais ce fut en vain. Moon attendit que les extramondiens eussent disparu au-delà de la forêt de mâts et de treuils. Puis elle se retourna vers Kirard Set, qui la foudroyait du regard en silence.

– Notre Mère à Tous attend, dit-elle.

Elle désigna, derrière lui, l'échelle menant au bateau qui dansait sur les eaux, au bas du quai sur pilotis.

– Je reviendrai, fit-il avec défi et désespoir.

– Si la Mer le veut, répondit Moon. Mais si vous survivez, ne remettez jamais les pieds en ville. Il est possible qu'elle vous pardonne. Mais moi, jamais !

Blême de rage et d'impuissance, il lui tourna le dos ; scruta la foule comme s'il cherchait quelqu'un. Qui que ce fût, il ne le trouva pas. Il fit de nouveau volte-face, et se dirigea vers l'échelle ; descendit lentement.

– Allez rôtir en enfer, tous tant que vous êtes ! lança-t-il avant de disparaître à leur vue.

Moon s'avança jusqu'à la rambarde du quai, alors que les voiles de la petite embarcation se déroulaient, et que son équipage étésien et leur prisonnier se mettaient en route, sur la voie dorée dessinée par le soleil.

– Arienrhod ! cria soudain Kirard Set en se retournant et en braquant sur elle un regard de braise.

Elle ne comprit pas. Tandis qu'elle regardait s'éloigner le bateau, elle sentit qu'on venait se poster à côté d'elle, près de la rambarde. Elle détourna la tête, pensant que Danaquil Lu Wayaways s'était peut-être résolu à la dernière minute à venir assister à l'épreuve de son cousin. Mais ce fut Tirady Graymount et Elco Teel qu'elle découvrit auprès d'elle. Moon s'avisa alors qu'elle ne les avait pas vus dans la foule, un instant plus tôt. Le visage de Tirady était pâle et creusé, sous l'effet de l'angoisse, semblait-il. Mais sa bouche souriait, comme si elle était dotée d'une vie propre. Elle tenait une bouteille vide dans une main ; de son autre bras, elle serrait son fils contre elle d'un geste possessif, tandis qu'elle regardait son mari s'éloigner vers l'horizon. Tout à coup, elle leva la bouteille vide et l'expédia dans la mer, de toutes ses forces.

– J'espère que tu couleras à pic ! hurla-t-elle.

Elco Teel enlaça sa mère, l'entraînant loin de la rambarde, à travers la foule. Son visage était dénué de toute expression.

Moon les regarda partir, sans surprise et sans compassion. Elle vit des regards étonnés, autour d'elle ; vit Jerusha hocher la tête. Elle se retourna vers la mer, contemplant le bateau qui s'éloignait. Elle pouvait encore lire sur la poupe le nom qu'elle y avait peint de ses propres mains : *Ariele*. Derrière elle, la foule commença à se défaire, à s'en aller. Mais elle ne quitta le quai qu'après avoir vu disparaître le bateau à l'horizon.

Moon prit place à l'extrémité de la table de réunion, dans l'une des anciennes salles inoccupées du palais. Lorsqu'elle était venue vivre ici, le palais lui avait fait l'effet d'une coquille ornée de joyaux, vide et vaine. Elle avait eu peur de l'immensité des lieux et de tout ce qu'ils représentaient : le passé d'Arienrhod, et des désirs qui lui semblaient totalement étrangers à elle-même et sommeillaient pourtant quelque part en elle.

Mais l'intelligence secrète qui l'avait poussée à devenir Reine l'avait aussi poussée à demeurer ici, à portée. Avec le temps, elle en était venue à accepter tout ce qui l'entourait avec simplicité. Le palais en lui-même avait cessé d'être maléfique ou bénéfique à ses yeux. Il faisait partie de l'ensemble plus vaste qu'était sa vie, dans un monde de plus en plus désordonné, qui échappait à tout contrôle.

Puis, plus tard encore, le retour l'avait amenée à voir ce qui l'entourait sous un jour nouveau. Les extramondiens l'avaient contrainte à installer le Collège des Devins au sein du palais, amenant vie et activité dans les salles désertes.

Maintenant, lorsqu'elle regardait autour d'elle les superbes sculptures des antiques moulures des plafonds, les fresques fraîchement repeintes, et même les formes gracieuses du vieux mobilier, elle voyait le talent des hommes qui les avaient créées. Ils étaient devenus le symbole du potentiel qui existait en elle, autour d'elle, parmi les hommes et les femmes de toute origine – Etésiens, Hiverniens et extramondiens – qui l'avaient aidée à bâtir son rêve. La présence en ces lieux d'amis de longue date et de loyaux compagnons était l'une des rares choses qui lui apportât du plaisir dans l'existence.

Et en cet instant, alors que la vision de l'*Ariele* disparaissant au large hantait son esprit, ils étaient son ultime espoir. Elle regarda le magnétophone posé devant elle, ainsi que les liasses de feuillets couverts de données, qu'elle avait laborieusement recopiées à la main lorsque Vhanu avait fermé son réseau informatique. Elle regarda Tammis, assis à côté d'elle et l'air inquiet. Ce qu'elle voyait en lui, c'étaient trois vies : la sienne, celle de son père, celle de l'enfant que portait Merovy. Et cela n'aurait dû lui apporter que de la joie. Pourtant, elle n'éprouvait rien du tout. Même pas du chagrin. Un mur transparent, mais infranchissable, semblait s'être dressé entre elle et toute émotion, lui permettant de voir ce qui restait de bon et de juste dans sa vie, mais lui interdisant d'en tirer le moindre réconfort.

Elle contempla ceux qui l'entouraient : les visages attentifs et préoccupés de Clavally et Danaquil Lu ; Destinée et son détecteur visuel pareil à une couronne brillante ; et la vingtaine de sibylles et devins qui attendaient qu'elle prenne la parole. Elle ne pouvait pas tout leur dire. Mais elle avait confiance. Elle savait qu'ils lui apporteraient l'aide dont elle avait besoin sans exiger d'explications détaillées.

Elle mit le magnétophone en route, et l'étrange chœur de l'ondinchant monta dans l'air. Leurs expressions se modifièrent, exprimant à la fois la paix, le plaisir, la surprise et l'incompréhension, tandis qu'ils écoutaient.

Ensuite, elle leur révéla tout ce qu'il lui était permis de leur révéler, et leur expliqua qu'ils devaient l'aider à compléter les séquences mathématiques fragmentaires que contenaient les chants. Elle leur distribua des copies des données qu'elle avait récoltées dans les fichiers de Sparks. Et elle songea tout à coup à lui avec acuité, pensant à l'étrangeté des vies parallèles qu'ils en étaient venus à mener tous deux. Elle décrivit le travail qu'il avait accompli à son auditoire, tout en se demandant s'il reviendrait jamais du dangereux voyage qu'il avait entrepris seul ; s'il ramènerait leur fille saine et sauve de la Terre de la Mort, ou disparaîtrait avec elle sur Ondinée.

Les membres du Collège ne lui posèrent que quelques questions, auxquelles elle put répondre sans difficulté. Puis, après leur avoir recommandé une dernière fois d'œuvrer rapidement et dans le plus grand secret, elle les laissa à leur travail. Elle traversa escaliers et couloirs, bureaux et bibliothèques, gagnant les étages supérieurs du palais. Elle n'avait pas dormi, attendant dans la solitude de la nuit le rituel de l'aube. Maintenant qu'elle avait accompli le peu qu'elle pouvait faire, dans la situation où elle se trouvait, elle se sentait gagnée par l'épuisement.

Elle revit encore en pensée l'*Ariele* emportant en pleine mer Kirard Set – le seul de ses bourreaux dont elle ait pu tirer vengeance. Elle se complut à l'imaginer arrivant au rivage, trempé, épuisé, à bout de souffle ; se hissant sur le quai... où elle l'attendait, un couteau à la main, pour tenir la promesse ultime qu'elle lui avait faite...

Elle porta ses mains à ses tempes, saisie par une brusque et violente migraine. Elle n'avait rien mangé de tout le jour, mais la seule pensée de la nourriture lui donnait des haut-le-cœur. Elle atteignit sa chambre, s'appuya un instant contre le chambranle, incapable de se résoudre à y entrer.

Elle poursuivit alors sa route dans le couloir, finissant par atteindre le seuil de la pièce qui avait été la chambre d'Arienrhod. L'endroit était resté tel qu'il était vingt ans plus tôt, et personne n'y avait dormi depuis sa mort. Moon ouvrit la porte, et regarda à l'intérieur.

– Vous avez besoin de quelque chose, ma Dame ? demanda une domestique qui passait dans le couloir.

Moon la regarda, faillit éclater d'un rire absurde. *Besoin de quelque chose... ?*

– De me reposer, dit-elle enfin d'une voix voilée. Je ne veux pas qu'on me dérange.

– Bien, ma Dame.

La femme acquiesça respectueusement. Risqua un regard du côté de la porte ouverte et parut hésiter, comme si elle voulait ajouter quelque chose. Puis elle s'éloigna dans le couloir.

Moon entra dans la pièce et s'y enferma. Les vastes fenêtres étaient masquées par de lourds rideaux, et le lieu lui fit penser à une tanière, où elle pouvait se réfugier. Elle se dévêtit et se glissa dans le lit nacré, en forme de coquillage, s'enveloppant dans les couvertures. Ici, aucun souvenir ne l'attendait, aucun fantôme ne tendrait les bras vers elle en lui murmurant des mots tendres...

Elle éteignit les lampes de chevet, plongeant les clairs-obscurs de la chambre dans un noir total. Totalement seule, elle se mit à pleurer. Silencieusement, d'abord, puis à gros sanglots éperdus, car il n'y avait personne auprès d'elle pour l'entendre, pour la réconforter, pour lui pardonner.

Elle pleura jusqu'à l'épuisement, jusqu'à ce qu'elle se retrouve anéantie, sans force, et au bord du sommeil. Elle attendit, sans résister, prête à se laisser emporter dans l'oubli.

Mais ce fut quelque chose d'autre qui s'empara d'elle – une force irrésistible qui l'entraînait dans des ténèbres plus profondes encore... *Le Transfert*.

Elle céda, se laissa sombrer à travers les ténèbres, vers l'espace scintillant fait de lumières et de sons qu'elle n'avait pas oubliés ; sentant naître en elle un espoir presque intolérable. (BZ... ?) appela-t-elle, et sa voix se répercuta en ondes harmoniques lumineuses. (BZ, où es-tu ?)

(Non...) fut la réponse, et son esprit perçut un contact avec quelqu'un d'autre.

(Qui ?) pensa-t-elle, car il y avait quelque chose de familier dans ce contact.

(KR Aspundh...)

(KR ?)

(Oui, ma chère enfant...) La pensée qui lui parvenait se fit douce et affectueuse. (C'est moi, après si longtemps. BZ m'a appris ce que tu étais devenue, ce que vous étiez devenus...)

(BZ... Où est-il, KR ? Comment va-t-il ? Comment puis-je le contacter ?)

(Doucement), murmura-t-il. (Vas-y tout doux, Moon. Ma force n'est plus ce qu'elle était. Cela est difficile pour moi... BZ est prisonnier du gouvernement hégémonique. Il sera condamné sans procès. Le Juste Milieu y veillera, car il redoute sa popularité. Ils veulent se débarrasser de lui, parce qu'il s'oppose à la fabrication de l'eau de vie... l'envoyer en un lieu d'où il ne reviendra pas. Il m'a demandé de te contacter. Pourquoi tout cela est-il arrivé, Moon ? Il a dit que tu pourrais me l'apprendre.)

(Par les Yeux de la Dame... je ne peux pas, KR...) Elle fut envahie par une peur et un désespoir accablants, qui rendaient ses pensées incohérentes, brouillaient le contact. Elle se força à reprendre la maîtrise d'elle-même, à réfléchir avec sang-froid. (Je ne peux pas m'expliquer, et lui non plus. Même par ce moyen, et même avec vous. C'est impossible. Tout ce que je peux vous révéler, c'est que si j'échoue dans ma tâche, tous les mondes où se trouvent des sibylles et des devins en souffriront... y compris Kharemough. Et il n'y a que deux personnes qui peuvent m'aider : BZ, et un homme du nom de Reede Kullervo. Mais la Confrérie s'est emparée de Kullervo et de ma fille. Je ne sais pas comment les sauver. Mon mari est parti à leur recherche sur Ondinée... BZ croyait que vous pourriez leur venir en aide. Mais comment pouvons-nous les sauver, KR, et comment pouvons-nous sauver BZ, puisque nous avons été trahis par ceux en qui il avait confiance ?)

Les pensées d'Aspundh l'enveloppèrent comme un nuage réconfortant. (Le Juste Milieu n'est qu'une facette de la structure clandestine du Survey, et il en va de même de la Confrérie... Je suppose que tu comprends cela. Il y a d'autres facettes, qui forment un véritable kaléidoscope. Il y a encore de l'espoir – il y en a a toujours. Je verrai ce qui peut être tenté pour sauver ta fille, et te ramener Kullervo. En fait... l'équilibre a été rompu lorsque Kitaro-*ken* a été tuée. Elle était le contrepoids. Avec son soutien, BZ aurait pu résister contre ses formidables opposants... Reede Kullervo et ta fille ne sont peut-être pas perdus. Le Juste Milieu détient un contrôle total sur l'eau de vie, maintenant. Et nous savons, nous qui voyons ce que d'autres ne voient pas, qu'il faut les arrêter.)

(Oui), songea-t-elle. (Oui. L'eau de vie est la clé de tout ce qui ne va pas, de tout ce qui a mal tourné... Le réseau divinatoire est en danger, parce que les ondins sont en danger... les ondins...) Des ondes d'interférence stridentes vinrent heurter son cerveau, jugulant ses pensées. (Il faut que ça cesse ! Il faut qu'ils arrêtent de massacrer les ondins.)

Un silence s'écoula – presque une éternité.

(Très bien. Mais qu'est-ce qui peut les arrêter ?) demanda finalement Aspundh. (Nous devons trouver quelque chose qui les amène à stopper la chasse. Quelque chose qu'ils désirent plus encore que l'eau de vie...)

(Elle n'existe pas), pensa amèrement Moon.

(Si, elle existe certainement quelque part...) répondit Aspundh avec une sorte d'amusement douloureux. (Mais cela ne doit pas se trouver aisément, sinon, ils s'en seraient déjà emparés, comme de l'eau de vie.)

(Le plasma astropropulseur), pensa-t-elle. (Mais ils l'ont déjà, parce que BZ le leur a apporté.)

(C'était peut-être une erreur. Mais après tout, nous ne sommes que des humains – aucun d'entre nous ne peut voir le futur, le voir clairement. Il doit y avoir quelque chose d'autre à leur donner.)

Elle songea au secret de l'ordinateur central ; s'ils connaissaient son existence, ils ne toucheraient plus jamais à aucun ondin. Mais ce savoir-là, il ne fallait pas le leur transmettre. Ils n'avaient que trop prouvé à quel point le pouvoir les rendait indignes de confiance. Même si elle avait pu leur livrer ce secret... (Je ne sais pas.)

(Et moi non plus. Mais nous ne devons pas perdre espoir, ou renoncer à chercher...)

(Oui, mais chercher où ?) pensa-t-elle avec désespoir. (Où puis-je chercher ? Je n'ai pas le choix.)

(Tu as tout l'espace-temps), répondit-il. (Tu y dérives en ce moment. Si tu es ce que tu es, il y a une raison à cela. Je n'en ai jamais été aussi sûr qu'en cet instant. Je peux faire appel à mes contacts dans le Survey. Mais c'est toi qui possèdes les plus grandes ressources : le cerveau divinatoire te parle, comme il ne l'a jamais fait avec personne. Il est des secrets que le réseau dissimule même à ses serviteurs les plus éprouvés... mais visiblement, pas à toi.)

Elle ne répondit pas, envahie par la splendeur de la vision que ses paroles faisaient naître dans son esprit.

(Nous faisons tout ce que nous pouvons pour BZ.

Mais le Juste Milieu est puissant, dans l'Hégémonie. Tu es peut-être le seul véritable espoir qu'il lui reste), pensa doucement KR tandis qu'autour d'elle les fibres de lumière commençaient à s'effilocher. (Que les dieux de tes ancêtres te viennent en aide...)

Cette bénédiction ultime lui fut douce. Mais elle se retrouva seule dans les ténèbres, sans détenir de réponse.

ONDINÉE : Tuo Ne'el

— C'est là, annonça Kedalion en montrant au loin la lande calcinée de la terre de Rêve, quand la citadelle devint visible.

Il réclama un agrandissement et une section du panorama bondit vers eux dans toute sa magnifique netteté.

— Par not'Dame, murmura Sparks à côté de lui. C'est énorme. Ce doit être plus grand qu'Escarboucle.

— Ce sont des villes-Etats parfaitement autonomes, expliqua Kedalion en se rappelant l'inextricable dédale des rues de la citadelle.

Une partie de lui-même s'amusait encore de l'éternel émerveillement de Sparks Marchalaube, alors même qu'une autre partie de son cerveau était malade d'appréhension à la vue de la destruction finale qui s'étalait sur les écrans.

Il avait été difficile de croire que Marchalaube n'était jamais allé en extramonde quand ils étaient retournés à Escarboucle. Il appartenait à la même organisation secrète que Reede et son idée fixe, son obsession d'aller sur Ondinée, rendait la confiance inébranlable ; il avait même d'assez bonnes notions sur les vaisseaux stellaires et leur fonctionnement, mais ce n'étaient que des connaissances de manuel. Jamais il n'était monté à bord d'un vaisseau et sur le *Prajna* il était comme un petit garçon muet de stupeur ; il rappelait à Kedalion le premier transit d'Ananke ; mais du moins Marchalaube avait le même âge que lui.

Marchalaube lui avait posé d'interminables questions sur les vies passées et les planètes natales, et comment ils en étaient venus à se trouver là, dans ces singulières circonstances ; il ne s'était même pas plaint de l'inconfort, d'un aménagement conçu pour convenir aux seules exigences de Kedalion et pas aux besoins des passagers ou de l'équipage. Marchalaube avait tout essayé, appris toutes les manœuvres, exécuté toutes les corvées, même les plus assommantes ou répugnantes, à bord ; et dans l'ensemble il s'en était fort bien acquitté.

— J'ai attendu ce moment toute ma vie, dit-il une fois quand Ananke lui demanda pourquoi il tenait tant à laver par terre dans le poste de commande.

Il y avait alors dans ses yeux une expression de passion pure et désespérée, mais l'émotion se transforma en cendres quand il se rappela ce qui l'avait finalement poussé à rompre les chaînes qui le liaient à son monde natal.

Pour le moment, Kedalion observait le visage abasourdi de Marchalaube changer, s'assombrir, à l'idée que c'était là la place forte de l'ennemi, l'endroit d'où il devait sauver sa fille.

— Dame et tous les dieux... murmurait-il, et Kedalion lut le reste de la phrase dans ses yeux : *Comment... ?*

— Personne n'a dit que ce serait facile, déclara Kedalion, impassible. Tu veux aller à l'astroport de Razuma, à la place ? La citadelle nous permettrait peut-être encore de faire demi-tour...

Marchalaube lui jeta un coup d'œil et fronça les sourcils.

— Non.

— Je demandais ça comme ça, marmonna Kedalion avec un haussement d'épaules.

Il se tourna vers Ananke assis à l'arrière, les bras croisés, plongé dans un silence maussade. Il avait l'air bizarrement nu, sans le quoll et, à voir sa façon de se tenir, il devait se sentir nu. Kedalion l'observait de temps en temps ; l'absence du quoll était comme un cri, lui rappelant leur projet actuel, lui hurlant qu'ils étaient fous, qu'ils allaient mourir. Ou peut-être n'était-ce que son propre bon sens qu'il entendait. Il soupira et entama les codes d'approche ; il écouta les signaux de réponse, dans une explosion l'avertissant qu'ils étaient condamnés, maintenant, qu'ils étaient tous condamnés...

La citadelle leur faisait signe, les attirait dans sa gueule béante, au fond de sa gorge à l'appontement désigné. Ils débarquèrent quand leur vaisseau s'y verrouilla, et furent reçus par un comité d'accueil d'hommes armés.

— Nous n'attendions que deux d'entre vous, dit Samit, le chef du groupe, en haussant son fusil entre les deux yeux de Kedalion.

Un désagréable filet de sueur coula dans le dos de Kedalion, tandis qu'il se lançait dans le petit discours qu'il avait préparé et répété dans sa tête au moins mille fois pendant le voyage depuis Tiamat.

— TerFauw nous a donné l'ordre d'emmener cet homme avec nous car il a des renseignements importants pour Kullervo, dit-il en poussant un peu Marchalaube devant lui. Il a été habilité. Montre-leur ta main.

Marchalaube leva sa main ouverte. En route, il avait appris à parler le trade, en se servant d'un renforceur, et il mit cette connaissance en pratique. Il montra l'œil qu'il avait brûlé au fer rouge dans sa propre chair, un assez bon fac-similé de la marque de la Source, tout au moins Kedalion l'espérait.

Samit regarda la marque et plissa le front.

— Personne ne nous a parlé de cela, grommela-t-il.

— Comment l'aurait-on pu ? riposta Kedalion, sa tension donnant au ton l'irritation voulue. Je te le dis maintenant, Kullervo a besoin de voir cet homme, qui détient des informations particulières ; c'est un expert local des ondins. Si Kullervo ne peut le voir, quelqu'un va en prendre pour son grade.

Samit considéra la cicatrice, puis il dévisagea de nouveau Kedalion, d'un œil dur. Finalement, il marmonna, s'écarta et leur fit signe de passer.

Ils s'aventurèrent dans un labyrinthe de souterrains qui les conduisit jusque dans le cœur de la citadelle, où des moyens de transport attendaient pour les emmener à Reede. Kedalion enfonça ses mains dans les poches de son manteau, cherchant sa balle à tâtons, furieux d'être un passager et non un pilote, surtout maintenant qu'il se sentait si impuissant. La balle n'était guère plus qu'une boule de copeaux, à force d'être triturée nerveusement. Il aurait bien aimé savoir où s'en procurer une autre, tout en sachant que ce ne serait pas pareil, une neuve lui ferait l'effet d'une inconnue dans sa poche.

— Enfin, nous y voilà, dit-il, histoire de dire quelque chose, quand ils arrivèrent à la station de transport.

— C'était superbe, Kedalion, approuva soudain Ananke en regardant par-dessus son épaule. Ta façon de... Dieux, j'ai cru que j'allais vomir quand Samit t'a fourré son pétard en pleine figure ; Reede n'aurait pas pu mieux le repousser.

— A vrai dire, avoua Kedalion en souriant à demi, je pensais à ce que Gundhalinu aurait fait, sur Numéro Quatre. Il avait le chic, lui.

Sparks le regarda, l'air subitement assombri comme si Kedalion venait de toucher un nerf.

— Pardon, fit Kedalion en comprenant ce regard. Je pensais aussi à mon enfance, planer au-dessus des falaises. Si on ne maintenait pas bien l'équilibre de la glisse, on risquait de se tuer. Alors on ne tombait pas... Oui, c'était plutôt à ça que je pensais.

— Ouais, grogna Ananke quand ils s'assirent sur le banc métallique pour attendre leur transport.

Marchalaube s'adossa, regarda droit devant lui et ne dit rien.

— Reede... ?

En entendant Ariele l'appeler de la porte du laboratoire, Reede repoussa son siège. Il secoua la tête, tremblant de fatigue. Il se reposait là depuis des heures, lui semblait-il, la tête sur les bras, sans dormir, pendant qu'elle était assoupie sur leur lit, échappant encore un peu à la réalité. Il se demanda quelle pouvait être la nature de ses rêves ; pas comme les siens, espérait-il.

— Reede ? Où es-tu ?

— Je suis là !

Il se leva et s'avança dans l'encombrement de matériel et d'équipement pour la rejoindre, la rassurer. Il ne voulait pas être vu tel qu'il l'avait été, vautré dans un inutile dégoût de lui-même, incapable de travailler, même de penser ; il se dit qu'il aurait dû la tuer ; se suicider quand il en avait encore l'occasion. Mais quelque chose d'incompréhensible l'avait retenu, lui avait fait choisir de vivre quand la seule option était la mort. *Lunatique. Lâche. Masochiste.* La litanie se répétait dans sa tête, comme elle lui revenait depuis qu'il avait repris connaissance en se retrouvant entre les mains de la Source. Il baissa les yeux sur ses propres mains, encore maladroites sous leurs pansements.

Mais la marque de la mort était encore vive, en lui, elle l'envahissait et contrôlait jusqu'à ses moindres cellules, elle le guérissait même. En réalité, il n'avait plus besoin de pansements, sinon comme prétexte pour ne pas poursuivre ses recherches. Car ce n'étaient pas ses mains qu'il ne pouvait plus contrôler, c'était son esprit. Il ne pouvait même plus se prétendre capable d'effectuer ce que l'on attendait de lui, le sale travail de la Source. Il ne pouvait que penser aux ondins et au mystère de leur existence. Les motifs de l'ondinchant, les profonds secrets qu'il avait découverts en son sein le hantaient jour et nuit, si étrangers et pourtant si familiers. Il était incapable de considérer les ondins comme de simples réceptacles de l'essence de vie, ce serait presque indécent, ce serait...

Il rejoignit Ariele, il la sentit trembler entre ses bras sous la soie de sa tunique.

– Qu'est-ce qui ne va pas ?

– Je ne te trouvais pas, Reede, murmura-t-elle en levant vers lui des yeux voilés de terreur. Est-ce que je suis normale ? Est-ce que je parais *changée* ? Je ne me sens pas bien...

Il la serra contre lui, la saisit aux épaules avec ses mains bandées, la secoua, lui parla avec insistance.

– Tu vas très bien. Tu es tout à fait normale, dit-il en lui caressant la joue, doucement, et il la tourna pour qu'elle puisse se voir dans l'acier poli d'une armoire. Regarde. Regarde-toi. Tu vois ?

Elle ferma les yeux, les rouvrit, examina son reflet.

Lentement, elle hocha la tête et il la sentit se détendre contre lui.

– Tu te sens très bien, lui assura-t-il calmement. Moi aussi.

– J'ai fait un rêve...

– Ce n'était qu'un rêve. Tu as encore des heures devant toi, avant de commencer seulement à penser à la dose suivante.

Elle s'écarta pour le regarder et il murmura :

– Je l'ai ici. Je l'ai déjà. Ne t'inquiète pas.

Il lui caressa les cheveux et elle se cramponna à lui en soupirant.

– Je ne me sens pas mal. Je me sens bien... Je ne me suis jamais sentie mieux. C'est vrai. Tu es si bon, et si fort, et si savant. Je t'aime, Reede. Je t'aime, je t'aime...

Il la reprit dans ses bras en contant la bile lui remonter dans la gorge. Il maîtrisa la terreur qui l'envahissait, le tremblement qui le gagnait, pour qu'elle ne sente rien ; elle était la seule à pouvoir chasser les ondins de son esprit mais, quand il était avec elle, quand il la contemplait, il était plein d'un remords suicidaire ; son humeur recommençait à balancer entre l'euphorie et l'épouvante. Il avait été trop malade pour qu'ils le forcent à commettre le geste mais il avait été contraint d'observer, quand ils avaient fait boire l'eau de mort à Ariele, entamant ainsi l'irréversible processus de son accoutumance, non seulement à la drogue, mais à lui-même. Il avait donc fait de son mieux, dès qu'il en avait été capable, pour lui revaloir cela ; pour lui apporter de la stabilité et lui donner du courage, la rassurer. Il ne s'était jamais douté qu'il possédait ces forces mais il les avait trouvées en lui, pour elle, pour la sauver. Il n'était cependant pas certain de pouvoir tenir ainsi encore longtemps, en tenant à peine au fil de la vie, jour après jour.

Et même s'il était capable de garder sa raison, de garder leur raison à tous les deux, les dieux seuls savaient ce qu'ils allaient devenir. S'il ne produisait pas assez vite, au gré de la Source, alors Jaakola pourrait bien cesser de fournir la drogue, se servir d'elle contre lui, la faire souffrir pour cela et lui infliger de la douleur, à lui, tout en gardant son corps intact... Et même quand il produisait, il était capable de faire souffrir Ariele, de lui faire tout ce qu'il voulait lui faire, à son gré, simplement par caprice. Jaakola adorait lui mesurer chichement sa fourniture de drogue, rien que pour lui faire sentir sa dépendance. Maintenant qu'il avait peur aussi pour Ariele, toute une nouvelle dimension de cruauté potentielle s'ouvrait devant lui comme une monstrueuse gucule ensanglantée. Quoi qu'il advienne des plans de Jaakola pour soutirer de force leurs secrets à la Reine de l'Eté et à Gundhalinu, il était certain qu'ils ne retrouveraient plus leur fille en vie... et même ! Ce ne serait que pour la voir mourir. Et il n'y pouvait absolument rien. Rien.

Il lâcha Ariele, fouilla dans ses poches. Ses doigts engourdis reconnurent à peine ce qu'ils avaient cherché, quand ils le trouvèrent ; il le retira : son anneau, le frère de celui qu'il avait donné à Mundilfoere. Il l'avait porté seul, pendant des années. Il prit la main d'Ariele et glissa la bague à son pouce. Elle avait de grandes mains, pour une femme, et fines, mais les longs doigts étaient fuselés et la bague ne demeura qu'en équilibre précaire sur la peau diaphane. Elle referma son poing dessus. Levant les yeux vers Reede elle prit une de ses mains bandées et la porta à ses lèvres.

Sans un mot, il la ramena dans le laboratoire, dans son appartement – leur appartement maintenant, au moins pour le moment.

– Tu as faim ? demanda-t-il. Tu veux un petit déjeuner ? Peut-être un peu de musique douce ?

Elle hocha la tête, ouvrit la bouche pour répondre et se retourna en sursaut alors que la porte s'ouvrait.

Reede se figea ; vacillant de soulagement, il regarda Niburu entrer, suivi d'Ananke. Il se précipita vers eux, la main tendue, en se sentant comme un homme perdu en mer, qui aperçoit soudain la terre.

– Qu'est-ce qui vous a retenus si longtemps ? s'écriat-il d'une voix fâchée.

Niburu secoua la tête. Sa bouche esquissa un petit sourire incertain.

– Tu as négligé de nous laisser une adresse en partant, chef... Ainsi, nous t'avons manqué ?

Ce fut au tour de Reede de le considérer d'un air curieux.

– Manqué ?

Quelque chose de semblable à un rire s'étrangla dans sa gorge, grinçant comme du verre brisé, et pendant quelques instants il fut réduit au mutisme.

– Manqué ? répéta-t-il. Je n'ai jamais pu trouver comment marche le foutu système de la cuisine !

Le sourire de Niburu se stabilisa.

– C'est juste, chef, dit-il avec une expression ressemblant singulièrement à du contentement. TerFauw nous a renvoyés. Il a dit... Il a dit que tu avais besoin de nous.

Il abaissa son regard sur les mains bandées et Reede vit de la gêne dans ses yeux quand il les releva vers lui. Il s'en détourna, sans lâcher Ariele.

– Nous avons amené quelqu'un avec nous, chef, dit Niburu, de nouveau mal à l'aise, subitement, et il fit un geste du côté de la porte.

Un troisième homme entra. Stupéfait, Reede eut un mouvement de recul.

– Marcha... ! cria Ariele.

– Chut ! fit vivement Reede en la serrant contre lui et, du regard, il avertit Marchalaube de rester où il était.

– Qu'est-ce qu'il fait ici ? demanda-t-il, posant la question évidente mais laissant les autres deviner dans son regard celle qu'il ne pouvait poser tout haut.

Niburu hésita, sachant bien que les murs avaient des yeux et des oreilles.

– Il... il a des renseignements importants pour toi. A propos des ondins...

– Ah ?

Reede regarda attentivement Marchalaube en essayant de garder une expression aussi neutre que possible. Le nouveau venu contemplait Ariele ; elle tremblait entre ses bras. Il ne savait comment il allait garder ces deux-là silencieux par la seule force de sa volonté.

– Fais-moi voir ce que tu as apporté. Par ici, dit-il en désignant de la tête le laboratoire derrière lui.

Quand tout le monde fut entré, il verrouilla la porte par un commandement sec. Il lâcha Ariele.

— Maintenant, nous pouvons parler, annonça-t-il, et comme Niburu le regardait d'un air étonné, il hocha la tête. C'est moi qui contrôle tous les systèmes, ici.

C'était le seul endroit où on lui accordait le libre accès à suffisamment de matériel et d'équipement sophistiqué pour contrôler son propre environnement.

Ariele courut vers Marchalaube. Il alla à sa rencontre en lui tendant les bras. Reede se dit que s'il n'était pas son vrai père, on ne voyait pas la différence.

— Tu vas bien, tu vas bien, répétait Marchalaube.

— Tu es venu me chercher, tu es venu, murmura-t-elle de son côté.

— Non, elle ne va pas bien ! intervint Reede. Elle a bu l'eau de mort.

Marchalaube le regarda, avec dans le regard une horreur indicible. Ses yeux se tournèrent vers Ariele et revinrent vers Reede.

— Dans ce cas, je suis peut-être venu ici pour te tuer, au lieu de te sauver...

— Me tuer ? Je suis déjà mort ! Me sauver ? Ne sois pas ridicule, si tu essaies de nous emmener d'ici, elle ou moi, tu ne réussiras qu'à nous faire tuer tous les deux. Tu ferais mieux de prendre un pistolet et de faire ça proprement. Ou alors renoncer tout de suite et reconnaître que tu arrives en enfer les mains nues et que tu n'en ressortiras jamais vivant. Deviens une marque pour la Source et alors nous formerons tous une grande famille heureuse...

Sa main s'abattit douloureusement sur la surface dure d'une commode, à côté de lui.

Marchalaube fit une grimace. Il arracha son regard au pâle visage désespéré d'Ariele et se tourna vers Reede. Lentement, son expression furieuse disparut.

— C'est bon, murmura-t-il. Je m'étais préparé à cela, mais vous devez avouer que c'est dur à avaler. Cependant, entendez-moi jusqu'au bout avant de me traiter d'imbécile. Je suis au courant pour l'eau de mort, et pour tout le reste... ainsi que Moon et Gundhalinu, depuis le temps ; Gundhalinu peut recréer la drogue, pour

vous, il peut vous protéger, il ne demandera pas mieux.
Ne serait-ce que pour Ariele... (Il jeta un nouveau coup
d'œil vers elle, ce qui lui fit manquer le sourire ironique
de Reede.) J'emmène ma fille hors d'ici. Veux-tu venir
avec nous ?

Reede se rappelait la tentative désespérée de Gundhalinu pour entraîner dans le Juste Milieu sa collabora-
tion récalcitrante. Il réfléchit à ce que ce serait que
d'être le laquais de Gundhalinu, dépendant de lui pour
sa drogue, au lieu d'être à la solde de la Source. Il songea aux ondins. Il fronça les sourcils, refusa d'écouter
autrement que d'une oreille, refusa d'espérer.

— Tu ne comprends pas. Nous serons quand même
morts bien avant d'arriver à Tiamat. Le voyage est trop
long pour...

— As-tu là un échantillon de la drogue ? Que nous
pouvons emporter ?

— Oui. Et alors ?

— Alors nous pouvons vous garder tous les deux en
suspens en stase jusqu'à ce que nous en ayons une provision suffisante.

— Comment diable vas-tu faire ça ? cria Reede dont la
colère montait à mesure que Marchalaube attaquait ses
défenses.

— Nous sommes venus en LB du vaisseau, chef, intervint Niburu. Nous pouvons utiliser les cosses de secours
pour vous garder en stase.

Reede se tourna vers lui.

— Dieux !

Les unités de secours, à bord des chaloupes de sauve-
tage, destinées aux passagers blessés avaient un temps
cyclique limité mais qui pourrait suffire.

— Vous n'avez même pas besoin d'être là, jusqu'à ce
que Gundhalinu ait ce qu'il vous faut, une fois que nous
serons sortis d'ici, expliqua Marchalaube.

— C'est foutrement bien conçu, marmonna Reede, tout
songeur.

— C'est Niburu qui a pensé aux chaloupes, révéla
Marchalaube.

Reede jeta un nouveau coup d'œil à Niburu qui sourit
modestement. Il pensa aussi à ce qu'Ananke et lui

avaient risqué pour faire venir Marchalaube. Il comprit enfin qu'ils l'avaient fait pour Ariele, par loyauté envers l'Hégémonie, ou simplement parce que Marchalaube le leur avait demandé. Et, à cela, il ne voyait qu'une seule raison.

– Vous êtes tous complètement fous, déclara-t-il.

Niburu éclata de rire.

– On n'a peut-être pas besoin d'être fous pour travailler pour vous, mais ça aide. Alors, chef, qu'est-ce que vous en dites ? On y va ? Nous vous libérerions de cet endroit, pour toujours...

– Gundhalinu nous aidera pour peu que nous arrivions à Tiamat, répéta Marchalaube en interrogeant du regard Reede, à côté d'Ariele.

– Tu as vraiment l'intention de faire cette folie, hein ? Tu as tout prévu, on dirait... Sauf comment nous allons franchir les cent premiers mètres et passer à travers la sécurité de la citadelle pour sortir d'ici !

Il vit les autres échanger des regards et reprit aigrement :

– C'est bien ce que je pensais ! Bon... d'accord, c'est le genre de chances qui me plaisent, avoua-t-il avec un brusque sourire. Suicidaires !

Les autres l'examinaient tous, et leur figure ne cessait de s'allonger.

– J'ai quelque chose, un truc auquel je travaille depuis un certain temps, un petit exercice privé. J'attendais le bon moment pour l'expérimenter.

Il leur tourna le dos et s'approcha d'un terminal. Il s'assit, arracha avec les dents les pansements de ses mains et murmura une séquence de codes tandis que ses doigts voltigeaient sur le clavier ; la peau à peine cicatrisée de ses mains picotait au contact des touches électroniques et il savoura la sensation tandis que son moral remontait à l'apparition sur l'écran des informations secrètes du fichier informatique.

– Allez, leur chuchota-t-il, et détruisez !

Il écarta les doigts et plaqua sur le clavier la paume de sa main marquée au fer rouge. L'image disparut de l'écran.

Il pivota sur son siège et vit les autres faisant cercle derrière lui, plongés dans une silencieuse perplexité.

— Qu'est-ce que tu as fait ? demanda Marchalaube.

Le sourire de Reede s'élargit.

— J'ai lâché un virus informatique dans le système d'opération central de la citadelle. Bientôt, tout va commencer à ralentir. D'ici quelques heures, la citadelle tout entière sera sans défenses. Quand le reste de Tuo Ne'el le découvrira, ils feront ici ce que la Source a fait à Humbaba, expliqua-t-il, et il surprit le sursaut de Niburu et d'Ananke. Cela nous permettra sans doute d'obtenir la voie libre dont nous avons besoin pour nous éloigner. Et au moins, si nous ne réussissons pas, nous partirons tous ensemble, proprement... D'un côté comme de l'autre, ce sera pour le mieux. Et d'ailleurs, c'est déjà fait, conclut-il en coupant court ainsi aux protestations.

Il s'adossa à la console et caressa distraitement le clavier, aussi tendrement que la peau d'une maîtresse.

— Merci, Gundhalinu-*eshkrad*, murmura-t-il. Un soir, alors que nous étions encore sur Numéro Quatre, Gundhalinu a traversé le système de sécurité de ce centre de recherches avec un container de plasma astropropulseur comme s'il faisait le ramassage des déchets. Le système le laissa faire, puisqu'il l'avait programmé lui-même. Cet homme est un sacré génie et il ne le sait même pas. Vous savez pourquoi ? Pas parce qu'il est particulièrement brillant, oh ! il est assez intelligent, mais sa véritable force est un solide bon sens. Il voit le *but* des choses, la vision parallaxe, l'application pratique ; quand pousser et quand tirer... le foutu facteur humain. Dieux, je l'ai envié ce soir-là, je voulais avoir son cerveau, pour remplacer le mien... Depuis ce jour, j'essaie de penser comme ça. Ce n'est pas une chose pour laquelle je suis particulièrement doué.

— Moi non plus, souffla Marchalaube. C'est peut-être pourquoi je suis ici et qu'il est avec ma femme.

Reede leva les yeux vers lui.

— Et tu lui fais confiance pour qu'il veille sur nous si nous retournons là-bas ?

— Absolument, affirma Marchalaube dans un soupir.

– Tu le connais si bien que ça ? demanda Reede d'un air sceptique.

Marchalaube regarda Ariele, lui serra affectueusement l'épaule avant de répondre :

– Je ne le connais pas du tout. Et je ne veux pas le connaître.

Reede hocha la tête et se détourna.

– Dis-moi, est-ce que tu as réellement des renseignements pour moi au sujet des ondins ?

Le changement de conversation étonna visiblement Marchalaube, mais il acquiesça.

– Oui, j'ai pensé qu'il vaudrait mieux, au cas où on me demanderait une preuve.

– Tu as apporté le résultat de tes travaux sur la théorie de la fugue et de l'ondinchant ? demanda Reede, et il vit à l'expression de son interlocuteur qu'il devinait juste. Cela demandait une vision réelle. Tu as un don, Marchalaube.

Sparks fronça les sourcils, négligeant le compliment.

– D'où tiens-tu ça ? Je ne te l'ai pas donné.

Reede sourit.

– Je te savais au moins assez intelligent pour ne pas faire aveuglément confiance à la Source quand tu as reçu l'ordre de nous remettre ton information. Alors j'ai pillé ton fichier. C'est encore une chose que m'a enseignée Gundhalinu... quand on veut que ce soit bien fait, on le fait soi-même. Il m'a démontré que si on contrôle le système, on devient un dieu. Enfin bref, je suis le Render, maintenant, je suis le dieu de la mort...

– Tu as toujours eu ça ? demanda Niburu, quelque peu suffoqué. Tu aurais pu t'en servir ?

– Non... J'ai mis longtemps à apprendre le système, à découvrir ses faiblesses, à perfectionner mon approche. Il me fallait trouver le moment idéal pour ma vengeance.

Il se leva pour faire nerveusement les cent pas et les autres s'écartèrent de son chemin, comme s'ils voyaient quelque chose dans ses yeux, comme s'ils croyaient à sa divinité, à son pouvoir de destruction.

Il alla vers le système contenant ses travaux sur l'eau de vie, l'échantillon sur lequel il travaillait avant sa dernière réunion avec Gundhalinu. Il manipula la structure de l'infomodèle tridimensionnel qu'affichait l'écran. Il effectua quelques petites modifications, ici et là, entra des changements qu'il avait tournés et retournés dans sa tête, frustré par leur perversité jusqu'à sa conversation avec Gundhalinu qui lui avait apporté sa subite et terrible perspicacité. Il acheva ses modifications et donna l'ordre au système de les enregistrer et de produire un échantillon.

Les autres attendirent, vaguement indécis, pendant qu'il récupérait dans une des armoires hermétiques les doses d'eau de mort. La Source avait été anormalement prompte à renouveler sa provision pendant qu'il se remettait de son épreuve.

Il remit la dose combinée à Marchalaube, en lui expliquant brièvement ce que c'était.

— Ne perds pas cela, pour l'amour des dieux, quoi que tu fasses, prévint-il.

Marchalaube acquiesça et rangea le petit flacon dans la sacoche de sa ceinture.

— Bien, dit Reede. Niburu, je veux que tu emmènes tout le monde faire un petit tour dans la citadelle ; allez vous perdre... et puis revenez près des appontements et attendez. Attendez que le chaos commence et choisissez bien votre moment pour en profiter. Je vous rejoindrai là-bas.

— Qu'est-ce que vous allez encore fabriquer ? demanda Niburu.

— J'ai du travail, répondit Reede en détournant les yeux. J'ai quelque chose que veut la Source. Je vais le lui donner.

— Non, Reede ! implora Ariele en s'arrachant des bras de Marchalaube pour venir vers lui.

— Chef ! Vous pouvez pas... protesta Niburu.

— Par la Dame et tous les dieux ! s'exclama Marchalaube. Si tu as vraiment programmé la destruction de toute cette citadelle, tu auras ta vengeance, tu seras vengé de ce que la Source t'a fait. Ça suffit !

— Non, souffla Reede. Cela ne suffit pas. Tu te figures qu'ils ne vont pas se renseigner, ici, sur ton arrivée inattendue, Marchalaube ? Tu crois qu'en ce moment ils ne sont pas en train de poser un tas de questions sur toi ? Jaakola n'est pas stupide ! Il sait qui tu es. Je dois lui donner un autre sujet de réflexion pour les deux ou trois prochaines heures, sinon nous n'arriverons jamais à nous enfuir d'ici en vie. J'ai dit que je vous rejoindrais tout à l'heure. Allez, sortez d'ici.

Il marcha vers eux et ils reculèrent, tous sauf Ariele. Marchalaube la prit par le bras, tendrement mais fermement, et l'entraîna. Elle suivit son père, en tournant vers Reede des yeux effrayés, soudain pleins d'un désir de vengeance égal au sien.

– La chaloupe est au quai Trois, au niveau inférieur, lança Niburu en sortant. Au cas où vous seriez en retard...

– Dépêche-toi ! cria Ariele.

Reede hocha la tête et les regarda disparaître à tour de rôle dans le monde extérieur. Il attendit jusqu'à ce qu'il ne les entende plus avant de faire demi-tour, comme s'il avait tout son temps, et d'envoyer un message à la Source avertissant de son arrivée.

– Dis-lui que j'ai ce qu'elle veut, dit-il, et il coupa le contact.

Il retourna seul dans le laboratoire silencieux pour vérifier les écrans des fours moléculaires. Assis sur un tabouret, il resta sans bouger, en observant le déroulement de son programme. Enfin tout s'effaça sur l'écran, ne laissant que deux mots lumineux : *Séquence achevée*. Reede sourit. Il se leva et retourna vers l'endroit où l'attendait son arme ; il souleva la fiole transparente, examina son contenu, l'épais liquide argenté qui ondulait comme un souvenir entre ses parois.

Emportant la fiole, il quitta le laboratoire et s'engagea dans les voies de l'immense complexe de la citadelle en observant son fonctionnement, ses habitants, son univers parfaitement hermétique avec un curieux détachement. Il remarqua avec satisfaction le nombre inaccoutumé d'ouvriers déroutés qui pestaient et juraient et avaient des difficultés avec leurs divers systèmes opérationnels.

Il mit plus longtemps qu'il ne l'avait pensé à arriver à sa destination parce qu'il fut retardé pendant plus d'une demi-heure par le détournement subit d'une navette. Sa satisfaction de l'erreur fut gâchée par l'inquiétude quand il arriva enfin au périmètre extérieur du secteur privé de la Source et demanda à être reçu en audience par le Maître. Le virus semblait se répandre dans tout le système encore plus vite qu'il ne l'avait espéré. Il souhaitait que les autres guettent les signes, sinon ils n'arriveraient pas à bien chronométrer leur retour aux docks. Il espéra qu'ils sauraient jouer leur rôle, tout comme ils lui faisaient confiance pour jouer le sien.

Il se força à cesser de regarder de tous côtés, de s'agiter, de taper impatiemment du pied, tandis que le garde répétait sa question une quatrième, une cinquième fois. Une voix désespérée, une voix intérieure s'efforçait de lui souffler que sa tentative était insensée, qu'il prenait un risque fou en venant là. Mais il le devait, il lui fallait braquer sur lui seul l'œil de la Source, sinon jamais les autres ne pourraient s'échapper. Il ne pourrait s'évader lui-même que s'ils y réussissaient. *Il avait besoin de faire cela...* Il devait avoir confiance en lui-même.

– Nom des dieux ! jura le garde.

La voix de la Source répondit brusquement par une averse de mots tombant des airs, complètement inintelligibles.

Le garde leva les yeux, en fronçant les sourcils.

– Qu'est-ce qu'il dit ?

– Il dit « Montez », répliqua sèchement Reede.

Il poussa résolument la barrière du rempart de sécurité et, comme elle céda, le garde n'osa pas intervenir.

– Passez, marmonna-t-il. Vous connaissez le chemin.

Oui, il connaissait le chemin. L'ascenseur mit très longtemps à l'y conduire. Il eut tout le temps de songer au nombre de fois où il était passé par là, à sa première visite à la Source, aux cauchemars qu'il faisait d'être pris au piège, prisonnier d'une de ces infernales mécaniques. Presque aussi nombreux que ses rêves de noyade...

L'ascenseur se décida enfin à le déposer dans la trompeuse banalité d'une salle de réception, devant les portes anonymes donnant sur les ténèbres. Il consulta sa montre pour savoir combien de temps il avait devant lui. Il lui fallait faire durer les choses assez longtemps, juste assez pour... Les gardiens, humains et électroniques, le laissèrent passer sans commentaire.

Reede s'arrêta sur le seuil alors que les deux battants se verrouillaient derrière lui. Ses mains moites se crispèrent sur la précieuse fiole de liquide argenté. *Je suis le dieu de la mort...*

— Maître, dit-il en clignant des yeux dans l'obscurité, cherchant une lueur rouge presque indétectable. Je l'ai.

— Kullervo, chuchota la voix de la Source, parfaitement claire à ses oreilles, maintenant. *Oui, il la voyait aussi, une faible luminosité de braises rougeoyantes.* L'eau de vie ? Apporte-la-moi ! Viens plus près, donne...

Il s'avança en traînant les pieds, avec prudence en dépit de l'urgence pressante de cette voix. Il arriva au siège où il était toujours forcé de s'asseoir, buta dessus dans le noir et le contourna en tâtonnant.

— Viens ici, dit la Source. Viens plus près. Donne-moi...

Reede obéit, marchant comme s'il traversait un champ de mines, et s'approcha de la silhouette diffuse. Jamais encore il n'avait eu la permission de s'en approcher d'aussi près. A sa connaissance, elle pouvait n'être qu'une illusion, une projection quelconque... Aussi bien, il était tout à fait seul. Mais il ne le pensait pas.

Il entra en collision avec un obstacle impénétrable, qui cassa net son élan. Il avança les mains devant lui et trouva une surface plane, froide, qui brûla la peau hypersensible de ses mains cicatrisées.

— Voilà, maître, dit-il en posant la fiole dessus, à tâtons, et il commença à reculer.

— Arrête ! ordonna la Source. Et avance encore un peu.

Reede détendit ses muscles crispés et fit encore quelques pas, jusqu'à ce qu'il rencontre de nouveau le rebord de l'obstacle qui les séparait – ce dont il fut reconnaissant –, et il s'y cramponna à deux mains.

Une vive lumière d'un bleu indigo jaillit brusquement du plafond et le baigna de son éclat aveuglant. Il ferma les yeux, contre cet éblouissement, et sa chemise devint fluorescente comme une fleur inconnue dans cette obscurité. *Pour toi, Mundilfoere...* Il laissa retomber ses mains tandis que le souvenir qu'il gardait d'elle formait un espace sublime et exaltant, un adhani de calme parfait sans lequel il endurait toutes les perversités infligées à son corps et à son âme. La lumière s'éteignit, aussi brusquement qu'elle avait jailli. Il ne bougea pas.

— Ainsi, tu as réellement réussi... chuchota la Source. Tu as synthétisé une forme de l'eau de vie que nous pourrons reproduire et vendre...

— Oui, maître.

— Tu as dit à Gundhalinu que c'était impossible.

— Je lui ai menti.

— Mais à moi, tu ne mens pas ?... N'est-ce pas ?

— Non, maître.

— Tu m'as dit qu'il te faudrait très longtemps pour trouver une solution. Et tu l'as déjà trouvée !

— J'ai eu beaucoup de temps pour réfléchir, durant ma convalescence, dit Reede en gardant sa voix neutre.

— Je n'en doute pas. J'espère que tu as accordé beaucoup de réflexion à l'humilité et à la futilité.

— Oui, maître.

— Et si j'accepte ceci, je verrai que c'est aussi bon que la substance originale ?

— Meilleur, affirma Reede. C'est encore meilleur.

Un bref silence tomba, avant que la Source demande :

— De quelle façon ?

— C'est stable. Exactement comme tu l'as demandé. J'ai découvert un moyen d'étendre sa vie à l'extérieur du corps de l'ondin. Ce qui facilite la production, l'expédition, la vente...

Un rayon de lumière éblouissante tomba sur la surface invisible, devant Reede, comme un coup d'épée, et se braqua sur la fiole qu'il y avait posée. Encore une fois, il ferma les yeux mais continua de voir l'éclat étincelant entre ses paupières.

Tout aussi brusquement, l'obscurité revint et il les rouvrit.

— Eh bien ? demanda subitement la Source, d'une voix cassante et impatiente. Qu'est-ce que c'est ?

— Qu'est-ce... ?

Reede s'interrompit en s'apercevant que ce n'était pas à lui que la Source s'adressait mais à un système informaticien caché qui venait d'analyser le contenu de la fiole.

Il entendit un froissement dans le noir, un déplacement d'air comme si quelque chose venait de passer rapidement, et un bruit guttural qui pouvait bien être un juron. Il attendit, invisible, implacable.

— Félicitations, Reede, murmura enfin la Source. Ou devrais-je féliciter Vanamoïnen ? C'est bien comme tu le dis... parfait. Meilleur qu'avant. Tu es vraiment génial...

Quelque chose, dans cette voix, mit soudain Reede sur ses gardes, lui fit craindre que son temps d'utilité était passé et qu'il était sur le point de mourir. Mais la Source le surprit en riant et en marmonnant :

— Qui sait quels nouveaux mondes tu vas conquérir pour moi ?

Reede ne répondit pas. *Bois*, pensait-il. *Allons, prends cette fiole et bois, espèce de salaud putride ! Bois !*

— La première dose est pour toi, maître, dit-il finalement en s'efforçant de ne pas laisser percer son impatience. C'est pourquoi je te l'apporte directement, tout de suite. Pour que tu sois le premier.

— Quoi ! s'exclama la Source sur un ton moqueur. Tu ne l'as pas d'abord essayé sur toi-même ? Comme tu l'as fait pour l'eau de mort ?

— A quoi bon ? rétorqua Reede. Cela ne me ferait aucun bien. C'est à toi, maître... tout comme je le suis.

Ces derniers mots furent ajoutés avec juste ce qu'il fallait d'amertume.

— Oui, en effet. Très juste...

Reede entendit encore un léger froissement, comme si quelqu'un venait de changer de position. Il cligna des yeux dans le noir, vers l'endroit où il pensait avoir posé la fiole sur cette surface froide invisible, et il crut distinguer un vague contour, une aura de luminosité rougeâtre, et quelque chose d'obscur, d'informe qui descendait, la recouvrait et l'emportait. De nouveaux froissements et l'aura devint plus vive, permettant de voir réellement devant le tas difforme qui prétendait être une silhouette humaine, là où un instant plus tôt il n'avait rien vu du tout. *Cela arrive, même ici !*

Il perçut un soupir de satisfaction.

– Enfin, chuchota la Source. Le goût me paraît juste... L'effet est plaisant, tel que je me le rappelais...

Un frisson de joie parcourut Reede. *Enfin...* Et il restait encore assez de temps, le temps de retourner le fer dans la plaie.

– Il y a quelque chose que j'ai oublié de te dire... au sujet de cette eau de vie. Elle n'est pas seulement stable à l'extérieur d'un corps d'ondin. Elle est également stable à l'intérieur de l'hôte.

– Qu'est-ce que tu veux dire ? gronda la Source. Stable pendant combien de temps ?

– Des décennies, au moins. Je ne sais pas vraiment. L'effet est bon, pour le moment, ça prend la mesure de ton ADN, ça préserve tous les systèmes et fonctions de ton corps, dans l'état même où ça les a trouvés au moment exact. Rien ne changera, tout va désormais rester pareil...

– Alors personne n'en aura besoin plus d'une fois en quelques décennies, gronda la Source. Il n'y a pas de bénéfices à en tirer...

– Non, sans doute. Mais ce n'est pas le vrai problème.

– Qu'est-ce que tu racontes ?

– Le vrai problème, c'est ce que ça fait aux gens.

– Qu'est-ce...

– L'eau de vie a été conçue pour assurer la longévité des ondins, pas des êtres humains. Ils sont bioconçus, leur génome est infiniment plus simple que le nôtre, infiniment plus aérodynamique. Notre corps a été conçu à la va-comme-je-te-pousse, à coups d'essais ; à côté d'eux, nous ne sommes qu'un brouillon grossier et inefficace. L'eau de vie a une très étroite définition des « fonctions corporelles normales », s'appliquant à tout système biologique. La seule raison pour laquelle les êtres humains ont pu s'en servir pour retarder leur vieillissement, c'est justement qu'il n'est pas défini. Il n'est jamais imposé au corps humain autrement qu'au jour le jour. Il accorde au corps la liberté dont il a besoin pour changer, pour modifier son cycle naturel, son rythme, les effets du ha-

sard... Le chaos contre l'ordre ! conclut-il presque férocement.

Et il continua sur sa lancée, sur le fil coupant des ténèbres. Il voyait nettement une silhouette, maintenant,
et l'espace devant lui parut clignoter, s'éclairer brièvement ; il n'aurait su dire, néanmoins, de quoi était faite
cette silhouette ; d'ailleurs, il s'en moquait.

— Bientôt, tu vas commencer à perdre ta mémoire à
court terme. Bientôt, tu vas vivre dans l'isolement,
parce que ton système immunitaire ne sera plus capable
de repousser les assauts... Bientôt, tu seras la perfection.
Le Vieil Empire croyait avoir trouvé la perfection. C'est
ce qui l'a détruit. Les gens ont dit que la perfection
avait rendu les dieux jaloux...

Il se repoussa du bord coupant de la nuit, il rit en
entendant la Source jurer, émettant un son guttural vis-
queux. Il s'aperçut qu'il pouvait voir à présent ses propres mains, son corps.

— Je ne te crois pas ! grinça la Source d'une voix fré-
missante de peur. Tu n'oserais pas !

Reede grimaça.

— Les choses changent... Tu te rappelles quand tu
m'as dit ça ? Moi, je n'ai pas oublié. Aujourd'hui, le
pouvoir est entre mes mains. Tu m'as dit que Mundilfoere avait mis longtemps à mourir... Combien de temps
mettras-tu, toi ?

— Pourquoi fait-il si clair, ici ? glapit la Source avec
une fureur soudaine. Il fait bien trop clair !

— Rejette la responsabilité sur moi, répliqua Reede.
C'est mon œuvre, Jaakola. Mes virus s'emparent de ton
corps et ils prennent aussi la relève de toute ta citadelle.
Bientôt, tu seras absolument sans défense.

— Ce n'est pas possible...

— Alors pourquoi est-ce que cela arrive ? chuchota
Reede. Veux-tu que je l'arrête ? Et si je pouvais l'arrêter,
est-ce que tu me donnerais tout ce que je veux ? Tout ?
Qu'est-ce que tu contrôles réellement ? Quelle est ta portée ? Quels sont tes secrets ? Qu'est-ce qui sera suffisant
pour racheter ta vie ?

— Qu'est-ce que tu veux ? demanda la Source d'une

voix grinçante comme des chaînes qui s'entrechoquent. Qu'est-ce...

– Je veux te voir mendier. Tu m'as fait mendier la vie de Mundilfoere, bâtard sadique et puant ! Je veux te voir mendier ta propre vie !

– Assez...

– Quoi ?

– Assez ! Assez ! Assez, par l'Innommable ! Je te donnerai tout ce que tu voudras ! Tout ce que tu souhaites, si seulement tu me donnes un moyen d'arrêter ça !

Reede se mit à rire.

– Ne te fatigue pas. Il n'y a aucun moyen.

Il entendit un son étranglé, de dépit, de rage.

– Pauvre fantoche au cerveau mort ! Aliéné !

Quelque chose se précipita sur Reede, par-dessus la barrière invisible, et il recula sans cesser de rire.

– Tu te tues aussi toi-même ! rugit la Source. Espèce de cinglé ! Tu vas tous nous tuer !

– Précisément, répliqua Reede. C'est pour ça que je suis ici. Tes ennemis arrivent, Jaakola. A ta place, je prendrais mes jambes à mon cou. Je me cacherais... encore que ça ne serve à rien.

Il continua de reculer, se retourna, marcha vers la porte dont il distinguait bien le contour, maintenant, gris foncé.

– Kullervo !

Derrière lui, la voix brisée déversa un flot d'obscénités. La salle s'éclaircissait encore, grise comme le petit jour, révélant les murs nus, les portes. Il savait que, s'il se retournait, il serait capable de la voir maintenant, cette figure de ses cauchemars qui continuait de glapir sa rage. Il ne se retourna pas.

Arrivé à la grande porte à deux battants, il s'y jeta de toutes ses forces. Ils cédèrent, se dissolvant sous son impact et il fut projeté dehors, en plein jour.

Jaakola appelait maintenant ses gardes, leur hurlait d'abattre Reede, qui se releva précipitamment pour sauter sur le premier des séides. Il le renversa sur le dos et s'empara de son fusil anervant alors que l'autre garde armait et épaulait de son côté, sachant qu'il était déjà trop tard.

Une muraille de feu blanc cacha le bleu du ciel et la fenêtre en céramique épaisse d'un mètre, derrière le garde, explosa dans un fracas assourdissant ; elle tomba à l'intérieur du bâtiment. Reede leva les bras, les croisa sur sa tête pour se protéger alors qu'une tornade d'éclats transparents tourbillonnait tout autour de lui. Il fut plaqué contre le mur près du premier garde qu'il avait jeté au sol, déchiqueté en des dizaines d'endroits par des débris de verre qui continuaient de pleuvoir alors que le temps lui-même semblait s'être arrêté. *Déjà...* Les défenses de la citadelle s'écroulaient déjà et tout le monde avait l'air de le savoir. *Dieux... les choses arrivaient trop vite !*

Il se remit debout en titubant, assommé, saignant de tout le corps, assourdi. Il vit l'homme qu'il avait abattu qui gisait à côté de lui, les yeux grands ouverts, le regard fixe, un poignard de cérallié planté dans le crâne. Il n'y avait plus la moindre trace de l'autre garde. Quand sa vue s'éclaircit, il aperçut une grande tache rouge éclaboussant l'extrémité du mur, comme un horrible graffiti. Il entendit d'autres explosions, de tous côtés, sentit le sol vibrer sous ses pieds alors que l'immense édifice tout entier était secoué. Il n'y avait pas de cris, pas de hurlements, pas le moindre bruit devant la salle dont il venait de s'échapper. Il faisait de nouveau noir, à l'intérieur, constata-t-il en y jetant un coup d'œil.

Il se retourna, ahuri par l'énorme brèche dans le mur à l'emplacement de la fenêtre, par l'immensité bleue du ciel ; des volutes de fumée bleue s'y élevaient, montant de l'incendie de la forêt d'épineux. Il s'en détourna et se traîna vers l'ascenseur, non sans avoir ramassé le fusil anervant. La fumée lui piquait les yeux et la gorge. Il frappa des poings la plaque d'appel et rit de soulagement quand il vit la porte s'ouvrir et l'ascenseur qui l'attendait.

Il donna un ordre général surclassant tous les précédents, pour empêcher son arrêt avant la destination finale. Il s'adossa contre la paroi et s'y laissa glisser pour s'asseoir par terre tandis qu'il plongeait de niveau en niveau. Le métal poli lui renvoyait son image ensanglantée, son expression abrutie et il se demandait si Niburu et les autres l'attendaient encore ou s'ils étaient déjà partis.

S'ils n'étaient pas fous, ils étaient partis, ils avaient sauvé leur peau. S'ils étaient là, il maudirait leur folie, s'ils n'y étaient plus, il maudirait leur égoïsme, il leur en voudrait de l'avoir abandonné alors qu'il avait subitement une telle envie de vivre ! *Il voulait vivre, il le devait... pour retourner à Tiamat, parce qu'il avait là-bas un travail inachevé. Et cette œuvre inachevée était plus importante que tout, plus importante, même, que sa propre vie...*

Il comprit tout à coup qu'il n'allait pas mourir là, de cette façon, que ce n'était pas possible. Il savait que s'il lui fallait assassiner, mutiler, ramper sur du verre brisé pour se sauver, il le ferait, parce qu'il ne pouvait pas mourir là, ce n'était pas son destin ; son destin était à Tiamat et il devait rentrer chez lui.

La cabine s'arrêta brutalement, en faisant s'entrechoquer tous les os de son corps ; la porte s'ouvrit à moitié et se bloqua. Il s'insinua tant bien que mal par l'ouverture, en pestant et en jurant, et se trouva dans une cohue d'ouvriers, de soldats pris de panique qui hurlaient des ordres, tombaient les uns sur les autres parmi des décombres qui continuaient de cascader, dans une puanteur de plastique calciné. Il vit d'un côté une horde qui se disputait un aéroglisseur. Il arrosa la foule avec son fusil anervant pour se dégager un passage, enjamba des cadavres et alla tomber dans le cockpit.

Il mit en marche et envoya voltiger l'engin en spirale dans la vaste colonne intérieure, comme une feuille morte emportée par un courant ascendant, par les gorges d'accès aux quais, à l'appontement où Niburu et les autres devaient l'attendre, *devaient être fous s'ils étaient encore là, devaient y être...*

Il atterrit sur une plate-forme de chargement et vit des barricades devant lui. Il joua des poings et des pieds dans la foule qui s'agglutina immédiatement autour de l'aéroglisseur, en se demandant où diable tous ces gens comptaient aller avec ce truc-là... Il chancela quand la citadelle fut secouée tout autour de lui, courut vers la barricade, le cœur serré. Des gardes bloquant l'accès braquèrent sur lui leurs fusils. Il cessa de courir et abaissa le sien.

— Je suis Kullervo ! hurla-t-il. J'ai un laissez-passer ! Il faut que je passe ! On a besoin de moi, à l'intérieur !

Ils hésitèrent, le dévisagèrent.

— Il y a eu quelque chose, à propos de Kullervo, hasarda le chef du peloton.

— Pas pu le déchiffrer, chef, dit un soldat. Brouillé, comme tout le reste...

Le sergent fronça les sourcils et fit un geste.

— Passe...

Un autre garde poussa un cri et le sergent se jeta de côté alors que quelque chose d'énorme s'écrasait entre eux.

— Qu'est-ce qui se passe ici ? rugit-il.

Reede repartit en courant, sans trop savoir si la question lui était adressée et certain qu'il n'avait pas le temps de répondre.

Le corridor d'accès au quai Trois était plein de fumée âcre et d'hommes en armes. Reede les écarta, tenaillé par la terreur de ne rien trouver quand il arriverait au bout du couloir. Il déboucha enfin au niveau inférieur de l'appontement ; la vaste salle était encore intacte, avec ses quais qui s'élevaient et retombaient de plusieurs niveaux, de tous côtés.

Partout il y avait du mouvement, du bruit, de la fumée. Les hautes coques des cargos bouchaient la vue, il lui était impossible de démêler logiquement ce que ses yeux et ses oreilles transmettaient à son cerveau. Tous les systèmes de la citadelle devaient être empoisonnés, maintenant, par son programme viral ; il n'avait aucun moyen de se renseigner sur l'emplacement exact de la chaloupe ni de communiquer avec ses systèmes de bord, aucun moyen, même, de savoir si les autres étaient encore là.

Avisant une échelle, il se mit à grimper, dans l'espoir de pouvoir s'orienter à vue, de là-haut.

— Kullervo ! appela quelqu'un alors qu'il se hissait sur la plate-forme.

Il se retourna. Sparks Marchalaube se frayait un

chemin vers lui dans la foule affolée qui les séparait, et gesticulait frénétiquement.

– Par ici !

Il cria qu'il avait compris et accrocha son regard au phare des cheveux flamboyants de Marchalaube courant à droite et à gauche pour éviter soldats et ouvriers.

– Kullervo ! hurla quelqu'un d'autre derrière lui.

Une main s'abattit sur son bras, le forçant à s'arrêter. Il se retourna et se trouva nez à nez avec le sergent de la barricade, les yeux noirs de fureur. Une crosse de fusil s'écrasa contre sa tempe et le fit tomber à genoux.

– Le Maître veut que tu reviennes, misérable ordure !

Le garde saisit le devant de la chemise de Reede et le fit brutalement lever.

– Il paraît que c'est toi qui as fait ça ! rugit le soldat. Je devrais te tuer moi-même...

Reede chancela, une main plaquée sur sa joue douloureuse, et fut subitement projeté contre la paroi métallique alors que quelqu'un surgissait entre eux.

Marchalaube ! Sparks se jeta sur le garde, le déséquilibra et le fit basculer à la renverse dans la cage de l'échelle ; poussant un cri étranglé, il disparut à leur vue.

– Ça va ?

Marchalaube était là, il soutenait Reede d'un bras autour de sa taille.

– Oui, ça va, souffla-t-il en essuyant le sang d'un de ses yeux.

– Alors, viens !

Marchalaube l'entraîna le long de la plate-forme bruyante dans une espèce d'interminable carambolage humain. Reede crut entendre des cris derrière eux, quelqu'un qui glapissait son nom.

– C'est encore... loin ? haleta-t-il quand ils s'élancèrent sur la passerelle entre deux énormes coques.

– Par ici, répondit Marchalaube, essoufflé. Autre côté, droit devant. Tu la vois... ? Là-bas !

Reede s'essuya encore les yeux.

– Est-ce qu'ils sont tous... ?

Quelque chose, quelqu'un, un poing géant secoua la passerelle, la tira de sous ses pieds. Il s'étala et Marchalaube lui tomba dessus. Des jets de flammes explosèrent à travers la paroi de l'appontement, tout en haut. Levant les yeux, il vit d'énormes blocs de métal tordus plonger du ciel vers eux, inexorablement, comme de redoutables feuilles mortes.

– Tiens bon...

Il ferma les yeux, enfonça ses doigts tremblants dans le grillage sur lequel il était couché.

Une plaque métallique plus grande que leurs deux corps s'abattit sur la passerelle à moins d'un mètre de ses pieds, en coupant l'alliage comme si c'était du carton ; la plate-forme tout entière vibra et tressauta et d'autres blocs de métal tombèrent en hurlant autour de lui et sur Marchalaube qui poussa un cri aigu, un bref cri de douleur.

Reede jura, secoua la tête, se releva enfin et tenta de se dégager du poids mort du corps inerte de Marchalaube, sans tomber de la plate-forme à moitié effondrée. Il entendit de nouveau des cris, derrière lui, une voix appelant son nom. Il regarda au-delà du gouffre et distingua vaguement un rang d'hommes en armes, à peine visibles au-delà de la coque encore intacte d'un cargo, qui tentaient de se dégager de l'échafaudage cassé et de trouver un point d'où ils pourraient tirer à vue.

Reede se mit à genoux et tira sur le bras de Marchalaube, dont les cheveux roux étaient poisseux de sang, un camaïeu de rouges. Il ne pouvait examiner la blessure, voir quelle était sa gravité.

– Allez, viens ! hurla-t-il sans même s'apercevoir qu'il criait inutilement. Viens donc, nom des dieux, lève-toi, relève-toi...

Le corps de Marchalaube glissa. Reede vit les jambes pendre au-dessus du vide, sentit que tout le corps allait suivre. A deux mains, il saisit le col de la tunique du blessé, prit appui sur ses talons et tira de toutes ses forces. Mais son corps épuisé ne répondit pas. Il jura encore, en observant leurs poursuivants qui se rapprochaient...

Tout à coup, il sentit une présence derrière lui, à côté de lui ; il entrevit une peau et des cheveux de nuit.

– Hé, chef ?

– Ananke ! Attrape-le...

Ananke se glissa le long du rebord tordu de la passe-relle, comme s'il était sur la terre ferme et non sur une poutrelle à cent mètres en l'air. Ananke, avec une adresse d'acrobate, se cramponna à la superstructure branlante, souleva les membres de Marchalaube et les repoussa sur le grillage tandis que Reede tirait avec ce qui lui restait d'énergie. Quelque chose céda, le corps de Marchalaube avança brusquement et, dans un dernier effort, Reede le hissa sur la passerelle.

– Chef ! cria Ananke, en montrant du doigt le fond de l'abîme.

Reede se pencha et vit le ceinturon de Marchalaube, ce qui s'était emmêlé dans les poutrelles tordues, qui pendait maintenant d'une griffe d'alliage tordu, sous la passerelle ; la sacoche qui y restait fixée était celle qui contenait l'eau de mort.

Il se jeta à plat ventre, se pencha aussi loin qu'il le pouvait au-dessus du vide, allongea le bras, tendit dés-espérément la main. Mais la sacoche était hors de sa portée. Ananke s'accroupit à côté de lui et le retint, jus-qu'à ce qu'il recule en secouant la tête, la figure blême.

Ananke regarda en bas, leva des yeux interrogateurs vers Reede et disparut subitement. Reede ne vit plus que ses pieds ; il l'observa à travers le grillage, le vit se ba-lancer au-dessous et reparaître quelques instants plus tard sur la plate-forme, souriant de toutes ses dents, au mépris des lois de la gravitation. Il tenait quelque chose entre ses mains... le brandissait. Le ceinturon, avec la sacoche.

Reede se releva sur les genoux, muet de soulagement et de reconnaissance. Il prit le ceinturon et l'accrocha à son cou pour avoir les mains libres. Ananke vint l'aider à soulever Marchalaube.

– Il faut nous dépêcher, chef...

– Kullervo !

Ananke se redressa, se retourna, poussa un cri per-çant et s'écroula alors que le rayon aveuglant d'une arme énergétique le frappait.

Reede s'empara de lui, l'attira avec la fureur du désespoir et lui cria dans l'oreille, en essayant de lui insuffler sa volonté :

– Remue-toi ! Bouge ! Cours, rampe, va à la chaloupe, tire-toi d'ici !

Il poussa Ananke devant lui, tout en traînant le corps inerte de Marchalaube.

Ils arrivèrent à l'extrémité de la passerelle, abrités par les coques des grands transports. Il aperçut la chaloupe, comme un joueur dans leur ombre, il entendit les explosions se répercuter dans tous les docks, ponctuées de nouveaux hurlements de terreur.

Ariele attendait, la figure angoissée, et sa voix se perdait dans la cacophonie générale. Elle accourut pour aider Reede à conduire les deux hommes jusqu'à l'embarcation et à les y faire monter. Niburu occupait le siège du pilote et rayonnait de soulagement, l'air si béat qu'il en était comique.

– Va ! lui cria Reede en laissant tomber Marchalaube dans un fauteuil d'accélération.

Ariele installa Ananke dans le siège voisin, juste derrière lui, et Niburu appela :

– Ananke ! Viens un peu par ici !

Reede alla s'asseoir à la place du copilote tandis qu'Ariele se jetait dans la couche à côté de celle de son père.

– Ananke a été blessé. Il est sans connaissance.

– C'est grave ? s'écria Niburu en jetant un coup d'œil par-dessus son épaule.

– Sais pas. Et aucune importance... si tu ne nous tires pas d'ici en vitesse ! Va !

Niburu manipula ses instruments et la chaloupe fonça le long de la rampe et jaillit à découvert dans le ciel, comme un rayon de lumière.

Des faisceaux lumineux tranchaient l'air en s'entre-croisant, tout autour d'eux, qui balayaient la citadelle estropiée de toutes les directions, jusqu'en haut du ciel, en le faisant descendre millimètre par millimètre. La chaloupe frémissait à chaque impact d'énergie contre ses boucliers.

– Dieux, merde ! pesta Niburu. Je ne peux pas nous

tirer de là à moi seul ! Jamais nous n'allons pouvoir passer à travers ces feux croisés...

Il s'interrompit alors que devant eux le panorama se dégageait soudain des éclairs ; les écrans de la chaloupe montrèrent une large colonne d'air inviolable, la trajectoire s'élevant de l'atmosphère vers l'orbite du *Prajna*. Cette voie leur était ouverte et, tandis qu'ils décrivaient leur courbe dans le ciel, derrière eux la charpente éclatée de la citadelle s'immola comme une étoile transformée en nova.

Ils volaient dans un silence absolu, comme si un seul mot prononcé à haute voix allait rompre le charme et les détruire ; la courbe de leur arc devint plus aiguë, l'accélération colla Reede contre son dossier. Ils n'étaient pas poursuivis et plus aucune pulsation d'énergie ne frappait leurs boucliers ; Reede observait le ciel, c'était tout ce qu'il pouvait faire ; il regarda son bleu serein virer lentement au noir, regarda le soleil se lever, étincelant comme un diamant merveilleux dans le ciel étoilé alors qu'ils laissaient derrière eux l'atmosphère d'Ondinée. Reede essuya encore une fois son œil ensanglanté et soupira.

— Dégagés ! annonça Niburu en coupant l'accélération.

L'élan de la chaloupe fut cassé et Reede se sentit soulevé hors de son siège et planer en apesanteur, hors de portée de l'attraction de la planète. Il se rattrapa aux sangles de sécurité du siège, se rassit et les boucla autour de lui, en riant tout haut.

Une voix monta subitement du tableau de bord :

— Félicitations, survivants ! Bonne chance !

Et puis ce fut le silence.

— C'était du sandhi ! s'exclama Niburu avec stupéfaction. Qu'est-ce qui vient de se passer ?

Reede sentit un sourire las tirailler un coin de sa bouche.

— Je crois que nous venons de croiser des étrangers bien loin de leur maison.

Niburu secoua la tête et contempla le ciel vide, la surface arrondie d'Ondinée très loin au-dessous d'eux, son atmosphère ourlée par le soleil. Il murmura des ordres à l'ordinateur et ses doigts manipulèrent presque distraitement des commandes. Il fut replaqué dans son siège quand l'accélération reprit.

– Nous allons croiser l'orbite du *Prajna* dans une heure environ, annonça Niburu. Les fournitures médicales sont là, là-dessous, dit-il en les montrant du doigt.

Reede s'était déjà levé et se déplaçait avec précaution pour se réhabituer à l'apesanteur. Il tira de son alvéole la trousse de premiers secours.

Ariele était debout à côté de Marchalaube et lui épongeait le sang sur la figure, avec la large manche de sa tunique.

– Papa, murmura-t-elle. Papa...

Reede l'écarta avec douceur tandis que Niburu passait près d'eux pour aller examiner Ananke.

– Laisse-moi voir...

Il se servit de sa propre manche pour essuyer ce qui restait de sang et vit une profonde entaille sur le côté de la tête de Marchalaube. Le sang n'était rien, il suffisait d'arrêter l'hémorragie ; une plaie à la tête fait pourtant toujours craindre une fracture du crâne, ou pire ; et il n'avait aucun moyen de le savoir.

Il retroussa les paupières. Un œil avait la pupille grande ouverte ; celle de l'autre se contracta à la lumière.

– Merde... marmonna-t-il.

Ariele lui passa le coagulant et un pansement compresseur de la trousse ; Reede eut vite fait d'arrêter le saignement et de panser la plaie. Marchalaube ne bougea pas, ne poussa pas le moindre cri ; il avait la respiration peu profonde et irrégulière. Mais comme Reede achevait ses soins, il gémit et battit des paupières. Il murmura quelque chose d'une voix pâteuse, que Reede ne comprit pas. Il se pencha, quand Marchalaube les répéta, péniblement, en faisant un effort et en se raccrochant à la chemise de Reede, d'un geste spasmodique.

– ... Promets-le... Promets.

– D'accord, d'accord. Je promets, souffla Reede.

Marchalaube le lâcha, sa main retomba sur sa poitrine et il ferma les yeux.

– Est-ce qu'il va s'en tirer ? demanda anxieusement Ariele.

– Sais pas...

Il pressa un bouton sur l'accoudoir du siège moulé et un bouclier translucide commença à descendre.

– Cela va garder en suspens ses fonctions corporelles, jusqu'à ce que nous arrivions à Tiamat et qu'il puisse bénéficier d'un véritable traitement médical, expliqua-t-il vivement en voyant la figure d'Ariele se décomposer. Son état ne s'aggravera pas. C'est tout ce que nous pouvons faire.

Il la prit par les bras et l'entraîna alors que l'unité de stase se fermait hermétiquement. Puis il examina quelques écrans de contrôle.

– C'est bon, murmura-t-il. Il est aussi en sécurité qu'on peut l'être... A ton tour, maintenant. Ensuite, ce sera moi. Nous dormirons, en suspension, jusqu'à ce que Niburu nous amène à Tiamat.

Elle le regarda en pinçant ses lèvres tremblantes l'une contre l'autre.

– Un petit somme magique, souffla-t-elle. C'est ce que papa me disait quand j'étais petite fille. « Le chemin est si long, Ari, fais donc un petit somme magique et quand tu te réveilleras, nous serons à la maison... »

– Ouais, fit-il en la serrant contre lui. Nous serons chez nous.

Il la caressa, lui embrassa les cheveux et se tourna vers Niburu qui venait à l'avant chercher quelque chose dans la trousse médicale.

– Comment va-t-il ?

– Il...

Niburu s'interrompit aussitôt ; il avait une expression bizarre. Puis il se reprit :

– Il va s'en tirer. Une sale brûlure, mais superficielle. Je peux le soigner avec ce que nous avons ici.

Reede hocha la tête, soulagé, tout en s'essuyant la figure avec un morceau de bande de pansement. Puis il attacha une bande autour de son front et s'appliqua une compresse analgésique. Il avait enfin le temps de penser à leur situation. Le ceinturon et la sacoche de Marchalaube étaient toujours suspendus à son cou. Il les enleva, ouvrit la sacoche et contempla le flacon d'eau de mort ; puis il le remit en place, referma soigneusement le rabat et boucla le ceinturon autour de sa propre taille. Il alla se pencher sur Ananke mais ne vit rien que sa figure, les yeux fermés, la bouche molle, et une partie de son épaule.

Finalement, il retourna vers l'arrière et ramena Ariele à son siège. Il l'embrassa quand elle s'y installa et elle se suspendit à son cou, pour faire durer le plus longtemps possible le moment exquis, bouche contre bouche, avant de le laisser se redresser. Il actionna les commandes de l'accoudoir.

— Est-ce que je vais suffoquer ? murmura-t-elle. Est-ce que c'est comme la congélation ?

— Mais non, assura-t-il avec un sourire. C'est comme la paix.

Il surveilla l'abaissement du couvercle ; elle lui tint la main jusqu'au dernier moment. Enfin, ils se lâchèrent. L'unité se scella automatiquement. Il continua de la contempler à travers la matière translucide ; il savait qu'elle le voyait aussi, avec appréhension. Elle sourit, ses yeux se fermèrent, elle s'endormit.

Il vérifia les écrans de contrôle et alla finalement à son propre siège qui l'attendait, dans le fond, à l'arrière de la chaloupe. Il s'y allongea, sans ressentir la moindre pression douloureuse contre son corps malmené. Il avait l'impression d'être couché sur un nuage. Il tourna la tête et vit Niburu s'approcher de lui. Face à face avec son pilote, pour une fois.

— Je peux veiller au grain maintenant, chef, dit Niburu en réponse à la question muette. Le plus dur est fait.

Reede fit une grimace.

— Ne dis pas ça ! Dieux, ne dis pas ça ! s'exclama-t-il, mais en souriant, et il posa sa main sur le bras du pilote. Qu'est-ce que je ferais sans toi, Niburu ?

— Probable que vous resteriez un moment sans aller vagabonder, répliqua l'autre en riant.

— On pourra graver ça sur ma tombe ! répliqua Reede en riant aussi.

Il mit en marche le bouclier transparent, qui commença aussitôt à l'abaisser.

– Réveille-moi dès que nous serons en vue de Tiamat. J'ai besoin de parler à Gundhalinu.

Niburu acquiesça. Le bouclier gris fumé descendit entre eux comme du brouillard. Reede ressentit un instant de panique. Ses yeux s'accrochèrent à l'image diffuse du visage de Niburu pendant que l'unité se scellait. Mais déjà une fraîche vapeur au parfum vivifiant imprégnait l'air et, quand il la respira, toute crainte l'abandonna et sa vue se brouilla. Il sentit une brise rafraîchissante, du soleil, des parfums exotiques d'épices, de plaisir, de détente... et de paix... de paix...

Kedalion regarda les yeux de Reede se fermer, vit sa figure maculée de sang rajeunir alors qu'il perdait connaissance.

Il vérifia les écrans, les imprimantes, s'assura que l'unité fonctionnait normalement, et retourna vers le siège où Ananke était allongé, évanoui. Il écarta le tissu calciné de la combinaison qu'il avait ouverte pour examiner l'horrible brûlure allant de l'épaule à la hanche et le long du flanc. Il revit la chair brûlée, les cloques et fit une grimace. Il écarta plus encore le tissu noirci, sur la poitrine d'Ananke, lentement et presque à regret, comme pour se rassurer et confirmer qu'il n'avait pas imaginé ce qu'un examen rapide, en plein chaos, en plein égarement, lui avait révélé.

Il repoussa les lambeaux et contempla longuement ce qu'ils avaient caché, la charmante rondeur satinée d'un jeune sein.

Avec précaution, il rassembla les deux pans et recouvrit Ananke, pour préserver son secret, sa douloureuse vulnérabilité. Enfin, aussi calmement qu'il le pouvait, il soigna ses brûlures et les referma en y vaporisant un pansement-peau synthétique. Pour terminer, il colla le long de son dos une suite de patchs anesthésiques, pour atténuer la douleur quand elle se réveillerait.

Il alla reprendre enfin sa place aux commandes, grimpa dans le siège et s'y allongea. Comme il contemplait les étoiles, la réaction se produisit, sous forme d'une immense fatigue tant mentale que physique. Ses yeux se fermèrent contre sa volonté. Il était incapable de se rappeler depuis quand il ne s'était pas senti tellement en sécurité, tellement sûr de lui qu'il pouvait se permettre de dormir longtemps. D'ailleurs, il n'avait plus la force de lutter contre le sommeil. La chaloupe était synchronisée sur ses orbites, sur pilote automatique ; le système le réveillerait quand ils rattraperaient le *Prajna*. Il pouvait dormir, maintenant, enfin, au moins pour quelques heures...

– Kedalion... ?

Il ouvrit les yeux, encore groggy et ne sachant pas très bien où il était ni qui l'appelait.

– Quoi ? Qu'est-ce...

– Pardon de vous réveiller, dit Ananke en s'installant dans le siège du copilote à côté de lui, avec de grandes précautions et en serrant les dents. Pardon.

– Ce n'est rien...

Kedalion se redressa, se secoua et se réveilla tout à fait. Il jeta un coup d'œil à ses écrans, à la nuit, vit que tout allait bien, et observa Ananke ; c'étaient le même visage, les mêmes yeux, le même corps qu'il voyait tous les jours depuis des années ; il chercha malgré lui une différence mais n'en trouva pas.

– Alors, comment ça va ? Comment te sens-tu ? Tu as besoin de quelque chose ?

– Ça va... Est-ce... C'est toi qui as pansé ma blessure ?

– Ouais. Ça doit te faire horriblement mal pour le moment, mais ne t'en fais pas, ça guérira très bien.

Elle hocha la tête, se détourna, se mordilla la lèvre.

– Oui, j'ai mal, un peu, malgré les analgésiques. Merci, Kedalion, de...

– Mais non, c'était bien naturel.

Elle le regarda et il comprit qu'elle essayait de deviner ce qu'il avait vu mais elle n'osait pas le lui demander...

– Ouais, fit-il en mettant fin au suspense. Je sais. J'ai vu... je ne pouvais pas ne pas voir. Pourquoi diable est-ce que tu ne m'as jamais dit que tu étais une femme ?

Des dizaines de petites anomalies observées au fil des

ans lui revenaient à la mémoire, qui l'avaient intrigué mais qui prenaient maintenant un sens, la timidité maladive, les regards à la dérobée chaque fois qu'il parlait des choses du sexe...

— Pourquoi ?

— Parce que tu es un homme, dit-elle comme si cela expliquait tout. Et tu ne m'aurais jamais engagée si tu avais su. N'est-ce pas ?

— Ma foi... Je ne sais pas, avoua-t-il.

— Et Reede ne m'aurait jamais laissée rester.

— Peut-être pas... à ce moment. Maintenant... bof !

Elle sursauta et le regarda fixement.

— Est-ce qu'il sait... ?

— Non, non. Personne ne le sait, sauf moi. Et toi.

Elle retomba sur son siège, tremblant encore de l'effort qu'elle avait fait pour se redresser.

— Saint Calavre... marmonna-t-elle, ses mains se crispant et se détendant sur l'étoffe brûlée de sa combinaison. Pourquoi a-t-il fallu que ça m'arrive ?

— Mais pourquoi as-tu fait cela, d'abord ? Est-ce que ça t'était si odieux que ça, d'être une femme à Ondinée ?

Elle rouvrit les yeux ; ils étaient assombris par le souvenir.

— Oui, murmura-t-elle en les abaissant sur son propre corps, et elle se confia d'une voix morne, retrouvant l'accent d'Ondinée qu'il ne lui avait pas entendu depuis des années. Là-bas, les hommes sont tout, les femmes ne sont rien, rien que des animaux sur la place du marché, achetées et échangées. Certaines, les plus riches, ont la chance d'être comme de petits animaux de compagnie, gâtées et pomponnées, couvertes de bijoux et de soie, et on leur apprend à lire, comme ça elles ont l'illusion d'être humaines...

Elle redressa la tête.

— Nous n'étions pas riches. Mon père était un journalier, ma mère avait été danseuse, elle m'a un peu appris à danser... Mais mon père voulait de l'argent, il voulait me vendre aux prêtres pour que je sois utilisée dans les rites du temple. Mon frère... mon frère essayait tout le temps de me surprendre seule dans un coin, de me toucher, de m'obliger à le toucher... il me disait tout ce qui se passait dans les rites, que tous les hommes auraient le droit de venir me prendre comme ils voulaient... et ce que faisaient les prêtres, comment ils vous mutilaient, pour que vous ne puissiez même pas avoir du plaisir parce que les femmes n'y avaient pas droit...

Sa voix s'éleva et se brisa, des larmes ruisselèrent sur sa figure et ses joues mouillées reflétèrent les lumières du tableau de commande dans un chatoiement de couleurs étranges.

Elle ne regardait pas Kedalion, elle ne voyait pas la nuit, elle était aveuglée par les larmes de rage et de dépit d'avoir été trahie.

— Et il riait, il se moquait de ma peur. Il m'a jetée par terre et il a essayé... il a voulu me violer. Mais je lui ai pris son couteau et je l'ai frappé. Je lui ai volé ses habits et je me suis enfuie. Après ça, je me suis toujours fait passer pour un garçon... pour vivre, pour travailler, pour tâcher d'être humaine... Je me disais qu'un jour, quelque part, je trouverais un homme qui me donnerait envie de redevenir une femme, mais j'ai constamment peur...

Elle essuya rageusement sa figure sur sa manche et un petit sanglot, ou une exclamation de douleur, lui échappa. Kedalion ferma les yeux. Quand il les rouvrit, il la contempla et lui offrit une main consolante, hésitante.

— Non, dit-elle en secouant la tête. Non, ne me touche pas. Je t'en prie, Kedalion...

Il laissa retomber sa main et resta un moment silencieux en la contemplant.

— Quand j'étais petit garçon, à Samathe, nous allions planer en haut des falaises, avec des ailes volantes, comme de grands cerfs-volants. On pouvait voler pendant des heures, si on était habile, porté comme un oiseau par les courants ascendants. Les échassiers – les grands – des autres villages venaient s'y essayer mais c'était nous les meilleurs, parce que nous étions petits. Ils étaient furieux. Ils couraient plus vite que nous, ils sautaient plus loin, ils nous menaient la vie dure au sol, ça ne faisait rien, ils étaient furieux de nous voir dans les airs... Un jour, alors que je planais, un échassier s'est mis à me tirer dessus avec un pistolet à pastilles. Ce salaud-là a percé des trous dans mon aile, elle s'est déchirée et je suis tombé. J'avais une peur bleue, j'étais sûr que j'allais mourir mais j'ai eu de la chance, j'ai simplement fait un atterrissage pénible, je n'ai eu que quelques contusions, des égratignures et deux doigts cassés... Mes copains ont vu ça et ils s'en sont pris à l'échassier et ils l'ont bien eu. Ils lui ont mis mon aile et ils l'ont poussé dans le vide. Il a dégringolé de la falaise et s'est rompu la moitié des os. Ils l'ont laissé là, comme ça. J'ai appelé le service de secours... Après ça, j'ai juré que je me tirerais de là, à n'importe quel prix... Tu sais, une des choses qu'on découvre lorsqu'on quitte un pays, c'est combien de problèmes dépendent de l'endroit où on est et lesquels de ce qu'on est soi-même...

Il soupira et se tourna enfin vers Ananke.

— Pourquoi as-tu appelé le service de secours ? demanda-t-elle.

— Parce que j'ai vu la tête de mes copains quand ils l'ont poussé dans le vide. Et j'ai eu peur d'avoir la même expression sur ma figure.

Elle le considéra longuement, sans rien dire. Puis elle baissa les yeux sur son propre corps.

Il rompit finalement le silence :

— Ça n'a pas d'importance. Tu fais ton boulot. Tu l'as toujours bien fait, sans te plaindre. Tu peux continuer, comme tu l'as toujours fait, si tu veux. Ce que tu fais de ta vie privée, c'est ton affaire, ça ne me regarde pas.

Elle releva lentement la tête.

— Et Reede ?

— Si tu fais bien ton boulot, ça ne le regarde pas non plus.

Elle continua de le dévisager, les yeux voilés, les traits crispés.

— Ecoute, après si longtemps, je crois te connaître, dit-il. Je crois que je peux avoir confiance en toi. Est-ce que tu comprends ce que je veux dire ? Est-ce que tu te sens capable d'avoir confiance aussi en moi, assez pour continuer de travailler avec moi maintenant que je connais la vérité ?

Elle sourit d'une manière incertaine, aussi hésitante

que l'avait été l'offre de la main consolante de Kedalion.
Enfin, avec des efforts, lentement, douloureusement, elle
lui offrit à son tour sa propre main.

MÉGABLEUE : Syllagong, Camp n° 7

– C'est là !

Gundhalinu colla sa figure contre la meurtrière, dans
la paroi vibrante du véhicule, quand la voix du garde lui
parvint d'assez loin à l'avant de l'engin. Il ne vit rien de
nouveau, rien qu'il n'avait déjà vu durant le vol, en regardant impatiemment dehors toutes les trois minutes :
un ciel terne et violacé comme une ecchymose, remplissant son champ de vision. La couleur ne changeait jamais, devenait simplement plus claire ou plus foncée,
parce que le monde qu'on appelait Mégableue était ver-
rouillé, dépendant des marées, et les colonies péniten-
tiaires, surnommées les Camps de Scories, n'existaient
que dans la zone crépusculaire marginalement habitable, sur le périmètre de la face nocturne.

Une existence crépusculaire. Il contempla encore une
fois le triste paysage désolé au-dessous de lui. Comme le
ciel, cette terre ne changeait apparemment jamais.
Quelqu'un se pressa contre lui, en essayant de regarder
dehors, le repoussa dans son siège.

Les Camps de Scories. Dieux... Pendant un moment
l'écrasant sentiment d'être victime d'une trahison, qui
ne cessait de le tourmenter depuis qu'il avait appris
qu'il n'allait même pas avoir droit à un procès, le priva
de toute faculté de penser. Il voyait dans tout cela la
main du Survey, la main du Juste Milieu, celle qu'il
avait mordue en sa qualité de prévôt de Tiamat. Ils
avaient fait en sorte qu'il soit enterré vivant, qu'il n'ait
même pas le droit de purger sa peine dans un établisse-
ment humanitaire de sécurité minimale, comme il s'y
attendait, où il aurait eu l'occasion de poursuivre sa
lutte POUR CHANGER SA SITUATION. Au lieu de cela, on
l'enlevait sans attendre d'explications, on l'emmenait à

l'autre bout de la galaxie, on le condamnait aux Camps. Il ne savait même pas si ses proches en avaient été avertis ; il en doutait.

Il avait beaucoup entendu parler de ces camps, lorsqu'il était dans la police ; c'était là qu'on expédiait la lie de la race humaine, ceux que la justice hégémonique jugeait irrécupérables et incorrigibles. *Et combien d'autres prisonniers politiques avaient été mis dans le même sac, au cours des siècles ?* Il n'en avait aucune idée ; tout ce qu'il savait c'est qu'aucun n'avait vécu très longtemps, une fois incarcéré là. Il était reconnaissant d'avoir été officier de police, entraîné au combat à mains nues... tant que personne ne saurait où il avait suivi cet entraînement. Il avait entendu bien des histoires, sur ce qu'on y faisait aux flics !

Il poussa un profond soupir quand l'homme assis à côté de lui s'écarta en laissant échapper un vague grognement de dégoût. En tournant la tête, il vit le lourd collier autour du cou épais de son voisin et leva machinalement la main vers son propre cou. On appelait ça un *block*. C'était conçu pour empêcher l'usage de toute arme d'assaut. Si jamais il tentait de tirer avec un fusil ou un pistolet à rayons alors qu'il portait un de ces colliers, le block exploserait et sa tête avec. On lui avait pris son trèfle et on lui avait collé ça à la place. Ses doigts s'y accrochèrent comme ceux d'un homme en suspens en haut d'un précipice tandis que le véhicule amorçait sa descente vers le terrain d'atterrissage.

Il endossa le paquetage contenant son matériel de survie – qui était soudain devenu la somme de tous ses biens – quand le garde leur ordonna de sortir. Son bagage n'était pas bien lourd. Il portait comme les autres prisonniers une combinaison grise en étoffe épaisse et raide comme une peau de bête et une parka à capuchon. Il descendit avec les autres quand la rampe se déploya, sans attendre d'y être poussé et en essayant de ne pas se faire remarquer. Le vent était glacial et sentait le soufre. Des cendres volèrent dans ses yeux.

Les gardes formèrent un cordon autour du vaisseau, qui était déjà lourdement armé, pour éviter toute approche clandestine. Gundhalinu distingua de vagues silhouettes, juste au-delà du périmètre autorisé, massées par petits groupes peureux, guettant un signal. Derrière eux, comme l'arrière-plan d'une peinture surréaliste, il aperçut la gigantesque courbe de l'immense planète dont ce monde-ci était le satellite, le géant gazeux qu'était la véritable Mégableue. Sa présence dans le ciel colorait le mauve fumée d'une large touche d'indigo. Sous ses pieds, le sol vibrait, légèrement mais de façon perceptible.

– Quelqu'un repart ? cria un des gardes d'une voix singulièrement monotone, sans inflexion, comme si la désolation ambiante l'avalait.

Un bruissement de pieds traînants, un chuchotement agitèrent le groupe silencieux au-delà du cordon de gardiens, et un homme seul s'avança en boitant, comme s'il épuisait ses dernières forces. Il avait la figure hâve mais ses yeux brillaient comme ceux d'un homme qui vient d'avoir une vision de son dieu.

Les autres détenus le laissèrent passer, le cordon s'ouvrit comme s'il était un saint homme. Un rai vert s'alluma sur son collier quand il s'approcha du vaisseau.

– Il a fait son temps, marmonna le prisonnier à côté de Gundhalinu.

– Sacré veinard...

Gundhalinu toucha encore une fois son collier et soupira.

Les gardiens ordonnèrent aux nouveaux venus de commencer à décharger tout ce qui avait été entassé avec eux dans les entrailles du véhicule. Les caisses et les sacs étaient tous marqués, aux matricules des équipes de corvée. Gundhalinu travailla avec les autres, en silence, en se maudissant à chaque nouvelle douleur musculaire de ne pas s'être maintenu en meilleure forme.

Lorsque ses yeux s'accoutumèrent à la pénombre, il commença à distinguer plus de détails du paysage. Au début, il n'avait vu qu'une plaine sans aucune vie, rien qu'une ondulation infinie de ces scories grises crissant sous ses lourdes bottes chimiquement scellées à ses pieds. Ses yeux cherchaient maintenant autre chose, quelque chose de plus, et finirent par remarquer que ce désert de cendres était criblé de trous, de petits cratères à l'ouverture badigeonnée d'une substance noire comme du goudron.

Près du vaisseau, il y avait un monticule de pierres plates, sans doute une balise du terrain d'atterrissage. Il ne vit aucun bâtiment, pas la moindre structure, d'aucune sorte, mais tous les quatre cents mètres environ, à perte de vue, il y avait des poteaux – de bois ou de métal, c'était difficile à dire – hauts comme de grands arbres, couchés et tous dans la même direction, est-ouest.

Le déchargement terminé, le cordon de gardiens se rapprocha en passant devant les douze hommes qui restaient là comme des bagages abandonnés parmi les marchandises. Le dernier garde s'arrêta et regarda Gundhalinu.

– Bonne chance, commandant, dit-il. Vous allez en avoir besoin.

Gundhalinu se figea, dévisagea l'homme, essaya de voir sa figure, chercha s'il le connaissait, si ç'était un homme qui aurait servi autrefois sous son commandement. Mais c'était un inconnu. *Un étranger loin du pays.*

Le garde rit et retourna vers le vaisseau. Le sabord l'avala et se referma. Il s'éleva dans le crépuscule violet, dans un bruit lourd et amplifié de battements de cœur, et ne tarda pas à disparaître.

Gundhalinu laissa tomber le sac qu'il tenait encore et sentit percer sur lui les regards du petit groupe qui l'entourait. Il ne dit rien, il ne fit pas attention à ceux-là, mais se tourna vers les autres, au-delà du périmètre, qui avaient attendu le départ du transport aussi patiemment qu'une bande de carnivores affamés.

Les équipes de corvée arrivèrent, chacune en unité cohérente, la solidarité de leurs membres étant une manifestation de force, un acte de défi destiné à tenir en respect les autres pendant qu'elles venaient chercher leur lot de fournitures.

Autour de Gundhalinu, les prisonniers se rapprochèrent les uns des autres, instinctivement, quand les équipes arrivèrent et commencèrent à trier les caisses. Chacune emporta ce qui lui revenait, jusqu'à ce qu'il ne reste rien sur le sol autour des nouveaux arrivants. Un homme se détacha alors de chaque groupe pour venir les examiner et Gundhalinu se dit que ce devait être les chefs de peloton venant choisir leurs nouvelles recrues.

Il retint sa respiration ; la tension lui causait une douleur physique au creux de l'estomac, alors qu'il s'attendait à être dénoncé. Mais personne ne dit rien, les autres étant tous préoccupés par leur propre sort. Il comprit ce que ce serait d'être livré à soi-même dans ce désert. Faire partie d'une équipe de travail, c'était au moins une chance de survivre.

Les chefs qui venaient faire leur choix étaient vêtus de guenilles et avaient la figure amère. Il y avait des visages pâles et des peaux foncées, avec toutes les teintes intermédiaires. Il supporta comme les autres d'être inspecté comme un animal ou un esclave. Les trois ou quatre hommes les plus grands, les plus forts d'apparence, partirent les premiers ; il commença à sentir le désespoir des autres, qui craignaient de rester.

— Montre-moi tes mains.

Les mots étaient en trade, ce sabir qui était probablement le seul langage que tous ces hommes avaient en commun.

Il leva les yeux vers le regard dur, sans émotion, et tendit ses mains ; les gros doigts calleux touchèrent la paume lisse. L'homme grogna et secoua la tête

— Bureaucrate.

— Je sais arranger, réparer les choses, dit Gundhalinu en trade. Je suis bon bricoleur.

— Y a rien à bricoler, grommela l'homme. Et tu n'es pas assez beau.

Un autre le remplaça.

— Tu dis que tu sais réparer les choses ?

Gundhalinu hocha la tête. Il examina le nouveau venu tandis qu'il était lui-même inspecté. Le chef d'équipe était à peu près de la même taille que lui, maigre et osseux, minable. Il avait le teint sombre sous une couche de crasse et des yeux gris profondément enfoncés. Gundhalinu était incapable de deviner son monde natal mais il y avait de l'intelligence dans l'expression de cet homme qui l'examinait et réservait encore son jugement.

— Kharemoughi ? demanda-t-il.

Gundhalinu hocha la tête.

— Tech ?

Gundhalinu acquiesça encore, en hésitant, sentant que celui-là le saurait si on lui mentait.

— Quel était ton crime ?

— Trahison.

L'homme fit une grimace, une moue.

— Je crois que tu es trop intelligent, marmonna-t-il — et il se tourna vers un autre prisonnier.

Gundhalinu passa brusquement à l'action. Il eut recours à une technique de la police pour le déséquilibrer. Pris par surprise, l'autre tomba sur le dos. Gundhalinu le regarda de haut en bas.

Je sais aussi me défendre.

L'homme se releva. Sa figure exprimait à la fois de la vexation et une certaine admiration amusée.

— D'accord, marmonna-t-il. Moi, je suis Pirate. Viens, Traître.

Et il tourna les talons.

— Mais c'est un flic !

Pirate pivota et toisa le dernier prisonnier qui restait, à côté de Gundhalinu. Ses yeux avaient un éclat d'acier.

— C'est vrai, ça, Traître ? murmura Pirate. Dis-moi, c'est vrai ?

— Le garde l'a appelé commandant, « bonne chance, commandant », il lui a dit comme ça, « vous allez en avoir besoin ».

— Sans blague ?

Le premier chef d'équipe qui avait écarté Gundhalinu revint vers eux. Du coin de l'œil, Gundhalinu vit des têtes se tourner, des corps se mettre en mouvement, converger sur lui comme s'il lui était soudain venu un champ magnétique. Le colosse le repoussa, lui décocha un coup de poing en pleine poitrine qui le fit reculer en chancelant, dans les bras des autres hommes derrière lui. Il se dégagea à coups de coude et de pied alors qu'ils cherchaient à lui mettre les mains dessus.

Il se retrouva tout à coup au centre d'un minuscule espace découvert, entouré d'un mur de détenus.

— Je suis un devin ! glapit-il — et il sentit sa voix se casser. Ne me touchez pas !

Il porta une main à sa gorge, pour montrer le tatouage qui servait d'avertissement, qui signifiait *biopéril* pour quiconque le voyait. Ses doigts effleurèrent le métal froid de son block et il se souvint que le collier cachait complètement cette marque.

— Où est ta preuve ? cria quelqu'un.

— Il a pas de preuve ! Il ment !

— Approche-toi et tu l'auras, ta preuve ! hurla Gundhalinu.

— Tu veux me mordre, sale flic ? dit un autre en riant. Viens donc me la mordre, espèce de Kharemoughi suceur de bites !

— Et d'abord, moi, j'ai jamais cru à cette connerie de mort à qui touche un devin, alors...

Gundhalinu écouta les huées, les menaces, les jurons dans une demi-douzaine de langues, l'horrible rumeur d'une meute sanguinaire qui tue pour s'amuser, pour se défouler, se distraire. Il se retourna, lentement, bien en équilibre sur la pointe des pieds alors que le piège humain se refermait sur lui.

Ils se jetèrent d'abord sur lui seuls ou à deux et il les repoussa sans peine, les renvoya dans la meute, les étala sur le sol de scories. Au début, son cerveau enregistra à peine les coups que recevait son corps ; il y avait très longtemps qu'il n'avait pas combattu, même à l'entraînement, mais la poussée d'adrénaline de la terreur aiguisait ses réflexes et amortissait la douleur.

Mais ils commencèrent à se jeter sur lui à trois, à quatre, ils lui plaquèrent les bras contre les côtes, lui firent des crocs-en-jambe et, quand il fut à terre, lui tombèrent dessus par paquets. Des mains lui serrèrent le cou, enfoncèrent le collier de métal dans sa gorge pour l'étrangler, l'étouffer. Il tourna la tête, ouvrit la bouche et enfonça ses dents dans le poignet de l'homme. L'étrangleur poussa un hurlement ; la pression se relâcha sur sa gorge mais tout à coup elle revint, encore plus forte, et il vit tournoyer l'univers étoilé.

Et puis de nouveau, soudainement, la strangulation cessa, le poids fut soulevé de sa poitrine. Il redressa la tête et vit le détenu qui cherchait à l'étrangler gisant par terre à côté de lui, les yeux révulsés, en s'agitant comme s'il avait une attaque, une crise d'épilepsie. Les yeux blancs se fermèrent enfin et le corps agité ne bougea plus.

Gundhalinu se releva, se haussa sur les coudes, le souffle court, l'air brûlant comme de l'acide dans sa gorge malmenée. Autour de lui, les cris et les rires n'étaient plus qu'un murmure de stupeur, de questions, d'interrogations furieuses.

– *Qu'est-ce qui s'est passé ?*

– *Qu'est-ce qu'il lui a fait ?*

– Je suis un devin ! Je vous avais prévenus !

Il cracha ces mots, avec le goût du sang de l'inconnu, et pendant un long moment ce fut – presque – le silence. Il se releva péniblement, en vacillant. Pirate, un peu à l'écart des autres, secouait la tête.

Il s'approcha enfin de Gundhalinu en articulant silencieusement : *Trop de tracas.*

Subitement, la terre trembla. Gundhalinu perdit l'équilibre et retomba. Aussitôt le cercle se referma sur lui, un mur, une seule créature à douze têtes, cent bras et jambes, mille mains, genoux, pieds et poings. Ils lui fourrèrent une poignée de scories dans la bouche, ils le bâillonnèrent avec un chiffon sale, ils lui lièrent les poignets et les chevilles ; il fut remis debout, passé à tabac, repassé de main en main, enterré vif sous une masse humaine mouvante, jusqu'à ce qu'il retombe sur le rebord noirci d'un de ces cratères qu'il avait remarqués en arrivant. Il eut à peine le temps de comprendre ce qu'il voyait quand il y fut plongé la tête la première. Une espèce de vase noire, puante, lui recouvrit la tête, pénétra dans ses yeux, ses narines, ses oreilles. Il retint sa respiration en priant tous les dieux de ses ancêtres et des Huit Mondes tout en se sentant glisser de plus en plus profondément. Les autres ne faisaient rien pour le hisser, ils allaient le laisser mourir là...

– ... allez, debout... allez, allez... fumier ! Ingrat ! Debout... reviens... reviens...

Gundhalinu fut parcouru d'un long frémissement et il eut vaguement conscience de vivre encore, plus ou moins, dans cette carcasse sanglante aux chairs tuméfiées qui avait été son corps. Il n'y voyait rien, tout était encore aussi noir que le trou puant où la meute l'avait laissé se noyer et pourtant il entendait une voix, on lui parlait, une voix vaguement familière, une espèce de litanie insultante. La voix ne se taisait pas, elle persévérait comme si le chanteur croyait avoir le pouvoir de faire revenir les âmes. Gundhalinu gémit et s'aperçut, du même coup, qu'il le pouvait, qu'il n'était plus bâillonné ni... (il porta à sa figure ses mains tremblantes) ... ni ligoté.

– Hé...

Des mains tâtonnèrent, le forcèrent à rabaisser les bras à ses côtés ; il se débattit machinalement, résista, tenta de frapper mais il n'avait plus de force.

– Ça va, tu vas bien, reprit la voix. Bouge pas. T'en fais pas, tu ne risques plus rien, personne ne va te faire de mal...

Gundhalinu se laissa aller, inerte, quand les mains le lâchèrent. Il les sentit tâter ses bras, déclenchant une nouvelle douleur à chaque contact, puis ses jambes ; il était maintenant au-delà de la souffrance, il se moquait de ce que signifiait ce tâtonnement, si cela voulait être une torture, une caresse ou une auscultation primitive ; tout ce qui l'inquiétait, c'était ce noir, ces ténèbres opaques.

– Mes yeux, chuchota-t-il quand il fut capable de parler.

Les mains se portèrent brusquement à sa tête, la soulevèrent légèrement ; des doigts lui frôlèrent les joues, le front ; comme des ailes d'oiseau. Et tout à coup il y eut de la lumière, faible et grise, puis plus vive, orangée, blanche, aveuglante. Il poussa un cri et releva ses mains à ses yeux ; personne ne le retint. Il se couvrit les yeux pour ne laisser filtrer la lumière entre ses doigts que très lentement, millimètre par millimètre. Malgré tout, la douleur augmentait en même temps que la lumière. Il se força à ouvrir les yeux, pour affronter malgré ses larmes la personne qui le soutenait.

Il vit la figure de Pirate, penchée sur lui. En reconnaissant les traits, il se rendit compte qu'il avait aussi reconnu la voix, vaguement, dans son état semi-conscient. Il s'essuya les yeux mais les larmes continuèrent de couler.

– Laisse-les, conseilla Pirate. Ça nettoiera la merde que tu as dans les yeux. Ils guériront en deux ou trois jours, s'il n'y a pas d'infection.

Gundhalinu laissa retomber ses mains. Il tourna la tête, le seul mouvement volontaire que lui permettait sa grande faiblesse ; puis il la courba pour regarder son propre corps allongé sur une paillasse, tout nu, à moitié recouvert par une couverture grossière, encore tout maculé de goudron et plein de contusions et de plaies. Il avait mal partout et il était presque heureux d'avoir la vue brouillée, pour ne pas voir tout ce qu'on lui avait fait subir.

– T'as une foutue veine, déclara Pirate, et Gundhalinu répondit par un petit grognement sceptique. T'as une gueule épouvantable mais t'as rien de cassé, rien qui ne guérira pas. Ils y sont allés mollo avec toi, compte tenu de ce que t'es. Faut croire que le virus du sang leur a flanqué la trouille, après tout... ce qui ne les aurait pas empêchés de te tuer, probable...

– Tu m'as sauvé ? demanda Gundhalinu, mais chaque mot exigeait de lui plus d'efforts qu'une phrase entière.

– Pas moi, Traître, répliqua Pirate avec un sourire sarcastique. Je te l'ai dit, t'étais trop de tracas. Non, c'est lui.

Il fit un mouvement de la tête, désignant quelqu'un par-dessus son épaule. Gundhalinu cligna des yeux, se força à regarder, à voir au-delà de la figure de Pirate, et il vit se matérialiser une autre forme humaine, dans l'obscurité. Il comprit qu'ils se trouvaient dans une sorte d'abri dont les parois reflétaient l'éclat incandescent d'un petit radiateur irradiant, dans le coin opposé. Le second homme s'avança, énorme, massif, remplissant tout le champ de vision du blessé.

– C'est Tueur de flics. C'est lui qui t'a sauvé.

Gundhalinu examina l'homme. Son énorme figure barbue était souriante, révélant des dents jaunes. Il avait de petits yeux noirs comme du jais presque perdus entre la barbe noire et des mèches de cheveux crasseux. Gundhalinu leur chercha en vain une expression.

– Pourquoi ? souffla-t-il.

Un marmonnement guttural monta des lèvres cachées par la barbe.

Gundhalinu secoua la tête, ferma les yeux, incapable de comprendre un mot de ce baragouin ; il ne savait même pas quelle était cette langue.

– Parce que tu es un devin, expliqua Pirate.

Une vague de reconnaissance déferla sur Gundhalinu, avivée par le souvenir horrible de la haine des autres.

– Dis-lui que...

– Il te comprend. Lui, il a du mal à se faire comprendre parce qu'il ne lui reste que la moitié de la langue. Ça ne veut pas dire qu'il est stupide. Ne va pas commettre cette erreur.

Gundhalinu rouvrit les yeux et les regarda tous les deux.

– J'ai appris... il y a longtemps... à ne pas la commettre, dit-il avec un faible sourire.

Tueur de flics rit, désagréablement, et marmonna quelque chose.

– Ça te rend insolite... pour un Tech. Et pour un flic. Je t'aurais cru plus d'aveuglement... Enfin bref, il ne veut pas de ta reconnaissance, il veut que tu répondes à une question.

Gundhalinu croisa de nouveau le regard indéchiffrable de Tueur de flics, sans rien y lire. Une main gigantesque lui saisit le maxillaire comme un étau, et il poussa malgré lui un cri de douleur. Tueur de flics lui maintint la tête immobile tout en lui débitant quelques phrases inintelligibles.

– Il veut avoir des nouvelles de sa famille, traduisit Pirate. Il a laissé deux femmes et onze gosses à Rishon City, sur la face diurne, quand on l'a envoyé ici. Il veut savoir ce qui est arrivé à sa famille et il veut le savoir tout de suite.

Gundhalinu referma les yeux, en se demandant où il allait trouver la force d'émettre un Transfert, et sachant qu'il le devait. Si seulement il pouvait commencer, l'inexorable énergie d'un réseau divinatoire prendrait la relève et le soutiendrait.

– Donne-moi des noms. *Input !* chuchota-t-il en forçant son esprit à se concentrer sur la réponse.

Il entama la chute vertigineuse quand il perdit connaissance et tomba avec gratitude dans les ténèbres qui l'attendaient.

– *Pas d'autre analyse.*

Il entendit se répercuter dans sa tête les mots terminant le Transfert, en comprenant qu'il les avait prononcés lui-même, quand il revint dans son propre corps perclus de douleurs, dans sa propre existence inévitable... Il n'avait absolument aucun souvenir de l'endroit où le Transfert l'avait envoyé. Il se demanda s'il avait réellement perdu connaissance et aussi, avec une subite inquiétude, s'il avait réussi ou non à obtenir une réponse.

Il tourna la tête vers les deux hommes, les regarda de ses yeux larmoyants.

En marmonnant, Tueur de flics lui prit la main et la porta à son front, avec une douceur inattendue. Puis il la laissa retomber et se releva. Voûté à cause de la faible hauteur de plafond de l'abri, il écarta le rideau déchiré servant de porte et disparut dans le crépuscule.

Gundhalinu interrogea Pirate du regard en se demandant soudain si on ne lui permettait de vivre que le temps de répondre à la question.

– Ils vont bien, Traître.

Pirate tâtonna derrière lui et ramena un bol plein d'un liquide foncé. Il en but une gorgée, en signe de bonne foi, avant de l'offrir. Gundhalinu se redressa et s'adossa contre la paroi de planches et prit le bol entre ses deux mains. Pirate l'aida à le porter à sa bouche. Le breuvage avait un goût amer et indéfinissable d'épices et brûlait comme de l'alcool. Il but avec précaution, non sans méfiance, et sentit de la chaleur se répandre dans tout son corps.

– Tu dois bien appartenir à l'Equipe 6, maintenant. Tueur de flics va faire passer la consigne, dire ce que tu as fait pour lui. Tout le monde le respecte. Et puis tu t'es rudement bien défendu. Ils s'en souviendront. Quand on montre sa force, ils vous traitent loyalement. Tu en as pris pour combien de temps ?

— La vie... souffla Gundhalinu. Ça ne devrait guère faire plus d'une semaine...

— Nous surveillerons tes arrières, promit Pirate. Ça fait partie du jeu. Nous sommes nombreux, ici, à avoir des questions urgentes à poser, sur une chose ou une autre. Si tu ne fais pas trop le difficile, sur ce qu'on te demande, ça se saura vite. Ils finiront par oublier que tu étais autre chose qu'un devin.

Gundhalinu écoutait, en buvant le breuvage inconnu, ce qui lui évitait de parler ; mais finalement il demanda, en haussant le bol au contenu fort et épicé, dont il ressentait déjà les effets :

— Où est-ce qu'on trouve ça ?

— A la base du périmètre...

Pirate s'en versa lui-même une coupe, avec des précautions infinies, et but une gorgée.

— Quand nous avons une bonne moisson, nous la trimbalons à la base et nous l'échangeons contre un peu de luxe, expliqua-t-il en riant et en désignant d'un geste large l'abri fait de débris de caisses d'emballage.

— La moisson ? fit Gundhalinu en se demandant ce qui pourrait bien pousser dans la désolation qu'il avait entrevue.

— Tu te rappelles ce cratère où ils t'ont fourré ?

Gundhalinu tressaillit ; il se tâta une joue encore couverte d'une espèce de croûte visqueuse faite de goudron et de terre. Puis il regarda ses doigts noircis et poisseux.

— N'y touche pas. Tu ne peux pas te débarrasser de ça sans arracher aussi la peau. Ça tombera tout seul. C'est pour ça que nous sommes ici, pour trouver ces cratères quand ils se forment et attendre que le goudron déborde et devienne cristallin. Nous moissonnons les cristaux. C'est ça qu'ils veulent.

— C'est vivant ?

— A moitié. Une forme de vie cristalline, l'organisme le plus primitif qu'on puisse imaginer.

— Qu'est-ce qu'ils en font ?

– Va savoir ! Moi je m'en fous. Je me contente de survivre et d'attendre le feu vert, dit Pirate en touchant le collier de fer à son cou.

Gundhalinu se rappela l'homme qu'il avait vu monter dans le transport qui repartait. Il vit que Pirate le dévisageait, regardait son collier où jamais aucune lumière verte ne s'allumerait, et il lui demanda :

– Qu'est-ce qu'ils ont fait de l'homme que j'ai contaminé ?

Pirate vida sa coupe.

– On lui a fracassé la tête avec une pierre. Nous n'avons vraiment pas besoin d'un fou furieux ici, par-dessus le marché !

Gundhalinu posa son bol vide sur le sol de scories. Il crut sentir la terre trembler et releva vivement sa main, par réflexe.

De petites secousses sismiques. On en a tout le temps.

– La poussée des marées, murmura Gundhalinu en levant les yeux vers le géant gazeux dont cette planète était la lune.

L'attraction du géant maintenait ce monde réduit prisonnier, avec un hémisphère perpétuellement tourné vers la planète mère et l'autre en permanence de l'autre côté. La poussée imposée par la légère dérive de deux planètes provoquait cette zone crépusculaire qui frémissait et ondulait comme un liquide.

– Bof ! fit Pirate. Quoi que ce soit...

– Est-ce qu'il y a de vrais tremblements de terre ?

Pirate s'esclaffa.

– Tu as vu ces bûches étalées par terre un peu partout, quand tu es arrivé ?

– Oui.

– Elles sont là parce que la terre tremble parfois si fort qu'elle s'ouvre et que nous tombons dans des crevasses. Elles s'ouvrent généralement nord-sud. Alors nous disposons les poteaux est-ouest pour faire des ponts, en espérant que nous pourrons en saisir un et nous y cramponner, si jamais la terre cherche à nous avaler.

Gundhalinu secoua la tête ; le mouvement lui donnait

le vertige, il avait l'impression de glisser le long de la paroi. Il fit un effort pour se redresser mais n'y parvint pas.

— Repose-toi, lui conseilla Pirate. Tu peux rester ici jusqu'à ce que tu sois capable de te lever et de travailler. C'est pas grand-chose mais c'est mieux que rien. Je vais faire une collecte, les hommes t'aideront à construire ton propre abri quand tu iras mieux.

Gundhalinu hocha la tête, la gorge serrée et soudain incapable de parler ; il se rallongea. Pirate lui remonta la couverture jusqu'aux épaules, cachant à sa vue les ecchymoses et les traumatismes.

— Dors, Traître. Tout paraît toujours plus rose, quand on a dormi... A part, bien sûr, que c'est ici que tu te réveilleras !

TIAMAT : Escarboucle

Jerusha Pala-Thion était debout sur le pont du vaisseau qui avait été celui de son mari, en essayant de s'adapter ou plutôt de se réadapter au roulis auquel elle était jadis si accoutumée. Elle voyait autour d'elle tous les autres bateaux de sa plantation ainsi que des dizaines d'autres embarcations de toute espèce, d'hiver ou d'été, dansant sur l'océan gris, sous le ciel gris maussade. Les bateaux couvraient l'eau à perte de vue, tout autour d'Escarboucle. Le peuple de Tiamat était venu, à la demande de sa Reine, pour assister au miracle du rassemblement des ondins... et aussi, naturellement, pour repousser l'attaque des extramondiens.

Comme les ondins étaient là également, faisant bouillonner la mer par leurs mouvements agités, comme une foule impatiente devant une barrière... mais rassemblés pour quoi, elle ne pouvait l'imaginer. Elle sentait les vibrations palpitantes du chant ondin dans l'eau, tout autour d'elle, qui traversait le bois du bateau et se transmettait à ses pieds posés sur le pont.

Elle se demanda ce que Miroe aurait pensé de tout

cela, s'il aurait compris ce qu'elle ne pouvait concevoir. Il n'avait pas quitté sa pensée depuis qu'elle avait tourné le dos à la traître Hégémonie pour redevenir totalement tiamataine. Le souvenir de Miroe était avec elle en ce moment, dans chaque bouffée du vent de mer, dans le mouvement du pont, dans le brouhaha des voix tiamataines autour d'elle.

Elle s'était à peine permis de penser à lui durant tout le temps où elle avait travaillé comme inspecteur en chef de Gundhalinu, en trouvant constamment à s'occuper, à s'absorber dans les détails de son travail. Son absence lui pesait tant que le souvenir de sa présence était insoutenable. Elle s'était murée dans son chagrin, elle le comprenait maintenant, elle s'était abritée derrière un rempart d'efficacité professionnelle, comme elle l'avait fait toute sa vie avant de le connaître.

Être là aujourd'hui, au milieu de cette mer étrange, c'était une espèce de catharsis qui donnait à ses émotions un point de mire, un but significatif. *Il devrait être ici aujourd'hui*, pensa-t-elle. Mais il y était, elle le savait, car elle était devenue la gardienne de tout ce à quoi il avait cru, pas seulement conformément à la loi, mais dans son âme.

Elle baissa les yeux sur la rambarde du catamaran, en cherchant où était Silky, qui s'éloignait de plus en plus de leur position, disparaissait dans l'eau mais reparaissait juste au moment où elle commençait à s'inquiéter. Silky souffla des embruns, en éternuant bruyamment dans l'ombre du navire, juste au-dessous d'elle, et replongea. Elle était heureuse d'avoir vu l'ondinet de ses yeux, bien qu'elle pût suivre ses déplacements grâce aux instruments du bord et à la plaque sonique que portait le jeune ondin.

Depuis des semaines elle rêvait – cauchemardait plutôt – de la chasse ; elle avait envoyé des employés de la plantation suivre en bateau le déplacement de la colonie, dès qu'elle avait appris que les ondins étaient en route vers le nord ; c'était le seul moyen qu'elle avait trouvé pour protéger son enfant adoptif des chasseurs de Vhanu. Jusqu'à présent, elle avait réussi.

Mais aujourd'hui, les ondins se rassemblaient à Escarboucle, tout comme BZ l'avait prédit. Impossible de savoir combien de temps ils resteraient, ni pourquoi ils se rassemblaient ainsi, ni jusqu'à quand Moon pourrait maintenir leur niveau de provisions. Les menaces et les restrictions des extramondiens n'avaient réussi qu'à ancrer Tiamat dans son obstination, et bientôt de réelles pressions se feraient sentir à cause du besoin qu'aurait le peuple de reprendre son travail et le cours de la vie quotidienne.

La puce de télécom dans son oreille s'anima soudain et une voix lui annonça :

– Commandant, ici Fairhaven. Le commandant Vhanu se dirige de votre côté en aéroglisseur. Histoire que vous le sachiez.

– Merci, Fairhaven, murmura-t-elle en étouffant un petit rire.

La prononciation locale commune du nom de Vhanu était vite devenue la seule, depuis qu'il avait déclaré la loi martiale. Elle négligea le regard curieux d'une de ses femmes d'équipage et lui ordonna :

– Parez à repousser l'abordage !

– Commandant ? bredouilla la femme, l'air encore plus perplexe.

– Rien, une plaisanterie...

Jerusha secoua la tête et contempla la mer. Elle observa les ondins qui faisaient bouillonner la surface sur tribord, elle les vit plonger au passage d'un aéroglisseur qui venait droit sur elle.

Elle resta où elle était, accoudée à la rambarde, la figure mouillée par une brume légère, faite à la fois de nuages et d'embruns, et attendit l'arrivée de Vhanu. L'aéroglisseur ralentit et se posa avec une ahurissante précision, de manière que sa porte se trouvât juste devant elle. A son oreille, la puce se ranima, sur la fréquence de la police, cette fois.

– Permission de monter à bord, commandant Pala-Thion ?

– Accordée.

Elle sourit, d'un sourire ironique dont elle savait qu'il n'échapperait pas aux observateurs embusqués derrière la glace sans tain du pare-brise tourné vers elle comme l'œil d'un rapace géant.

La porte coulissa en hauteur et Vhanu sauta maladroitement sur le pont du catamaran. L'aéroglisseur resta là comme pour le protéger pendant qu'il la saluait avec une courtoisie pointilleuse, comme toujours.

– Commandant...

Elle perçut au ton de la voix qu'il était irrité de devoir s'adresser à elle en lui donnant un titre égal au sien alors qu'elle n'était, pour lui, que le chef de la police locale.

– Que puis-je pour vous, commandant Vhanu ? demanda-t-elle sans rendre le salut, refusant de participer à cette comédie des convenances techniciennes.

Il fronça les sourcils.

– Vous pouvez me dire ce que vous faites ici, au milieu de cette assemblée illégale, pour commencer !

Elle haussa les sourcils.

– Pour commencer, ce n'est pas une assemblée illégale. Vos restrictions se limitent au rassemblement de plus de dix personnes, en ville. Il n'est pas question de bateaux ni de grand large. Pour ma part, ma fonction exige que je veille au maintien de l'ordre et, en qualité de personne privée, je suis là comme tout le monde pour observer le miracle de la Dame.

– Vous ne croyez pas à ces sornettes !

Elle le toisa.

– Ce que je crois ou non ne vous regarde pas.

La figure de Vhanu s'assombrit encore plus ; elle le vit chercher une trace de sarcasme dans sa voix, une étincelle dans ses yeux mais elle resta impassible.

– La Reine et vous commencez à abuser de ma patience, avec ce harcèlement, gronda-t-il. Les policiers s'apprêtent en ce moment même à donner un coup de balai. J'ai donné l'ordre à mes gens d'arrêter toute personne qui refusera de se disperser et qui restera à l'extérieur d'un périmètre dans un rayon de cinq kilomètres autour de la ville, et de couler toutes les embarcations. Y compris la vôtre, Pala-Thion, si vous vous entêtez.

– D'autres les remplaceront, rétorqua Jerusha.

Il grimaça.

– Eh bien, nous les arrêterons aussi. Vous ne pourrez pas durer longtemps. Cette misérable planète n'est pas assez peuplée... Et le peu de population qu'elle a est extrêmement centralisée. Ces technophobes ignorants n'ont aucune idée de la position où cela les place, stratégiquement. Mais je n'ai pas besoin de vous dire ce que nous pourrions vous faire, si vous nous causez trop d'ennuis. J'ai été très indulgent jusqu'à présent...

– Commandant Vhanu ! Commandant ! cria une voix venant de l'aéroglisseur. L'électricité vient d'être coupée à Escarboucle !

– Quoi ? s'écria Vhanu.

– Tout est en panne, là-bas. C'est comme si on avait abaissé la manette à l'interrupteur central. Ils n'ont plus de lumière, plus de courant, rien !

Vhanu jura et se tourna vers la ville. Jerusha ne l'avait jamais vu manifester d'autre émotion qu'un léger scepticisme, mais à présent elle reconnaissait de la terreur dans ses yeux. Cette peur l'effraya elle-même, plus encore que les menaces.

– Ramenez-moi au port, marmonna-t-il dans son propre système de communication.

Il tourna les talons comme s'il avait oublié l'existence même de Jerusha et remonta dans son aéroglisseur.

Elle regarda l'engin se soulever au-dessus des vagues, virer de bord et foncer vers Escarboucle. La ville lui paraissait inchangée, de là où elle était, en plein jour mais aussi, il fallait le reconnaître, Escarboucle savait garder ses secrets. Elle se demanda ce qui arriverait à la tombée de la nuit... Et si c'était l'œuvre de Moon. Elle était certaine que c'était ce que Vhanu devait penser. Ses mains se crispèrent sur la lisse, au souvenir de la peur qu'elle avait vue dans ses yeux.

Elle lança par son système un appel à tous ses agents déployés en mer avec la population, leur ordonnant de revenir en ville ; elle essaya ensuite d'entrer en communication avec le siège, à Escarboucle, mais n'obtint que des parasites qui lui donnèrent la chair de poule.

Elle se pencha par-dessus bord et chercha des yeux Silky. Les ondins qui entouraient le bateau s'étaient

276

dispersés à l'apparition de l'aéroglisseur ; quelques-uns étaient revenus mais si peu que la surface de la mer n'était même plus agitée d'une risée.

– Atwater ! appela-t-elle en jetant un coup d'œil dans le poste de pilotage. Donnez-moi la position de Silky, s'il vous plaît.

Elle attendit en pianotant nerveusement sur la liste, pendant un temps qui lui parut bien long.

– Atwater...

– Je regrette, madame, répondit Atwater. Je n'arrive pas à retracer son signal. Il a disparu.

Le commandant NR Vhanu, de la police hégémonique, fut accueilli aux grilles du palais de la Reine d'Eté par deux policiers municipaux portant des lanternes. Ils les examinèrent, son garde du corps et lui, puis, impassibles, lui dirent simplement.

– Suivez-nous, commandant.

Il les suivit par le grand portail, en sentant leur hostilité comme une vague de chaleur, dès qu'ils lui tournèrent le dos.

Ils le précédèrent dans un long couloir où il aperçut vaguement des murs décorés de fresques primitives. Il était surtout frappé par la totale obscurité qui l'entourait. Jamais il n'avait imaginé quel immense tombeau ténébreux cette ville devenait sans lumière artificielle et sans divers appareils ou le matériel que lui avait fournis la technologie du vieux monde. Les murs antitempête à l'extrémité de chaque ruelle s'étaient ouverts comme pour quelque programme rituel bizarre, laissant pénétrer l'haleine froide du grand air, pour qu'Escarboucle ne devienne pas inhabitable si les systèmes tombaient en panne... Comme si quelqu'un l'avait voulu.

Ils arrivèrent dans la salle des Vents. Il y faisait clair car les fenêtres laissaient filtrer le jour gris argenté ; il remarqua avec un certain étonnement que ces fenêtres étaient restées fermées. Il se souvint subitement d'avoir entendu dire que les fenêtres de cette salle restaient ouvertes en permanence, pour que les vents s'y croisent et jouent avec les grands rideaux blancs.

Ils montèrent par un grand escalier, dans un coin de

la salle, et entrèrent dans ce que l'on appelait encore la salle du trône, dont l'élégant décor ancien était recouvert par de grossiers spécimens de l'art tiamantain, la faisant ressembler à une place de marché villageoise. Il était toujours secrètement étonné de ne pas voir d'animaux vivants errant là parmi les visiteurs.

A présent, dans l'obscurité inhabituelle, il eut l'impression de pénétrer dans une grotte. Jamais il ne s'était douté que cette salle n'avait aucune source de lumière naturelle. La Reine l'attendait, assise sur le trône de cristal, unique vestige du règne de l'Hiver. Il s'était déjà demandé pourquoi elle n'avait pas fait remplacer ce siège remarquable par une chaise ou un fauteuil de l'artisanat local. Peut-être avait-elle été trop impressionnée par le délicat travail et les étincelantes arabesques de cristal qui semblaient presque surnaturelles par leur beauté, comme si elles avaient été créées dans de la glace par les forces du vent et du soleil.

Le trône était illuminé par des lanternes et des bougies. Dans cet éclairage vacillant, il scintillait comme s'il contenait son propre feu. La surface paraissait onduler et lui rappelait une aurore boréale qu'il avait vue une fois dans son monde natal. Le jeu d'ombre et de lumière donnait à la pâleur anémique de la Reine, au blanc pur de ses cheveux une étrange luminosité que Vhanu trouvait singulièrement sensuelle ; les yeux de la Reine n'avaient pas plus de couleur que le reste de sa personne et le regardaient s'approcher, avec une hostilité évidente.

Il eut comme un vertige d'incertitude quand il se trouva devant elle ; subjugué par sa beauté, il songea vaguement aux courants d'air silencieux de la salle des Vents. Qu'y avait-il donc en elle, pour que Gundhalinu ne puisse y résister, et qui avait transformé un ami en un inconnu, un héros en un traître ? Pendant un moment, pensant à Gundhalinu et la voyant devant lui, dans sa luminescence d'aurore boréale, il eut envie de découvrir par lui-même ce qu'elle avait de particulier, ce qu'elle avait fait éprouver à Gundhalinu. Il se demanda ce que ce serait de la posséder, d'être possédé par une telle obsession...

Le remords soudain et la honte oblitérèrent l'image. Il se redressa, claqua des talons et s'inclina cérémonieusement.

– Dame...

Elle répondit d'un signe de tête imperceptible et demanda :

– Que voulez-vous encore de nous, commandant Vhanu ?

– Deux choses, dit-il d'une voix dure. Je veux que vous donniez l'ordre à vos sujets de dégager les eaux territoriales autour d'Escarboucle. Et je veux que le courant soit restauré en ville.

Elle haussa les sourcils et prit une expression de surprise si exagérée que c'était une raillerie ; mais il vit ses mains se crisper sur les accoudoirs de cristal.

– Qu'est-ce qui vous fait penser que je puis remédier à l'une ou l'autre de ces situations ?

Il respira profondément.

– Vous êtes la souveraine du peuple de ce monde, du moins vous le prétendez. Vous leur donnez des ordres, en général.

– Je ne suis que techniquement un chef religieux, sans véritable autorité, ni droit de gouverner. Je crois que c'est ce que vous avez dit vous-même, pour justifier votre déclaration de la loi martiale. J'ai fait répandre dans le peuple la nouvelle du rassemblement des ondins, parce que pour le peuple c'est une affaire religieuse. Tous ces gens ont voulu faire le pèlerinage, assister à cette merveille de la bénédiction de la Dame. Comment voulez-vous que je le leur interdise ?

Il vit à ses yeux qu'elle ne croyait pas un mot de ce qu'elle disait, pas plus que lui. Il l'avait toujours prise pour une fanatique religieuse ; il était choqué de s'apercevoir subitement qu'elle était une délicieuse hypocrite, débitant des platitudes mystiques à propos de la Dame, comme prétexte à l'exercice du pouvoir séculier auquel elle n'avait aucun droit légitime. Il jura à part lui tandis que la terre ferme s'effritait sous ses convictions.

– Alors vous ne me laissez d'autre choix que de gouverner votre peuple pour vous, Dame !

Mais c'était une menace creuse. Il avait dû rappeler

ses forces de leur mission d'arrestation des contestataires, pour maintenir l'ordre dans la ville paralysée. Et il recevait des rapports inquiétants sur les ondins qui avaient tout d'un coup disparu des eaux territoriales d'Escarboucle.

Si cela durait trop longtemps, il allait perdre l'occasion de montrer au tribunal de quel niveau de productivité et de contrôle il était capable. S'il n'arrivait pas à rendre le courant à la ville, il perdrait tout.

Il avait un caractère rationnel et n'était pas homme à prendre des risques. Il avait misé sur ce qu'il pensait être certain ; il avait joué son jugement, ses exploits politiques, son honneur pour se procurer l'eau de vie ; s'il échouait, il aurait sacrifié en vain la confiance, l'amitié, la carrière distinguée de Gundhalinu et sa propre carrière. Pour rien. Tout allait s'écrouler par la faute de cette exaspérante énigme de femme, cette Reine évanescente et séductrice.

— Je suppose que vous allez maintenant me raconter que vous n'êtes pour rien dans ce qui arrive en ce moment à votre ville ? dit-il en embrassant d'un geste les ténèbres.

— Je n'y suis pour rien, affirma-t-elle en secouant ses longs cheveux d'argent.

— On dit que vous arrêtez le vent, que vous le retenez dans la salle d'en bas, on dit que vous savez des choses que tout le monde ignore (il crut la voir tressaillir) et que vous les contrôlez...

— Je ne contrôle rien, à Escarboucle, murmura-t-elle. Pas plus que vous.

Il sentit sa poitrine se contracter, comme s'il venait de recevoir un coup.

— Je ne contrôle peut-être pas la distribution du courant à Escarboucle, répliqua-t-il, piqué au vif, mais je suis capable de détruire cette ville, de la raser, et cela, vous le savez. Il n'en restera rien, est-ce que vous comprenez ? cria-t-il. Il n'en restera même pas des décombres, et pas un seul être humain en vie ! Ce ne sera plus qu'un cratère, que la mer remplira !

La Reine s'empourpra.

– Vous n'avez pas l'autorité pour cela. Vous n'oseriez pas faire une chose pareille, pourquoi iriez-vous...

– Vous ne me laissez pas le choix ! Ou peut-être simplement parce que je le peux ! Mais si jamais cela arrive, votre dernière pensée sera que vous auriez pu l'empêcher... que vous m'y avez poussé... Un tribunal kharemoughi va venir enquêter ici sur la situation qui m'a forcé à destituer le juge principal. Il y aura une enquête approfondie sur votre rôle dans son déshonneur...

– Il n'y a pas de déshonneur à...

– Et si les choses continuent ici, sans changement, la commission judiciaire soutiendra et approuvera indubitablement toutes les mesures que je jugerai bon de prendre contre votre peuple.

La Reine resta longtemps silencieuse, en le dévisageant de ses yeux changeants.

– Je suis persuadée, dit-elle enfin, que vous et moi avons bien plus en commun que le rôle que nous avons joué tous deux dans le malheur qui frappe un homme de valeur. Gundhalinu est parti simplement parce que vous et moi possédons chacun une certaine mesure de pouvoir, qui nous est venu d'une plus haute source, et nous cherchons tous deux à nous en servir pour arriver à des fins auxquelles nous croyons. Que nous réussissions ou non, cela ne dépend pas toujours de notre choix. Mais en ce moment, nous avons le choix. On m'a appris, quand je suis devenue sibylle, que mon devoir était de servir tous ceux qui avaient besoin de la puissance qui passait par moi, et non de m'en servir à mes propres fins égoïstes... Je ne suis qu'un conduit, commandant, et voilà pourquoi je ne peux vous donner ce que vous exigez. Je ne suis qu'un vase. Et vous êtes un homme creux.

Elle se leva du trône d'un mouvement aussi fluide qu'une eau limpide et descendit de l'estrade dans le cercle protecteur de ses conseillers et de ses porteurs de lanternes qui l'avaient attendue dans l'ombre, en silence. Elle partit vers la porte du fond, laissant Vhanu derrière elle sans lui adresser un autre mot.

Mais à la porte elle s'arrêta et se retourna.

– Tout ce que vous ferez à ce monde ou à son peuple, vous le paierez. Très cher, dit-elle.

L'air stagnant de cette salle du trône, hermétiquement close, altérait sa voix, la privait de résonance, comme si quelqu'un d'autre parlait par sa bouche. *Rien qu'un vase...* Elle se détourna et disparut.

La mine sombre, il fit demi-tour, sous le regard silencieux de sa propre suite. Il sortit d'un pas rapide qui força les deux agents porteurs de lanternes à courir pour le rattraper et éclairer ses pas dans les ténèbres inchangées.

TIAMAT : *Prajna* – Orbite planétaire

Reede Kullervo ouvrit un œil ahuri comme s'il venait de se réveiller en sursaut ; d'une bouche pâteuse, il émit quelques sons inintelligibles qui auraient pu être des questions – ou des ordres.

– Eh, patron ! dit une autre voix, plus efficace que la sienne. Patron ?

Niburu. La dernière personne dont il se souvenait, c'était Niburu s'évanouissant dans le brouillard. Or son visage était parfaitement clair, à présent. Sa main traversa le champ visuel de Reede et lui secoua l'épaule.

– On est arrivés ? demanda Reede, qui, cette fois, réussit à articuler.

Il se redressa, surpris de constater que son corps lui obéissait, et s'agrippa aux accoudoirs quand il se sentit flotter vers le haut. C'est alors qu'il s'aperçut qu'il était sanglé.

– On est à Tiamat ?

Niburu hocha la tête. Derrière lui se tenait Ananke, mince silhouette silencieuse. Reede pointa le menton vers le poste d'Ariele.

– Et elle ?

Niburu haussa les épaules.

– Ils nous ont rejoints, Kedalion, dit soudain Ananke. Ils s'arriment à la coque.

Reede détacha son harnais et se souleva maladroitement de son siège. Il prit appui sur le dossier pour retrouver son équilibre.

– Qu'est-ce qui se passe ? Ils nous ont contactés ?

Niburu fit la grimace.

– Pire que ça. C'est carrément l'abordage. On était à peine en orbite qu'ils nous sont tombés dessus. Ils devaient nous suivre à la trace depuis le dernier saut. Le service de sécurité n'était pas aussi parano, autrefois.

– Bougez-vous de là, cria Reede. Je ne veux pas qu'ils viennent fourrer leur nez ici. Allez, magnez-vous !

Ils le suivirent sans protester. Niburu verrouilla le sas derrière eux et les entraîna hors de la cale du *Prajna* vers la zone réservée aux passagers. Reede se frayait un chemin à travers le dédale des couloirs où Niburu avait entassé du matériel. Il se cogna, jura entre ses dents. Devant lui, Ananke évoluait avec grâce.

– Bon sang, Niburu, pourquoi tu n'as pas rétabli la pesanteur ?

– Désolé, patron. Je vais plus vite comme ça.

Reede poussa un grognement. Cent fois il avait ordonné à Niburu de réaménager l'intérieur du vaisseau pour qu'un homme de sa taille puisse s'y déplacer à son aise. Niburu avait d'abord fait la sourde oreille, puis avait fini par l'envoyer sur les roses. « C'est mon vaisseau, avait-il dit. Je suis seul maître à bord. Si vous n'êtes pas content... » Curieusement, Reede n'avait pas insisté.

Au passage, il jeta un œil dans la pièce vide qui était le véritable cœur du vaisseau. Niburu était aux commandes. Soudain ils furent brutalement secoués : ils franchissaient les zones de transit de la Porte Noire.

Malgré tout, Reede s'en tira avec quelques bleus et quelques jurons. Ils arrivèrent au centre du système au moment où une troupe d'hommes armés, vêtus de scaphandres, débarquait à l'autre bout du couloir.

Niburu et Ananke levèrent les mains à la vue des fusils braqués sur eux. Reede les imita, à contrecœur.

– Qui êtes-vous ? Que faites-vous sur mon vaisseau ? demanda Niburu d'une voix indignée qui démentait son attitude soumise. Nous avons eu le feu vert quand nous sommes partis. Vous n'avez pas le droit de monter à bord, et encore moins de nous menacer. Je vais envoyer un rapport à...

– Vous pouvez me l'envoyer à moi.

L'homme qui s'était avancé était visiblement le chef du groupe.

– Lieutenant Rimonne, de la marine hégémonique. La loi martiale a été décrétée à Tiamat. Nous contrôlons tous les vaisseaux dont l'arrivée n'est pas programmée.

– La loi martiale ? dit Niburu. Ecoutez, je suis un commerçant, pas un fonctionnaire. Je livre ma marchandise quand je peux.

– D'après nos registres, vous avez déclaré la même cargaison que celle que vous transportiez en partant de Tiamat. Comment expliquez-vous cela ?

Niburu haussa les épaules.

– J'ai une commande qui a été annulée. Dur métier...

– Et vous croyez que je vais avaler ça ? (Le lieutenant se tourna vers ses hommes.) Allez, on l'embarque.

– Attendez, dit Reede, les mains toujours en l'air. Je fais partie de l'expédition. Ils m'ont amené ici pour voir Gundhalinu. Il faut que je le voie de toute urgence.

Rimonne haussa les sourcils, examina le pansement de Reede, ses vêtements déchirés et maculés de sang.

– Le prévôt ? Ça va être difficile.

– Emmenez-moi à Tiamat, insista Reede. Contactez Gundhalinu. Dites-lui que je suis ici. Il me recevra. Mon nom est Reede Kullervo.

Le lieutenant ne parut pas impressionné.

– Et alors ?

– Vous avez peut-être entendu parler de moi. Ils m'appellent le Forgeron.

Soudain, tous les yeux se fixèrent sur lui.

– Le Forgeron ? (Rimonne ricana et pointa son arme sur la poitrine de Reede.) Qu'est-ce que le Forgeron – si tant est qu'il existe – pourrait vouloir au prévôt ?

– Ça concerne l'eau de vie, dit calmement Reede. Il a besoin de moi. Besoin de ce que je sais. Conduisez-moi à lui.

– Malheureusement pour vous, il est parti, dit le lieutenant avec un sourire sadique. Et vous êtes en état d'arrestation.

– Parti ? Comment ça, parti ? dit Reede, soudain pris d'un vertige. *Ilmarinen, tu ne peux pas m'abandonner de nouveau.*

– On l'a renvoyé à Kharemough. Il est accusé de trahison. Vhanu, le nouveau chef de la police, a décrété la loi martiale.

– Non ! s'écria Reede. Ce n'est pas possible. Pas lui, pas cette ordure !

Les fusils étaient toujours braqués sur lui et il prit soudain conscience du guêpier dans lequel il s'était fourré. Repoussant Ananke, il se rua vers la sortie.

L'un des hommes fit feu. Le jet paralysant l'atteignit entre les omoplates et il se figea. Incapable de résister, il sentit qu'ils lui liaient les mains dans le dos ; puis ils ligotèrent également Ananke et Niburu. Ils entreprirent de le fouiller et, impuissant et désespéré, il ne put même pas protester quand ils s'emparèrent de la fiole d'eau de mort qu'ils avaient découverte dans son aumônière.

– Il est malade, protesta Niburu. Il a besoin de ce médicament. Laissez-le-lui.

Le lieutenant secoua la tête.

– Un médicament ? Tu parles ! (Il fit un signe à l'homme qui tenait le flacon.) Emportez ça au labo et faites-le analyser.

Reede ferma les yeux. Sa rage et sa frustration étaient telles qu'il avait l'impression que son cerveau allait exploser.

Le lieutenant pointa l'index vers la sortie.

– Emmenez-les. Prévenez la police. (Puis, s'adressant à Reede :) Désolé que le prévôt ne puisse vous recevoir, Kullervo. Mais le chef de la police Vhanu se fera un plaisir de vous accueillir.

Quand ils atteignirent Tiamat, les effets du gaz paralysant s'étaient dissipés et Reede avait retrouvé l'usage de ses jambes. Les marins remirent leurs prisonniers et la fiole d'eau de mort aux policiers qui les attendaient.

Ils empruntèrent le tunnel qui reliait le stellaport à Escarboucle. Affaissé sur son siège, Reede gardait le si-

lence et contemplait d'un regard vide la nuit percée
d'éclairs de lumière.

Au lieu de prendre l'ascenseur installé à l'intérieur
d'un des pylônes creux de la ville, ils gagnèrent les
docks souterrains et se dirigèrent vers la rampe d'accès
principale que les Tiamatains utilisaient pour monter à
bord de leur vaisseau ou en débarquer.

– Pourquoi prenons-nous ce chemin ? demanda Reede,
pris d'angoisse.

– L'ascenseur est en panne, dit l'un des policiers.

Reede le regarda, incrédule. Au fur et à mesure que
ses terminaisons nerveuses reprenaient vie, sa peau
commençait à le démanger, la plante de ses pieds le brûlait, il était conscient de la moindre coupure sur son
corps meurtri. Il s'efforçait de ne pas penser à la durée
du voyage par cet itinéraire, aux efforts qu'il lui faudrait fournir. Dans quel état arriverait-il ?

Les policiers s'arrêtèrent au pied de la rampe, tandis
qu'une autre patrouille en descendait avec un grand sac
plastique qui semblait contenir un corps.

– Qui c'est ? demanda le sergent à côté de Reede.

– Pas l'un des nôtres, dit la femme qui dirigeait la
patrouille. Un d'ici.

Le sergent parut soulagé.

– Encore un de ces foutus Etésiens qui est passé par-
dessus bord ?

La femme secoua la tête.

– Un Hivernien. Kirard Set. Un client pour la police
d'ici.

Reede se raidit.

– Qu'est-ce qui lui est arrivé ? demanda-t-il.

La femme se tourna vers lui, surprise.

– La justice de la Reine. Ça ne devait pas être un bon
nageur.

Reede n'eut pas le loisir de réagir : déjà les gardes le
poussaient brutalement sur la rampe. Au fur et à mesure
qu'ils remontaient vers la ville, il s'aperçut que quelque
chose n'était pas normal. Il faisait de plus en plus sombre. Escarboucle avait toujours été illuminée, de jour
comme de nuit. Ça datait d'avant l'ère hégémonique,
c'était un héritage du Vieil Empire. On avait dit à Reede

qu'il y avait une usine marémotrice, équipée de gigantesques turbines, dans des grottes sous la ville. On lui avait dit aussi qu'elle tournait à la perfection ; il n'y avait même pas besoin de maintenance. Le système était conçu pour fonctionner éternellement.

Mais le mouvement perpétuel n'existe pas. Cette obscurité qui l'attendait là-haut, prête à l'engloutir, l'emplissait de terreur mais aussi, curieusement, d'une espèce d'impatience.

— Bon sang, qu'est-ce qui s'est passé ? demanda-t-il.

Mais il savait ce qui s'était passé. Il savait que ces signes étaient importants. Qu'il devait agir maintenant. Si seulement il pouvait se souvenir de ce qu'il devait faire...

— Y a plus de lumière, expliqua le policier. Tout a sauté. La ville est paralysée.

— Pourquoi ?

L'autre haussa les épaules.

— J'en sais rien.

— Et ça fait longtemps ? demanda Reede.

— Deux jours.

— Deux jours, murmura Reede. Plus qu'un...

— Pardon ?

— Il faut que je voie la Reine d'Eté. Je dois la voir.

— Vous vous y connaissez, en électricité ? (Comme Reede ne répondait pas, le flic lui tapa sur l'épaule.) Hé, je vous parle !

— Il en sait pas plus que nous, dit son collègue. Il essaie seulement de gagner du temps. Allez, bouge-toi !

Reede avança sans protester. Les ténèbres qui régnaient sur la ville avaient dégagé dans son cerveau une énergie qui le stupéfiait. *Oui*, pensa-t-il en regardant le faisceau des lampes torches et la lueur vacillante des chandelles qui trouaient la nuit dans la Ville Basse où vivaient la plupart des Etésiens. *Oui, je suis chez moi...* Mais il ne savait pas pourquoi il pensait cela, et cette ignorance même l'emplissait de tristesse.

Ils poursuivaient leur ascension, et les lampes frontales des policiers qui le précédaient lui montraient la voie. Parfois ils croisaient quelques points lumineux, lucioles sur un ciel d'encre, créatures étranges et luminescentes dans une mer sans fond. L'allée était pratiquement déserte ; l'air était lourd, bien que les parois vitrées fussent ouvertes. Reede aurait voulu éponger la sueur qui ruisselait sur son front, mais il avait toujours les mains liées dans le dos.

Ils traversèrent le Dédale, que Reede eut du mal à reconnaître dans l'obscurité. Derrière lui, Kedalion, hors d'haleine, s'efforçait de suivre le rythme. Reede lui-même avait inconsciemment ralenti l'allure, et quelqu'un le poussa dans le dos. Il trébucha et vint heurter Ananke qui le précédait, à présent. Ce dernier fit un brusque écart et Reede comprit que sa maladresse était volontaire lorsqu'il entra en collision avec le policier qui marchait à côté de lui. L'homme alla au tapis avec un grognement de surprise, entraînant dans sa chute plusieurs de ses collègues.

— Cours, Reede ! Sauve-toi ! cria Ananke.

Se frayant un chemin dans la mêlée, Reede prit ses jambes à son cou. Derrière lui, il entendit Ananke pousser un cri de douleur. *Cours...* Il n'avait pas le choix, il devait abandonner ses compagnons. *Il fallait qu'il arrive jusqu'au palais.* Soudain, il sentit un choc sur son bras, suivi d'une sensation de brûlure. Et le membre peu à peu s'engourdit. Un tireur l'avait touché.

Il accéléra, sachant qu'il avait à peine couvert un tiers du chemin. En outre, la ville devait grouiller de policiers, traquant voleurs et malfaiteurs.

Devant lui l'allée était aussi noire qu'un tunnel sans issue. Mais, au moment où il débouchait sur une autre allée, il fut soudain inondé de lumière. Il s'arrêta net, pris dans le faisceau croisé des lampes, tel un insecte pris au piège des projecteurs. Des silhouettes sombres s'approchèrent de lui.

— On le tient, commandant ! cria une voix derrière lui.

Il sentit qu'on l'attrapait par les liens qui lui emprisonnaient les mains. Il se débattit, mais il était cerné de toute part. Epuisé, tremblant, humilié, il renonça à fuir et attendit. Quelqu'un vint se planter devant lui et lui projeta le faisceau de sa lampe frontale en pleine face. Reede ferma les yeux ; quand il les rouvrit, l'intensité de la lumière avait diminué pour atteindre un niveau tolérable. Encore aveuglé, il cligna des paupières, cherchant à distinguer le visage de Vhanu, le bras droit de Gundhalinu, ce salaud doublé d'un lèche-cul que Gundhalinu avait eu la bêtise de nommer chef de la police.

Mais c'était un visage de femme qui se levait vers lui. Une femme d'âge moyen, au teint de cannelle. Newhavenaise, pas même kharemoughi. L'inspecteur en chef... Son nom ? Pala-Thion, oui, c'était cela. Pourtant, ils l'avaient appelée « commandant ». Il l'observa plus attentivement et constata qu'elle ne portait pas l'uniforme de la police. Il s'aperçut alors que les hommes qui les entouraient étaient tous des Tiamatains, des gardes du palais.

— Euh !... fit-il, à la fois soulagé et incrédule. Euh ! il faut que je voie la Reine.

Pala-Thion, qui le dévisageait, fronça les sourcils.

— Qui êtes-vous ? demanda-t-elle.

— Reede Kullervo. Je dois absolument voir la Reine.

— Oui... murmura-t-elle, et l'espace d'un instant il eut l'impression qu'elle le regardait sans le voir. Merci, ô dieux !

Soudain, des pas martelèrent la chaussée et d'autres lampes vinrent se braquer sur eux.

— Vous l'avez pincé ? demanda une voix.

Reede reconnut les uniformes bleus et le sergent auquel il avait faussé compagnie.

— Ne les laissez pas me reprendre, chuchota-t-il en fixant Pala-Thion dans les yeux. Je vous en prie.

Elle eut un hochement de tête à peine perceptible, puis se tourna vers les policiers.

— Cet homme est sous notre garde, dit-elle. Nous avons priorité sur vous.

— C'est un extramondien, dit le sergent. C'est du ressort de notre juridiction.

— De quoi est-il accusé ?

Le sergent hésita.

— Il prétend être le Forgeron.

— Vous avez des preuves ?

Le policier coula un regard vers ses hommes, puis, s'adressant à Pala-Thion :

– Non. Il faut vérifier au service d'identification. Et la Reine, pourquoi veut-elle l'arrêter ?

– Il a enlevé sa fille, dit Pala-Thion d'une voix sèche. Il est sous notre responsabilité et nous le gardons. Si Vhanu veut récupérer ce prisonnier, qu'il vienne au palais pour en discuter avec la Reine. Bien que je doute qu'il soit reçu à bras ouverts, tant que durera la loi martiale.

Le sergent paraissait contrarié. Les Tiamatains étaient nettement plus nombreux que ses propres troupes, il avait dû laisser une partie de sa patrouille avec Ananke et Niburu. Finalement, il se décida :

– Bien. Vous pouvez le garder. Et dites à la Reine que si elle veut que je mette fin à la loi martiale, elle ferait bien de rétablir la lumière !

Sur ces mots, il tourna les talons avec une raideur toute militaire et ses hommes lui emboîtèrent le pas.

– C'est vraiment la Reine qui a coupé l'électricité ? demanda Reede.

– Non, dit Pala-Thion, mais Vhanu le croit. Et vous, êtes-vous réellement le Forgeron ?

Reede éluda la question.

– Je croyais que vous travailliez pour Vhanu, dit-il. Je croyais que vous étiez inspecteur en chef.

Elle secoua la tête.

– Je travaillais pour Gundhalinu, mais il est parti.

– Je sais, murmura Reede. Je sais.

Il sentit une vague de nausée lui soulever l'estomac et s'aperçut qu'il tremblait. Mais pas de froid...

– Bon sang ! Conduisez-moi à la Reine, et vite ! Je n'ai plus beaucoup de temps.

– Du calme, mon garçon, dit Pala-Thion. Vous y serez en temps voulu.

Il lui lança un regard indéchiffrable puis lui tourna le dos et s'élança au petit trot à l'assaut de la colline, forçant les autres à le suivre.

Enfin ils arrivèrent en vue du palais. La place en albâtre était entourée de torches. Pala-Thion était passée en tête du cortège et parlementait avec les gardes. Les lourdes portes s'ouvrirent pour les laisser passer, et Reede pénétra dans le palais de la Reine d'Eté pour la première fois. Il suivit Pala-Thion le long d'un interminable couloir où leurs pas résonnaient comme dans une église. Sur les murs, à la lueur des lanternes, il distingua des tapisseries représentant des scènes pastorales – vertes collines, sources jaillissantes, ciel d'azur.

Au bout du couloir, ils pénétrèrent dans une vaste salle, haute de plafond. Curieusement, il y flottait une odeur iodée. Au-dessus de leurs têtes, Reede aperçut des panneaux vitrés semblables à ceux qui fermaient les allées. Mais ici, ils étaient clos. Au-delà, le ciel nocturne était piqueté de mille étoiles.

A l'autre extrémité de la salle, quelqu'un était assis, immobile.

– La Reine, murmura Pala-Thion.

Mais entre la Reine et eux, il y avait un obstacle... Un gouffre d'où s'élevait une lueur verdâtre, fantasmagorique. Reede s'avança, en proie à une sorte de prémonition, un sentiment d'urgence.

– Kullervo ! cria Pala-Thion en lui saisissant le bras. Attendez ! C'est le Puits. Vous ne pouvez pas traverser cette pièce dans le noir : il n'y a pas de plancher.

– Nous ne sommes pas dans le noir, murmura Reede.

– Vous rêvez ! On se croirait dans une bouteille d'encre de Chine.

Il se dégagea et fit un pas en avant.

– Laissez-moi y aller. J'y vois parfaitement clair. Il faut que j'aille là-bas.

Elle ne répondit pas. Elle posait sur Reede un regard d'aveugle. *Elle ne le voit pas.* Un frisson de terreur le parcourut, son estomac se noua. Mais il continua d'avancer, seul, irrésistiblement attiré par cette luminescence, tel un insecte qui vient buter sur une ampoule. Il atteignit l'endroit où la passerelle enjambait le Puits et s'arrêta. *Maintenant, ici, enfin, il allait trouver toutes les réponses. Ici était son destin.*

Il retint son souffle et, muscles bandés, posa le pied sur l'étroite passerelle surplombant le Puits de lumière. Il était vaguement conscient de la présence de Pala-Thion derrière lui. Elle le suivait, mais à quelque distance. Il avança encore un peu, tremblant d'angoisse ; la lueur verte s'élevait vers lui pour l'enlacer, telle une amante, pour le caresser, douce comme soie et velours. Une musique d'une infinie beauté berçait ses sens, une brise marine l'enveloppait...

– Non, murmura-t-il. Non, je ne veux pas. J'ai peur...

Mais la mer le tenait sous son charme et il poursuivait sa marche de funambule. Au centre de la passerelle, il tomba à genoux, ensorcelé, possédé par le pouvoir du Puits.

Vanamoïnen. Ce nom résonnait dans sa tête. Echo puissant, incantation, affirmation... *Oui. Il était Vanamoïnen.* Il n'était pas cet être de chair et de sang, cette pitoyable créature humaine qui tremblait de peur au-dessus du gouffre. *Il se souvenait...* C'était lui qui avait choisi ce monde, créé cette cité, joyau sublime et incompréhensible qui devait hanter l'humanité pour les siècles à venir. Les hommes la préserveraient, la protégeraient, parce qu'elle était unique. Mais jamais ils ne devineraient qu'elle était l'écrin secret où reposait, tel un diamant, le don de Vanamoïnen aux générations futures. La banque de données qui sauvegardait tout ce qu'il avait pu recueillir de la connaissance humaine – le réseau divinatoire, le miroir de son âme.

Et de l'âme d'Ilmarinen. Car jamais cette cité n'aurait existé, jamais il n'aurait pu réaliser son rêve sans Ilmarinen, qu'il aimait. Ilmarinen, qui l'étonnait toujours par son calme, sa compréhension des faiblesses humaines. Ilmarinen, dont les yeux sombres étaient plus profonds que l'infini, dont le sourire comptait plus à ses yeux que tous les honneurs du monde, plus que l'approbation des dieux. Ilmarinen, son âme parallèle, son alter ego, l'autre face de son génie. Ilmarinen, liée à lui pour l'éternité, et qui avec lui avait conçu et programmé le réseau divinatoire. Le système né de leur vision et de leur sacrifice leur avait survécu. Il avait dispensé le bien, diffusé la connaissance, sans discrimination. Le symbole de ce qu'ils avaient été l'un pour l'autre, de ce en quoi ils avaient cru. *Ilmarinen. Ô Ilmarinen...*

Mais Ilmarinen était morte, elle reposait en paix depuis des millénaires. Tout comme lui. Il n'aurait pas dû être ici aujourd'hui, arraché à l'éternité, étranger propulsé dans cette existence terrifiante.

Et cependant... Il s'en souvenait, maintenant, il se souvenait de tout ce qui lui avait échappé durant si longtemps. Il se rappelait qu'il avait voulu cela. Après la mort d'Ilmarinen, il avait lui-même conçu ce projet, avait sauvegardé son propre génie et l'avait caché dans un endroit secret que seuls pouvaient connaître les sibylles et les devins. Au cas où le réseau aurait besoin de lui, un jour.

Et voilà que ce jour était arrivé. Il avait été rappelé à la vie, et il n'avait nul besoin qu'on lui dise ce qui s'était passé. Ilmarinen et lui n'avaient commis aucune erreur quand ils avaient conçu et programmé le système. Pas d'erreur non plus dans le patrimoine génétique des ondins. Leur seul tort, c'était d'avoir sous-estimé la cupidité des hommes. Jamais leur but n'avait été d'offrir la vie éternelle aux humains. Mais quelqu'un avait remarqué la longévité des ondins, quelqu'un avait découvert leur secret. Dès lors, ç'avait été l'hallali.

Et pendant des siècles, les hommes avaient massacré les ondins. Sans savoir qu'ils détruisaient ainsi le réseau divinatoire. Lui, Vanamoïnen, avait été rappelé pour le sauver. S'il était encore temps...

Viens... Aide-moi...

— Viens, dit une voix.

Il releva la tête et croisa le regard de la Reine. Lentement, il retrouva le temps présent. Prit conscience de sa position, à genoux sur la fragile passerelle au-dessus du Puits, le corps secoué de frissons.

— Aidez-moi, murmura la Reine en lui tendant les mains. Aidez-moi à vous sauver. A vous mettre en lieu sûr.

— Nulle part... Il n'existe aucun lieu sûr pour moi.

— Si, dit-elle dans un souffle. Avec moi.

Attiré par son regard, il se leva maladroitement et la laissa le guider. Elle n'avait pas de lampe, elle ne semblait pas en avoir besoin. Pala-Thion les suivait. Quand ils atteignirent l'autre bord du gouffre, elle poussa un soupir de soulagement et défit les liens qui entravaient encore les poignets de Reede.

La Reine était debout et scrutait son visage. Derrière elle, il aperçut d'autres silhouettes et, l'espace d'une seconde, il sentit son cœur chavirer. Il avait cru reconnaître Gundhalinu là, dans l'ombre. Mais ce n'était que Tammis, le fils de la Reine. A côté de lui se tenait son épouse, timide et réservée, l'air apeuré.

Tammis ne regardait pas Reede, mais le Puits, au-delà. *Il le voit aussi.* Reede s'approcha, aperçut l'éclat d'un médaillon trifoliolé sur la tunique du jeune homme. *Est-ce qu'il sait ?*

Ils gravirent un large escalier de marbre qui menait au cœur du palais. Fasciné, Reede admirait au passage la décoration somptueuse. Il ne reconnaissait rien, et pourtant il savait exactement où il se trouvait, comme un voyageur qui revient au pays après des années d'absence.

Ils le firent entrer dans une petite pièce, une sorte de bibliothèque où étaient stockées des archives, de l'antique parchemin aux bandes informatiques. L'un des murs était entièrement vitré et donnait sur la ville, le ciel et la mer, concentré du monde, vision infinie. Reede eut à peine le temps d'y jeter un coup d'œil avant de s'effondrer sur un siège. La Reine en personne lui apporta une coupe. Il la prit sans même un remerciement et avala une gorgée. Immédiatement, le liquide glacé, légèrement amer, lui secoua les méninges et le remit d'aplomb.

— Où est ma fille ? demanda la Reine.

Elle le détaillait de la tête aux pieds, notait les blessures, les vêtements déchirés et tachés de sang.

— Ariele est en sécurité, pour l'instant. Sur mon vaisseau, en stase. Quant à votre époux... Je... Je suis désolé. Il a reçu un mauvais coup en essayant de nous sortir d'affaire. Il est mort.

La Reine émit un son bref, à peine un sanglot. Puis elle se détourna et, telle une statue, le regard tourné vers les étoiles, elle demeura figée, anéantie de chagrin. Autour d'elle chacun s'était tu. Reede avait envie de la tirer de cette hébétude. De lui dire que l'heure n'était pas au deuil mais à l'action. Qu'ils n'avaient pas le temps de s'appesantir sur leurs propres douleurs. Mais il garda le silence, tout comme les autres. Enfin la Reine se redressa pour leur faire face.

— Et l'eau de mort ? dit-elle.

– La police s'en est emparée. Je pensais que Gundhalinu serait ici. Je croyais qu'il pourrait nous aider.

La Reine ne répondit pas tout de suite.

– Il reviendra, dit-elle enfin. Quand nous aurons fait
ce que nous devons faire.

– Il sera trop tard.

Reede vacilla, soudain pris de vertige. Il avait l'impression de flotter, son cerveau ne réagissait plus. Il secoua la tête, se ressaisit.

– Vanamoïnen, dit la Reine. Savez-vous pourquoi vous
êtes ici ? Le savez-vous ?

Il leva les yeux, nota la transparence de sa peau, son
étrange pâleur.

– Oui, murmura-t-il.

Et, s'adressant à sa cour, la Reine dit :

– Laissez-nous. Nous avons à parler en privé.

Ils saluèrent et se retirèrent, un par un. Seule Pala-
Thion marqua un temps d'hésitation. La Reine, d'un signe de la main, lui donna congé.

– Non, pas vous, intervint Reede, alors que Tammis
s'éloignait. Je veux que vous restiez.

Surpris, le jeune homme s'arrêta net. Son épouse
tenta de l'entraîner, discrètement. Reede remarqua alors
l'arrondi de son ventre. Voilà pourquoi elle avait peur.
Peur de perdre le père de son enfant. Reede, cependant,
ne se laissa pas attendrir.

– Vous avez vu quelque chose, dit-il à Tammis. Vous
savez.

Tammis hocha la tête, puis fit signe à sa femme de
partir. Elle s'exécuta, non sans lui lancer un regard de
reproche.

– J'ai besoin de deux personnes, dit Reede après
qu'elle se fut éloignée. Le réseau vous a choisie, ajouta-
t-il en se tournant vers sa mère. Et aussi Gundhalinu.
Une sibylle et un devin. Mais Gundhalinu est parti. (Il
se tourna vers Tammis.) Je pense que vous êtes ici pour
le remplacer. Savez-vous nager ? Plonger ?

Tammis hocha la tête.

– Oui, mais... Que signifie tout cela ?

La Reine prit place aux côtés de Reede, sur une longue banquette. Mais elle ne fit aucun commentaire. Elle

était sous l'emprise du réseau divinatoire, comme l'avait été Gundhalinu.

— L'intelligence artificielle qui régit le réseau – toutes les données, et les programmes – est située ici, dit Reede. Sous Escarboucle.

— Comment le savez-vous ? demanda Tammis. Je croyais que personne ne savait où elle se trouvait.

— Votre mère est au courant. Et Gundhalinu. Et moi. Parce que c'est moi qui l'ai installée.

Tammis ricana.

— Les sibylles et les devins existent depuis des millénaires ! Même la Reine des Neiges n'a pas vécu aussi longtemps.

— Je ne suis pas seulement Kullervo. Mon nom est... Vanamoïnen. Le vrai Vanamoïnen est mort il y a longtemps. Je suis... comment dire... son avatar, en quelque sorte. J'utilise le nom de Reede Kullervo pour faire ce que j'ai à faire ici. C'est la panne du réseau qui m'a contraint à revenir. Parce que ce réseau, j'ai contribué à le créer. Les ondins en font partie, c'est un système technogénétique avec deux substrats radicalement différents...

Il s'interrompit, visiblement son auditoire ne le suivait pas. Puis, s'efforçant de trouver des mots simples, il reprit :

— Les chants des ondins contiennent des informations dont a besoin la géniomatière des ordinateurs ; d'autre part, certains produits chimiques émis par les ondins à la saison des amours ont un effet sur les ordinateurs. Un phénomène d'automaintenance. Les logiciels se purgent de leurs virus, se reprogramment.

— La saison des amours ? s'étonna Tammis. Je croyais que les ondins se reproduisaient n'importe quand, en milieu aquatique. Dans la mer.

— C'est un processus en deux phases, dit Reede.

« Au départ, les ondins étaient tous à l'intérieur de l'ordinateur et ils étaient stériles. C'était leur interconnexion avec le réseau divinatoire qui déclenchait leur période de fécondité. Il l'avait voulu ainsi afin d'éviter une surpopulation, dans la mesure où ils vivaient très longtemps. En outre, il avait décidé que les ondins devaient éprouver du plaisir lors de l'accouplement, afin qu'ils reviennent de leur plein gré. C'était important pour la perpétuation du réseau divinatoire.

Reede eut un sourire amer.

– Nous pensions avoir tout prévu. Jamais nous n'aurions imaginé que les gens pour lesquels le réseau était conçu se mettraient à massacrer les ondins. Enfin, soupira-t-il. Nous nous sommes trompés. Nous n'étions que des humains, après tout.

La Reine et son fils le regardaient, fascinés. Il ressentit un soudain élan de tendresse à leur égard. Ils étaient les descendants, les survivants, les êtres pour lesquels il avait créé tout ce système. Ils portaient ce médaillon trifoliolé qui avait orné sa propre poitrine, voilà si longtemps. Ils avaient dans leur sang ce technovirus dont il avait été le premier porteur. Et, deux millénaires plus tard, malgré toutes les difficultés, les choses se passaient comme il l'avait prévu.

Il essuya d'un revers de manche la sueur qui perlait sur son front. Il n'aurait pas dû boire ce que la Reine lui avait donné. La simple idée d'avaler quoi que ce soit lui soulevait l'estomac. Il déglutit, en proie à la panique. Il ne savait plus qui il était.

– Pardon ? dit-il, s'apercevant soudain que la Reine lui parlait.

– Y a-t-il... y a-t-il quelque chose que je puisse faire pour vous ?

Il secoua la tête, étira ses doigts engourdis.

– Savez-vous pourquoi la ville est privée de lumière ?

– Non, dit la Reine. Et vous ?

– Oui.

Il détourna le regard, contempla un instant le reflet du ciel étoilé sur la mer obscure. Et d'autres ténèbres rejaillirent à la surface de sa mémoire...

– Parce que le temps est venu, dit-il enfin. Le bon moment, le seul où les choses peuvent changer. Les turbines qui alimentent en électricité la ville – et le réseau divinatoire – s'arrêtent une fois tous les cent cinquante ans, quand les ondins reviennent. En dehors de cette période, il est impossible d'accéder à l'ordinateur. Quiconque tenterait de franchir le barrage des turbines serait tué. Mais pendant ces trois jours l'accès est libre, pour que les ondins puissent passer. Quand les turbines se remettront en marche, l'ordinateur sera de nouveau inaccessible pour les cent cinquante ans à venir. Toute tentative de pénétrer dans l'enceinte sera vouée à l'échec, ou détruira le système.

– Pourquoi ? demanda Tammis.

– Parce que je devais m'assurer qu'aucune faction ne s'emparerait du système. C'est pour cette raison que son emplacement devait demeurer secret. C'est aussi pour cette raison que votre mère et Gundhalinu n'ont jamais pu expliquer ce qu'ils faisaient.

Tammis se tourna vers sa mère.

– Mais alors, comment as-tu percé le mystère ?

– Une fois, alors que je traversais le Puits, il m'a appelée. Il m'a... choisie, m'a demandé de l'aider. Et durant toutes ces années, j'ai essayé. J'ai essayé de comprendre ce qu'il attendait de moi. Pourquoi il m'avait choisie plutôt qu'une autre.

– Il vous a choisie parce que vous étiez au bon endroit, au bon moment, dit Reede. Je ne prétends pas que c'était par hasard. Ce n'était pas non plus une question de prédestination. Mais vous êtes le clone d'Arienrhod. Arienrhod a prouvé qu'elle possédait la force et l'intelligence nécessaires pour obtenir ce qu'elle voulait de son peuple et des extramondiens, de gré ou de force. Tu es toi-même, Moon Marchalaube, mais tu es aussi la Dame. La gardienne de ce monde.

Il eut un sourire d'une infinie douceur, puis reprit :

– Vous êtes celle qu'aurait dû être Arienrhod. Parce que vous avez été élevée par les Etésiens, qui ont préservé le réseau divinatoire et protégé les ondins, vous savez ce qui est important, et pourquoi c'est important. Arienrhod n'avait pas cette vision, cette intuition. Vous êtes l'avenir en lequel je croyais.

Moon leva les yeux vers lui avec gratitude. Puis son expression changea.

– Vous avez dit qu'il ne serait possible d'accéder à l'ordinateur que pendant trois jours. Deux se sont déjà écoulés.

Il acquiesça d'un signe de tête.

– C'est pourquoi nous n'avons pas de temps à perdre. Votre époux possédait des informations sur les éléments perdus du chant des ondins. Je dois reconstituer le puzzle.

– C'est déjà fait, dit la Reine.

– Gundhalinu ? Il a eu le temps, avant son arrestation ?

– Non. Le Collège des sibylles et des devins. Ils ont terminé pour lui. Je peux vous donner les bandes. Nous avons complété les passages qui manquaient et reproduit le chant.

Reede sourit.

– J'aurai besoin de deux combinaisons de plongée. Pour moi et pour lui, ajouta-t-il en désignant Tammis.

Moon fronça les sourcils.

– Que comptez-vous faire ?

– Nous devons descendre dans lo... dans la mer. Jusqu'à l'ordinateur, avec les ondins. Il faut que je vérifie le système moi-même, que je trouve la panne et que je le reprogramme. Nous devons redonner leur chant aux ondins.

Dans les profondeurs de la mer... noyade, mort, ténèbres... Les images surgissaient dans son cerveau et, de nouveau, il ne savait plus qui avait peur de se noyer, qui avait toujours su que c'était son destin... Il jura entre ses dents ; il aurait voulu hurler. *Tu es damné, de toute façon*, pensa-t-il. *La mort par l'eau, l'eau de mort... Quelle différence ?*

– Pourquoi avez-vous besoin de Tammis ? demanda la Reine, anxieuse pour son fils. Je suis une sibylle, le réseau m'a choisie.

– Justement. Vous devez rester en sécurité. Vous allez être en Transfert, pendant des heures, dans l'esprit du réseau. Il vous montrera la voie, et vous me guiderez. C'est vous qui me préviendrez quand j'aurai réussi. J'ai besoin d'une sibylle pour établir la liaison entre lui (il pointa le doigt vers Tammis) et moi.

– Mais je croyais que vous étiez devin, dit-elle.

Il eut un rire amer.

– Non. Je ne suis pas devin. Les devins sont sacrés. Je ne suis qu'humain. Un sacrifice humain.

Lentement, la Reine tendit la main et lui effleura la joue, comme elle aurait caressé celle de son enfant. Le contact de ses doigts lui fit l'effet d'une décharge électrique, mais il ne se déroba pas.

– Je vous fais apporter les combinaisons de plongée et les bandes dès que possible, dit-elle. Mais comment allez-vous accéder à l'ordinateur ? Vous ne pouvez rejoindre la mer sans que les patrouilles de Vhanu vous voient.

– Si, il y a un moyen. On peut passer par le Puits. Il communique avec la mer. Il mène exactement où nous voulons aller.

– Mais il n'y a plus d'électricité. Même le Puits est fermé.

– Pas pour nous, dit-il doucement. Il nous connaît. Je veux que vous descendiez avec nous. Il ne faut pas que la liaison soit interrompue. Même Vhanu ne pourra nous atteindre quand nous serons en bas.

Il hésita, voyant son visage blêmir.

– Avez-vous déjà fait l'expérience d'un Transfert prolongé ? demanda-t-il.

– Une fois. C'était...

Sa voix se brisa, et il vit passer dans ses yeux l'image d'une absence sans fin qui la hantait toujours. *Comme une noyade*...

– Ce sera différent, cette fois. Ce sera... nouveau. Mais difficile.

– Je sais. Rien n'est facile, n'est-ce pas ?

Elle se leva, regarda un instant son fils, puis dit :

– Je vais donner des instructions.

Sur ces mots, elle quitta la pièce.

Moon pénétra dans la salle qui était devenue l'univers de son mari depuis son voyage chez les ondins... au pays de la Mort. Elle en fit lentement le tour, enregistrant chaque détail. Les dossiers, l'équipement informatique d'importation, le divan sur lequel il avait émigré, après qu'elle l'eut chassé. Il n'avait jamais permis aux domestiques d'entrer dans son bureau. Depuis sa disparition, elle avait maintenu l'interdiction.

Elle s'assit sur le bord du matelas, ramassa une chemise froissée et la pressa contre son visage. L'odeur de sa peau... Soudain elle se revit, allongée contre lui, alanguie après l'amour. Ils avaient été heureux, malgré tout. Ils s'étaient déchirés, ils avaient gaspillé leurs chances, laissé filer l'amour entre leurs doigts. Mais en cet instant, elle ne se rappelait que les bons moments. A quoi bon remuer la boue ? Il était mort. Mort...

Elle reposa la chemise et se leva, s'arrêta devant la console informatique. Quel travail il avait accompli ! Seul, au milieu de l'indifférence générale. Il avait décrypté le chant des ondins ; grâce à lui, on pouvait espérer sauver le monde. Et personne ne pourrait le remercier, désormais.

Elle se dirigea vers le guéridon dont elle avait autrefois forcé le tiroir secret. Le contenu en était toujours éparpillé, intact depuis le jour où elle avait perdu le seul autre homme qu'elle eût jamais aimé. L'insigne de la Fraternité était par terre, là où elle l'avait laissé tomber. Symbole de lumière, aussi brillant que le soleil, cœur rougeoyant, joyau sublime.

Elle le repoussa du pied et s'assit à la table, ramassa les objets épars, un par un... Le couvercle de bois avec lequel Sparks jouait quand il était petit, une boucle de cheveux blonds dans un flacon de verre fumé, le motif qu'elle avait brodé pour lui quand ils s'étaient juré un amour éternel... Pourquoi ne leur avait-on pas dit que les années seraient si longues... et qu'elles se termineraient de façon si abrupte ?

Elle passa autour de son cou le cordon de l'aumônière brodée qui vint reposer sur son cœur, tout comme Sparks l'avait portée dans sa jeunesse. Puis elle essuya une larme sur sa joue.

Enfin elle se leva, les yeux secs, et sortit. Elle avait une mission à accomplir. Sa vie ne lui appartenait plus.

TIAMAT : Escarboucle

Moon suivit son fils et Reede Kullervo dans le véhicule, qui attendait sous le rebord du Puits. Au dernier moment, elle observa Jerusha qui veillait sur elle comme elle semblait l'avoir toujours fait, et devina dans son regard le souvenir qui la hantait, ce même souvenir qui l'avait toujours hantée, elle, ici, à cet endroit. Elle avait seulement dit à Jerusha que Reede croyait avoir trouvé un moyen de réactiver le cœur silencieux de la cité, ce qui leur fournirait un argument de négociation dans leur guerre des nerfs avec les extramondiens. C'était tout ce qu'elle pouvait lui dire, mais cela lui avait paru suffisant.

– Les dieux... la Dame... vous accompagnent, murmura Jerusha.

Elle regarda le pâle visage de Tammis en contrebas, qui avait lui aussi les yeux chargés de souvenirs, puis considéra Reede et, tout à coup envahie par le doute, fronça les sourcils.

– Nous risquons d'en avoir pour longtemps, dit Moon. Des heures, peut-être. Nous ne serons pas en mesure de communiquer avec toi d'en bas.

– J'attendrai, répondit Jerusha, j'attendrai le temps qu'il faudra.

Elle saisit fermement le bras de Moon, comme pour lui transmettre sa propre énergie, son propre esprit, et Moon commença sa descente.

Moon vit les lumières des appareils clignoter et étinceler autour d'elle, telles des pierres précieuses, comme Reede le lui avait prédit. L'écoutille se referma au-dessus d'eux, comme pour les sceller à l'intérieur. De l'autre côté du hublot, les parois du Puits demeuraient sombres et inertes, ne révélant aucun signe de réponse active. Mais Reede restait planté devant la vitre à côté de Tammis et regardait vers le bas, tous deux figés dans une attente muette.

Moon se glissa entre eux en se tenant à une rampe,

tandis qu'ils commençaient leur descente en spirale vers les profondeurs du Puits. A l'extérieur, l'obscurité n'était pas complète : elle voyait la lumière verte s'intensifier à mesure que son esprit acceptait sa présence.

Une sorte de joie innée montait en elle au souvenir de cette époque lointaine, dans les îles de sa jeunesse, où elle avait été irrésistiblement attirée par une lumière semblable, au son d'une musique qu'aucun instrument n'eût jamais produite, qui l'appelait, l'appelait, l'appelait...

Elle regarda Tammis, hérissé d'instruments divers dans sa tenue étanche de plongée, avec son casque dans les bras. Elle vit le même ravissement sur son visage, la même joie de l'anticipation... et l'ombre du malheur, le douloureux souvenir de son choix, la mort de Miroe, le sacrifice qui avait été exigé en échange du don de la divination.

Elle aussi voyageait dans sa propre mémoire : elle se souvenait de Sparks... Sparks qui avait essayé de la suivre dans les ténèbres de la grotte, vers la lumière qu'elle était seule à voir. Elle se souvenait de son visage, aveugle et désemparé, au moment où elle s'était rendu compte qu'il n'avait pas été choisi. Il l'avait suppliée de renoncer, s'était accroché à elle pour la retenir.

Mais elle l'avait repoussé pour s'abandonner, seule, à l'étreinte de la lumière, sacrifiant leur amour, sa confiance, son cœur... Elle passa un bras autour de son fils. Il sursauta et se tourna vers elle. Lisant dans son regard, il acquiesça et se blottit contre elle.

Elle regarda de l'autre côté, vers Reede/Vanamoïnen qui, immobile, concentrait toute son attention sur ce qui les attendait en bas. Mais le visage de l'homme, qui était devenu l'hôte involontaire de l'esprit d'un être mort depuis des milliers d'années, était empreint d'une résignation impuissante. Reede n'était pas beaucoup plus vieux que son fils et on reconnaissait encore en lui l'irrédentisme latent de ceux qui n'ont jamais connu la paix.

Elle éprouva un soudain élan de pitié pour les deux hommes qui habitaient désormais en lui, surtout pour Reede Kullervo, dont les yeux aux pupilles dilatées ne voyaient – elle en était sûre – que des ténèbres. Il n'était pas devin, lui, bien que Vanamoïnen eût été le premier. Que comprenait-il à ce qui se passait ? Vanamoïnen ressentait-il sa peur ? Où commençait l'un, où finissait l'autre ? Lequel aimait sa fille ? L'aimaient-ils tous les deux ?

Elle regarda de nouveau vers la luminescence qui s'amplifiait autour d'eux et attirait son esprit avec une force croissante. Même en fermant les yeux, elle continuait à la voir, à l'entendre, à sentir sa présence la transpercer comme un rayon de soleil traversant une vitre et l'illuminer de l'intérieur, estompant toutes ses autres pensées, toutes ses autres émotions. Elle n'avait pas peur, ne résistait pas ; elle se laissait aller, impatiente de réaliser cette union avec l'inconnu, à laquelle elle s'était préparée toute sa vie...

Elle s'aperçut soudain que leur mouvement s'était arrêté et que Reede lui parlait. Elle s'arracha à sa rêverie.

– Madame... disait-il d'une voix incertaine. Il est temps. Nous sortons... nous descendons. (Il essuya d'un revers de manche son visage en sueur.) Il faut que vous... que vous...

– Oui.

Elle avait l'impression de les voir tous les deux à travers ses paupières closes, comme si son corps, irradié par sa lumière intérieure, était devenu transparent, éthéré.

– Je sais ce que j'ai à faire, répondit-elle avec calme. Tammis... (Elle lui prit la main tandis qu'il s'apprêtait à mettre son casque.) Sois prudent. Si tu as besoin de moi, demande et je te répondrai.

Il acquiesça.

– Au revoir, maman, murmura-t-il en ajustant son casque sur sa tête.

– Je serai avec toi, dit-elle pour se rassurer elle-même autant que lui. (Elle se tourna vers Reede.) Je serai avec toi, répéta-t-elle à l'homme qui la regardait avec des yeux d'aveugle.

Reede enfila son casque sans prononcer un mot, avec des gestes saccadés et mal assurés.

Dans la paroi, derrière eux, s'ouvrait un passage que personne n'avait jamais emprunté. Reede s'y aventura le premier. Tammis le suivit.

– Je t'aime, dit-elle sans savoir s'il l'avait entendue.

Elle retourna au port. En dessous d'elle et du véhicule s'étendait la mer, dont la surface se mouvait sous l'effet d'une marée invisible. Les eaux semblaient animées d'une étrange phosphorescence verdâtre et surnaturelle qui entraînait les vagues dans une valse hypnotique. Les embruns océaniques exhalaient de puissantes senteurs, qui donnaient un parfum à la lumière verte... Elle vit deux formes descendre lentement des marches imaginaires, des sortes de crevasses creusées au hasard dans la paroi des machines.

Elle regarda Tammis plonger dans les flots et refaire surface. Vanamoïnen – Reede –, encore accroché comme une mouche à sa prise aléatoire, se laissa tomber à son tour dans l'onde phosphorescente. Il n'émergea pas et la tête de Tammis disparut sous la mer.

Elle resta un moment à scruter la surface des eaux, en se tenant fermement au panneau devant elle. Essayant à nouveau de fermer les yeux, elle s'aperçut qu'elle avait déjà les paupières closes... et que le moment était venu pour elle de se laisser aller.

– *Input*, murmura-t-elle.

Et elle sentit son corps sombrer dans les ténèbres du Transfert, dans une mer bien plus étrange encore que celle-ci... plus étrange que tout ce qu'elle avait connu.

Les ténèbres devinrent une musique légère, une symphonie sensorielle chargée d'une énergie plus intense que mille soleils. Sa conscience se transformait en un spectre chromatique absorbant toutes les couleurs de la lumière ; son esprit était pareil à un réseau de perles innombrables se multipliant sur la crête d'une vague infinie... elle était la vague, un ressac interminable, un mouvement perpétuel de couleurs sans nom, un déferlement de cristaux liquides, de diamants en fusion aussi purs que des larmes...

Elle comprenait maintenant que, lorsqu'elle était entrée dans l'univers divinatoire, elle y était entrée en aveugle. Quand elle avait été appelée par BZ à pénétrer plus profondément dans son cœur caché, élevée à un plus haut degré de conscience par la science gardienne du Survey, elle n'avait vu que les reflets dorés de ses surfaces infinies avec l'œil de son esprit. Mais à présent tous les miroirs avaient explosé, toutes les barrières, physiques et mentales, de l'espace et du temps étaient tombées et elle se retrouvait à l'intérieur de l'impossible. *Elle voyait. Elle existait dedans. Elle était...*

... au-delà de l'espace-temps, à la fois à côté et à l'intérieur, sur la plaque tournante de tous les temps et de tous les lieux. Et Elle était l'esprit de divination, Elle connaissait le réseau, la plante physico-temporelle cachée sous la mer et la pierre : l'intelligence artificielle qui contenait, dans ses cellules technovirales, le programme de Son identité et de tout le savoir accumulé par l'humanité, et qui La reliait à toutes les créatures dont Elle était à la fois la génitrice et la progéniture... le cerveau rendu déficient par Ses enfants qui, dans le monde myope de leur vie temporelle, La parasitaient, détruisant la seule chose qui La raccrochait à leur univers.

Mais Sa capacité à répondre se détruisait au fur et à mesure des déprédations humaines, qui arrachaient un à un les fils de Sa mémoire. Bientôt, à moins d'une altération du processus, sa dérive serait telle qu'Elle cesserait de Se souvenir de la raison de Son existence et cesserait de fonctionner dans leur espace-temps.

Et quand cela se produirait, le chaos et la souffrance qu'Elle laisserait derrière Elle seraient terribles. Les connexions centrales qui contenaient Sa mémoire se décomposeraient, détruisant l'ancienne cité d'Escarboucle. Les terres environnantes ne seraient plus qu'une plaie ouverte de matière transmuée, de réel distordu qui transformerait les rares endroits habitables de Tiamat en un désert où toute vie serait impossible. Et tous les devins deviendraient fous et mourraient d'un dysfonctionnement de leurs technovirus...

Ainsi avait-Elle puisé dans toutes les ressources de sa volonté pour créer des outils vivants, ainsi avait-Elle éparpillé les semences de Son âme à tous les vents du temps mesurable et veillé sur leur croissance pour préparer l'avènement de cet instant. Elle avait éveillé l'avatar de Vanamoïnen, Elle l'avait amené ici, lui avait donné les mains qui guérissent et les forces spirituelles qu'Elle avait créées pour l'aider... Elle avait fait tout ce qui était en Son pouvoir. S'ils échouaient, ce serait la fin de Son interface avec eux, la fin de leurs communications, la fin de l'esprit divinatoire.

L'heure avait sonné ; c'était maintenant ou jamais que Ses destructeurs pouvaient redevenir des guérisseurs et faire surgir la vie de la mort. Elle se concentra, rassemblant les élans disséminés de Sa conscience avec une volonté aussi irrésistible que la force de gravité, les attirant dans la matrice physique de Son cœur, où grouillait le plasma de la géniomatière. Elle ressentit la brûlante chaleur de Ses rêves enfiévrés qui provoquaient des erreurs de plus en plus nombreuses dans les circuits du réseau, telle une épidémie incontrôlable qui s'était répandue à cause de l'inaptitude des ondins à harmoniser leurs chants pour équilibrer l'équation. Elle assistait à tout, savait tout, devenait tout... et attendait que tout change.

Reede s'enfonça dans les eaux noires, entraîné vers les profondeurs par l'attraction incessante de courants cachés et accompagné par son propre cri qui vibrait encore dans ses oreilles depuis le moment où il avait lâché prise et basculé dans la mer. Il avait failli être démantelé par le choc mais, maintenant que les flots s'étaient refermés sur lui, il se sentait presque calme ; son effroi s'était transformé en une émotion d'un type inconnu de lui.

La lumière de son casque lui montrait les noires parois informes du Puits et la silhouette de Tammis, dont la lampe n'était visible que par intermittence. Et il y avait un autre genre de lumière, indescriptible, qu'il sentait plutôt qu'il ne la voyait : une étrange radiation qui traversait son cerveau sans passer devant ses yeux. C'était cette même lumière qu'il avait déjà cru voir jaillir du Puits, mais sans la voir réellement : il comprenait maintenant que la vision de l'Autre l'avait vue pour lui – Vanamoïnen –, avec les yeux d'un devin, lui révélant l'étendue de l'espace à travers lequel ils voyageaient.

Les courants changèrent brusquement, le ballottant dans un affolant tourbillon pour l'entraîner dans une autre direction. Il se laissa aller où les ondes le menaient, afin d'économiser ses forces vacillantes. *C'est bien,* lui soufflait l'Autre, *le processus est conforme.*

— Que se passe-t-il ? demanda la voix de Tammis dans les écouteurs de son casque.

— Nous sommes entrés dans le conduit... C'est le tunnel qui alimente en eau de mer les grottes sous la cité.

— Quelles grottes ?

— Nous les avons creusées dans le roc sur lequel nous avons bâti Escarboucle. Regarde là-bas... (Il pointa le faisceau lumineux de son casque vers une gigantesque masse aux reflets de céramique qui se profilait devant eux, les remparts d'une ville engloutie aux dimensions insondables.) Ce sont les turbines...

Il poussa un juron de surprise en voyant une forme furtive passer et repasser précipitamment devant le faisceau de sa lampe.

Un ondin. Deux, trois... qui s'en allaient déjà. Il se demanda combien d'entre eux étaient déjà partis en croyant que leur rôle dans le rituel était achevé.

— Il faut nous dépêcher, dit-il. Sinon ils seront partis avant que nous ne les ayons atteints. Quand la marée changera, les turbines se réactiveront. Tous les ondins qui n'auront pas décampé à temps seront pris au piège à l'intérieur ou déchiquetés en essayant de fuir.

— Les humains aussi ?

— Les humains aussi.

Ils approchaient du but. Un courant sous-marin de plus en plus puissant les aspirait irrésistiblement vers les turbines. Les pales superposées sur des dizaines d'étages étaient séparées par des intervalles qui offraient un accès aux nageurs. Ils se faufilèrent dans l'un de ces espaces réduits. Reede leva les yeux ; la vue de ces pales nues comme des lames lui glaça les os, comme s'il entrait dans une machine à tuer destinée au châtiment des damnés... Une vision d'enfer, *de sang, de douleur, de noyade...*

Un élan de panique monta en lui. Il venait de comprendre. Il venait de se rappeler ce qu'il savait depuis toujours : le sort qui serait le sien lorsque la question de son existence serait enfin résolue... *la mort par l'eau... la noyade*... Il sombrait dans la lumière verte qui, tout à coup, emplissait son être tout entier. L'Autre répondait à son appel avec une ferveur contre laquelle toute sa volonté ne pouvait rien...

Il était Vanamoïnen et, quelque part en lui, il entendit le cri de désespoir de l'Autre s'évanouir. Reede Kullervo disparaissait dans les profondeurs de son propre esprit. Il était complètement libre, complètement maître de lui pour la première fois depuis qu'il s'était réveillé dans cette prison de chair qu'il partageait avec un inconnu torturé. Toutes ces années de mutisme qu'il avait vécu en captif de Kullervo avaient été un cauchemar... et pourtant il savait désormais que, dans sa lutte pour sa propre survie, il avait infligé à Kullervo un supplice cent fois plus atroce que les actes de cruauté dont Reede lui-même s'était rendu coupable.

Vanamoïnen éprouva une soudaine compassion pour l'homme que le destin avait élu malgré lui pour le sacrifice ultime. Mais il ne pouvait pas permettre que la peur de Kullervo l'empêche d'accomplir son devoir, sans quoi ils auraient tous deux vécu, et succombé, pour rien.

Ils avaient dépassé les turbines, maintenant, et les grottes sous-marines s'ouvraient devant eux, luminescentes. Tout autour de lui, dans un mouvement ininterrompu, les ondins s'agitaient en chatoyant. Son casque captait les sons extérieurs. Le chant des ondins emplissait sa tête.

– Par le Grand Tout... murmura-t-il.

Il entendait d'innombrables variations sur quelques thèmes récurrents : chaque colonie avait sa mélodie propre et l'addition de toutes ces voix mêlées formait un chœur aléatoire. Leurs mouvements étaient moins désordonnés qu'il n'y paraissait à première vue ; tous ensemble, ils tissaient une toile fragile, dont la trame et la chaîne n'étaient visibles que par un esprit exercé à la lecture de leur logique secrète.

Cependant, en les écoutant avec la partie de son esprit qui avait toujours su percevoir la structure à l'intérieur du chaos, il entendait aussi leurs silences et savait reconnaître, dans les discordances de leur choral mystique, le cri des colonies massacrées. Ces chants, transmis jusqu'à eux au fil des millénaires, avaient été composés pour envoyer des messages en code hiérarchique au réseau divinatoire afin de corriger et de recalibrer les transformations du système.

En raison de la semi-sensibilité volatile du réseau divinatoire et de la complexité de ses fonctions, il savait que certaines erreurs seraient inévitables. Aussi avait-il créé un système qui unifiait la machinerie lourde du réseau et la bioexistence des ondins, en combinant deux systèmes antagonistes – l'un assurant la flexibilité des fonctions, l'autre la stabilité.

– Ils sont magnifiques... murmura Tammis à côté de lui. Je ne les avais jamais vus comme ça, je ne les avais jamais entendus chanter ensemble...

– Personne ne les avait jamais entendus, dit Vanamoïnen d'une voix douce. Personne. Maintenant, il va falloir que tu chantes avec eux, que tu enregistres les chants achevés et que tu nages avec eux. S'ils apprennent un chant nouveau, ils l'apprendront... ils comprendront que quelque chose est inachevé. Je vais vérifier les fonctions de l'ordinateur. Si tout va bien, ce que tu feras aidera le recalibrage. Mais il faut que j'y travaille, parce que le déphasage est grave et que nous n'avons plus beaucoup de temps. Quand je t'appellerai, reviens vers moi.

Tammis acquiesça.

– Où est le... l'ordinateur ? demanda-t-il. (Il regarda alentour.) Je ne vois aucune machine.

– Elle est tout autour de toi. Le tissu cérébral technoviral est intégré au roc des parois de la grotte. Contente-toi de faire ton travail.

Il désigna le ballet des ondins et Tammis s'éloigna.

Vanamoïnen se mit à nager verticalement, en direction d'une imperceptible ondulation, plus haut dans la paroi gaufrée de la grotte, où se trouvaient les commandes de l'interface.

Il retira ses gants et tâtonna comme un aveugle le

long de la paroi jusqu'à ce qu'il sente l'interface. Un stimulus électronique parcourut ses bras, son corps et son cerveau. Le choc brûla ses synapses comme un feu liquide.

Au prix d'un énorme effort de volonté, il plaqua ses mains contre la paroi pour permettre à l'interface d'identifier le schéma de ses ondes cérébrales. L'espace entre ses yeux s'emplit soudain d'un flot de données qui lui livrèrent la grille d'accès au système actif originel qu'Ilmarinen et lui avaient conçu ensemble. *Ilmarinen.* Un sentiment de désolation et une profonde mélancolie s'emparèrent de lui tandis qu'il contemplait l'immensité des temps qui le séparait de la vie et de la mort d'Ilmarinen. Il se reprocha sa faiblesse ; les émotions étaient des fantômes néfastes à l'accomplissement de son œuvre. Il n'avait pas eu la moindre pitié pour les souffrances de Kullervo, il ne devait pas en avoir non plus pour lui-même. Il devait réussir.

Il se reconcentra sur les données qui emplissaient son esprit, aiguillant ses pensées vers l'ultime réalité des programmes et des algorithmes – autant d'universaux que le flux et le reflux de la marée temporelle n'avaient pas altérés. Il rassembla et tria les données avec la seule énergie de son cerveau humain. Heureusement que Kullervo était né avec le don des mathématiques.

Il commença à ressentir une douleur sourde, puis de plus en plus vive. Il crut d'abord que c'était la somatisation de la nostalgie qu'il éprouvait en repensant à Ilmarinen, mais comprit bientôt qu'il n'en était rien.

– Tammis ! cria-t-il.

Lentement, après ce qui lui sembla une éternité, il vit Tammis nager vers lui à travers une nuée changeante de corps. Le garçon portait toujours l'enregistreur et son visage était empreint d'une sérénité joyeuse, qui se figea brusquement lorsqu'il aperçut celui de Vanamoïnen. Une ondine l'avait suivi. Reconnaissant Silky, la compagne d'Ariel, Vanamoïnen fut soulagé de voir que les policiers l'avaient épargnée.

– Donne-lui l'enregistrement, dit-il à Tammis. Et renvoie-la en bas.

Tammis obéit, détacha sa ceinture, à laquelle était

fixé l'enregistreur, et l'enroula autour du cou de Silky, à qui Vanamoïnen ordonna sèchement de redescendre.

— Il est temps pour toi de passer en Transfert, dit-il à Tammis. Je vais donner au système AI le feed-back nécessaire au recalibrage. Avec un peu de chance, les ondins parviendront à le maintenir en l'état. Ça prendra peut-être un certain temps. As-tu déjà été dans un Transfert étendu ?

— Non, mais je suis prêt, dit-il avec un regard confiant dans lequel se lisait tout l'optimisme de la jeunesse.

— Ce que tu verras... quand tu seras en Transfert ne ressemble à rien de ce que tu as vu jusqu'ici. Ne résiste pas... c'est très beau, je m'en souviens. Question, devin...

— *Input*, dit Tammis.

Vanamoïnen vit les yeux du garçon devenir vitreux et le regarda glisser dans le Transfert en prononçant les mots qui lui donnaient accès à l'autre réalité de l'intelligence artificielle, filtrée à travers la perception de Moon Marchalaube.

Tammis se contorsionna, tandis que deux cerveaux s'interchangeaient dans son corps. Vanamoïnen tendit une main, l'attrapa par sa tenue de plongée et l'attira dans une crevasse. Puis, il plaqua à nouveau ses paumes contre la paroi de contrôle de l'interface.

— Moon Marchalaube ? demanda-t-il en tiamatain.

— Oui, dit-elle avec la voix de son fils.

Il répéta sa question, dans sa propre langue, et entendit une autre présence répondre à travers elle. Quand il fut sûr qu'ils pouvaient tous deux lui répondre, il commença à communiquer ses instructions correctrices à la matrice à travers l'interface. Il refaisait là, de façon indirecte, ce que Gundhalinu avait fait de façon très directe quand il avait vacciné le Lac de Feu ; il mettait en mouvement le très douloureux processus de guérison.

Moon sentit Son attention se décaler et se réorienter en réponse aux sollicitations de Vanamoïnen, qui traversaient Sa conscience comme un vent brûlant. La matrice autour d'Elle changea lentement d'aspect, comme un prisme animé jouant avec la réfraction des couleurs.

Elle se sentit attirée dans le trou spatio-temporel qui menait à l'esprit de Son fils. Elle voyait par ses yeux, confusément, et lui répondait en une langue qu'Elle ne comprenait pas. Peu à peu, les images s'éclaircirent et, enfin, Vanamoïnen lui apparut nettement, ainsi que les ondins se mouvant derrière lui comme une aquarelle vivante... Il avait le visage hagard, mais son regard était triomphant.

– Va en paix... lui dit-il, d'abord dans sa langue à Elle puis dans la sienne, en levant les mains comme si Elle était un esprit aquatique et Lui un magicien des îles.

Moon se laissa dériver dans l'omniprésente musique légère, le cœur du temps que le pouvoir de transformation de l'esprit divinatoire lui permettait d'atteindre. Elle restait cependant temporelle, prête à réintégrer Son propre corps, Sa propre forme éphémère... à redevenir une femme mortelle entourée d'ennemis, sans armes pour les vaincre.

Alors, comme une fleur s'ouvrant dans les profondeurs de son âme, Moon vit qu'Elle avait toujours été le vaisseau de la Dame, sa servante dévouée conformément aux promesses de son peuple. La Dame existait, la Dame veillait sur le monde qu'Elle avait choisi ; ceux qui peuplaient ses terres et ses mers étaient vraiment Ses enfants bien-aimés. Et, entre tous, Elle avait choisi Moon Marchalaube pour être Ses yeux, Ses mains, Sa messagère. Elles ne faisaient qu'Une, depuis le commencement de Son existence.

Elle avait donné vie à l'esprit divinatoire et fait tout ce qui était en Son pouvoir pour favoriser la renaissance et la survie des ondins. Cependant, Son œuvre n'était pas terminée. La détérioration du réseau avait été inversée, mais les ondins n'étaient toujours pas en sécurité et, sans eux, tout ce qu'Elle avait provoqué serait vain. Maintenant, en cet instant d'éternité, Son esprit était infini, plein d'un savoir que même Survey ne possédait pas. Et Elle savait que, quelque part, se trouvait la réponse à toutes Ses questions, à tous Ses défis.

Elle sonda les abords de la galaxie... Chaque perle

lumineuse qu'Elle apercevait était l'esprit d'un devin. Elle étudia la carte des étoiles, dont Elle n'avait jamais voulu livrer le code aux humains, incapables de retenir la leçon du temps et de l'écroulement du Vieil Empire.

Elle tendit la main. Les perles des esprits humains individuels étaient pour Elle comme l'écume qui se forme sur la crête d'une vague montante... Elle parvint à toucher un esprit qui se trouvait de l'autre côté d'un de ces ombilics d'énergie scintillante, l'esprit de KR Aspundh. Elle l'attira dans la mer de lumière en l'appelant par la voix de la femme qu'il avait connue autrefois :

(KR...)

(Moon... ?) Elle sentit l'onde de choc de sa surprise se répercuter dans le flux de conscience lumineux. (Qu'y a-t-il ? Que se passe-t-il ?)

(J'ai la clé, KR, la clé permettant de sauver les ondins... d'aider BZ. La clé pour déverrouiller l'univers.)

(Par tous mes ancêtres...) Ses pensées dansaient de joie. (Alors, que devons-nous faire ?)

(Tu dois prendre cette clé et la tourner dans la serrure du Survey. Transmets cette information à ceux que tu connais et en qui tu as confiance dans les Cercles Intérieurs. Ils doivent la transmettre à leur tour au Juste Milieu... Dis-leur que, si la chasse aux ondins ne cesse pas, le réseau divinatoire cessera de fonctionner. Ce génocide doit prendre fin, sinon tous les devins et sibylles mourront, tous leurs lieux d'élection seront détruits...)

(Est-ce vrai ? Ça ne peut pas...)

(Les erreurs, les défauts qu'ils ont constatés dans le réseau étaient un avertissement : l'information est ici, la vérité sur les ondins est ici. Qu'ils regardent et ils verront ! Et dis-leur bien ceci : si les chasses prennent fin, ils recevront les coordonnées de localisation d'un des mondes du Vieil Empire, assez proche dans l'espace du monde de l'Hégémonie, ce qui leur permettra de rétablir le contact. Avec le temps, si leur contact avec ce monde s'avère pacifique et réciproquement bénéfique – et aussi longtemps que les ondins seront protégés –, d'autres coordonnées leur seront révélées. S'ils sont d'accord, ils pourront poursuivre leurs rêves impérialistes. Sinon, ils n'auront rien, moins que rien.)

(Dieux... Tu peux faire ça ?)

(Oui), répondit-elle.

(Oui...), répéta-t-il en écho (oui, je vais leur dire, tout de suite...)

(KR...)

(Qu'y a-t-il, Moon ?)

(Où est BZ ? Comment va-t-il ?)

(Nous pensons qu'il est sur Mégableue. Mais je ne sais comment il se porte... J'espère qu'il survit.)

Elle ne répondit pas. La pression de l'émotion se répandait en elle. Finalement, ne contenant plus sa colère, elle demanda :

(Pourquoi ne l'avez-vous pas aidé, toi et ceux en qui il avait confiance ?)

(Nous avons essayé, mais nous n'avons pas pu...)

(Alors, à quoi servez-vous ?) Son amertume déferla sur lui comme de l'acide. (Tous autant que vous êtes, vous l'avez forcé à faire son devoir et vous l'avez laissé souffrir seul, pendant que vous vous cachiez en marmonnant vos mots secrets comme des lâches...)

Elle commença à relâcher son contact, laissant l'électricité statique se déchaîner en vagues d'obscurité aveuglantes.

(Moon...), appela-t-il, saisi d'angoisse. (Pour l'amour des dieux ! Je suis un vieil homme !)

Elle rétablit le contact, l'espace d'un instant.

(Dis-leur que Gundhalinu retrouvera son honneur perdu. Il reviendra à Tiamat en chef de justice ou, par le Grand Tout, il n'y aura plus de mots nouveaux, aussi longtemps que j'existerai..) En prononçant ces mots, Moon ne savait pas si c'était elle ou Elle qui parlait. (... Et il n'y aura plus rien du tout si je meurs.)

Elle rompit le contact.

Seule dans la mer sans limites, elle reprit soudain conscience de la réalité temporelle, qui ne cessait de l'appeler. Quelque part, le temps s'écoulait encore et son corps perdait des forces. Une dernière fois, pourtant, elle voulut étendre sa vision sur les milliers de milliers de gouttes de sensibilité qui parsemaient Sa mer singulière, chacune ayant un nom, un esprit, une âme propres...

(BZ...) Elle plongea, à travers la clarté resplendissante, dans le cœur chaleureux de sa force vitale. Son soulagement et sa joie de le trouver sain et sauf embrasèrent l'espace ambiant comme un rayonnement stellaire. (BZ), répéta-t-elle par la pensée.

Elle le sentit bouger, comme si quelque chose en lui luttait pour se réveiller. *Pour se réveiller*... Il dormait – d'un sommeil si profond qu'elle-même ne pouvait le pénétrer. (Dors, mon bien-aimé), songea-t-elle, et la tendresse qu'elle éprouva fut un chant d'une beauté confondante. (Bientôt), murmura-t-elle. (Bientôt, bientôt, bientôt...)

Elle le laissa s'en retourner dans la musique, la lumière et l'étreinte de la Dame. Puis, d'une pichenette, elle mit en mouvement un dernier petit rouage de Son esprit.

(Maintenant...), pensa-t-elle et, dans un grand mouvement de bascule, elle se laissa tomber du *partout* pour retomber dans l'*ici*...

Vanamoïnen vit l'étrange lumière disparaître des yeux de Tammis et la conscience réintégrer son corps dans un frisson.

Tammis s'accrocha à la paroi, encore ébloui par la splendeur des lieux où son esprit l'avait transporté. Il secoua la tête et fixa des yeux le visage qui apparut brusquement devant lui, le visage de Reede Kullervo.

– Qu'est-ce qui ne va pas ? demanda-t-il. Reede... ?

Il s'interrompit. Quelque chose s'agitait sous eux.

Baissant la tête, Vanamoïnen s'aperçut que Silky leur tapotait la plante des pieds avec insistance.

– Regarde... dit Tammis, ils sont partis ! Les ondins sont partis.

– C'est fini, fit Vanamoïnen d'une voix rauque. La marée tourne...

– Alors, il faut qu'on file.

Vanamoïnen acquiesça et, ressentant une soudaine envie de vomir, serra les dents. En guise de réponse, il propulsa Tammis vers l'ouverture par laquelle ils étaient entrés dans la grotte. Tammis se mit à nager, Silky décrivait autour de lui de brefs mouvements ondulatoires d'une grâce infinie pour l'inciter à se hâter. Mais Tammis hésita. Il se retourna : Vanamoïnen ne le suivait pas, il laissait son propre corps supplicié tomber à la dérive vers les profondeurs de la mer.

– Reede ? appela Tammis. Seins de la Dame, viens ! Nous allons être pris au piège !

Vanamoïnen sentit la terreur de Reede Kullervo se déchaîner en lui et le supplier de *nager, nager* – alors que, de toute façon, il était déjà condamné, car il savait que sa destinée s'achevait ici.

– Reede ! s'écria de nouveau Tammis.

Finalement, Vanamoïnen céda au désespoir de Kullervo et lui accorda la liberté du choix, même illusoire... sachant que, s'il ne suivait pas, Tammis ne partirait pas.

Reede contraignit ses bras et ses jambes à le propulser en avant dans le sillage de Tammis. La grotte semblait n'en plus finir. Loin devant, on apercevait une dernière poignée d'ondins qui s'en allaient. La direction du courant commençait déjà à changer : le fluide avalé par les chambres à eau sous l'action de la marée refluait maintenant vers la mer. Le nouveau courant lui était favorable et le poussait lentement vers la sortie, parmi d'impénétrables ténèbres qui n'étaient lumineuses que pour l'esprit de l'Autre.

Devant, les derniers ondins avaient déjà disparu à travers l'étroit passage ouvert entre les pales des turbines. Il vit Tammis toucher au but..

– Dépêche-toi ! cria celui-ci. Je vois du mouvement. Reede, viens...

– Continue ! hurla Reede dans son casque. Continue, bon sang, continue !

Il vit Tammis se faufiler dans le passage, suivi de Silky. L'eau commençait à bouillonner anormalement autour de lui. Bientôt, il sentit les pulsations d'une lourde machinerie vibrer dans la grotte : les turbines venaient de se réactiver. Les pales avaient repris leur incessant mouvement de brassage, barrant à nouveau l'accès de la grotte pour deux siècles et demi.

Dieux... Il pria, sans savoir vraiment qui prier – ni pour qui – en regardant le faisceau lumineux du casque de Tammis fendre l'obscurité devant lui. Il nagea de toutes ses forces, avec l'énergie du désespoir, en fermant les yeux. Une soudaine hémorragie emplissait son nez de sang.

L'eau, de plus en plus turbulente, rendait sa progression difficile et l'obligeait à rouvrir les yeux pour chercher son chemin. Au loin, il vit la lampe de Tammis traverser le maelström de la sortie et se retourner vers lui.

– On y est ! cria Tammis. Reede ? Reede ? Tu peux y arriver...

Reede toussa et cracha. Le sang brouillait la vitre de son casque.

– Je ne peux pas...

La distance qui les séparait ne cessait d'augmenter et le passage se rétrécissait. Le battement de cœur des turbines lui martelait les tempes. *Il n'y arriverait pas.*

Il sentit ses dernières forces l'abandonner et perdait toute volonté de résister. Que les eaux disposent de son corps et l'entraînent vers le sacrifice ultime ! Il regardait les pales monter et descendre... et son esprit s'emplissait de l'épiphanie de la mort. Les eaux mouvantes le ballottaient impitoyablement. Il reconnaissait en lui tous les symptômes d'une détérioration inexorable. Il se préparait à sa fin, à ce moment de douleur absolue où son corps se déchirerait en lambeaux et où son âme serait enfin libérée.

– Reede !

Il heurta quelque chose... quelqu'un. Les bras de Tammis étaient autour de lui, le tiraient frénétiquement vers le bout du tunnel, aidé de l'ondine qui le poussait par-derrière, l'incitant à lutter, à avancer...

– Non ! s'écria-t-il. Laissez-moi, vous deux, vous allez nous tuer tous ! (Il tapa sur le casque de Tammis.) Sors !

– Non, répondit Tammis, essoufflé, en l'attirant de force vers le tourbillon blanc. Tu ne sais pas ce que tu dis.

– Ça devait se terminer comme ça ! Laisse-moi mourir.

– Non ! Je ne laisserai plus personne mourir ici à cause de moi...

Reede sentit son corps se tordre et se soulever dans le maelström de métal et d'eau blanche. Dans un spasme final, il fut happé hors du tunnel.

Il toucha quelque chose – quelque chose de vivant. Il tâtonna.

– Tammis ?

Mais c'était le visage de l'ondine qu'il avait dans les mains. Il se retourna.

– Tammis ! hurla-t-il en voyant, dans le rayon de sa lampe, le garçon qui lui tendait désespérément les bras.

Il les attrapa, tira... et sentit qu'ils lui échappaient brusquement. Il crut entendre son nom dans le cri qui transperça son âme au moment où Tammis fut aspiré dans le tourbillon blanc meurtrier.

Son propre cri se mela à la plainte déchirante du mourant. Mais Silky se dressa devant lui et le poussa contre son gré vers la sortie du tunnel.

Il se débattit un instant, puis céda. Son énergie se dissipait comme l'écho du cri d'agonie de Tammis, qui aurait dû être le sien... Il prit dans ses bras le long cou sinueux de Silky, à la fourrure douce et tiède, et se laissa emporter sur son dos, loin des eaux blanches de la mort, loin du battement sinistre des turbines, vers le silence, l'obscurité et, finalement, l'air libre.

TIAMAT : Escarboucle

Moon s'étira. Du fond du Puits montaient des bruits. Abrutie par l'épuisement, elle ne savait pas si elle avait dormi ou s'était évanouie, ni depuis combien de temps elle était là. Peu à peu, elle reprit conscience, et le souvenir des heures passées lui revint. Ce qu'elle avait fait, vécu, la Dame... et puis elle se sentit glisser de nouveau dans les chambres obscures de la mémoire.

Elle se leva, regarda autour d'elle, dessous, et loin, très bas, aperçut une silhouette dans l'eau verte. Un ondin. Une autre silhouette, humaine, celle-là, tentait de se hisser en haut du mur. Mais il n'y en avait qu'une... Elle regarda encore, cherchant une autre forme humaine, et se souvint du visage torturé de Reede, lorsqu'elle l'avait vu à travers les yeux de Tammis, dans les cavernes, le visage d'un homme fier mais désespéré, le visage d'un mourant.

Moon s'approcha de la porte d'accès du véhicule. Elle titubait, comme si son séjour dans l'incorporel et l'infini lui avait fait perdre l'usage de son corps. Elle sortit, s'agrippant au mur et au chambranle.

Une tête casquée surgit de la plate-forme. Surprise, Moon eut un mouvement de recul, puis se pencha en avant, oubliant toute fatigue, tout vertige.

— Tammis !

Elle l'aida à se hisser hors du trou et le ramena dans le véhicule où il s'effondra, comme si toutes ses forces l'avaient abandonné. La visière de son casque était sale et empêchait Moon de distinguer son visage ; elle s'agenouilla devant lui et entreprit de l'en débarrasser.

L'odeur putride, le sang la firent reculer. Au milieu d'un visage maculé de vomissures, des yeux plus bleus et plus purs qu'un ciel d'été la regardaient.

— Reede.

Son cœur cessa de battre.

Il acquiesça, chancelant.

— Ma Dame, murmura-t-il d'une voix presque méconnaissable, avant d'essayer de se nettoyer le visage du revers de sa manche, ultime geste inutile.

— Où est Tammis ?

Elle l'avait pris par les épaules, il hurla de douleur alors qu'elle le secouait, le forçait à lui répondre.

— Où est-il ? Que s'est-il passé ?

— Il est mort, murmura-t-il enfin. Les turbines...

— Non ! Comment ?... Pourquoi ? balbutia-t-elle.

— Ça aurait dû être moi ! Il fallait que je reste vivant, que je tienne jusqu'à ce que le réseau divinatoire soit opérationnel, et ensuite, je devais mourir. Mais il a refusé. Il m'a sauvé la vie, l'idiot, et pour quoi ? Il avait tout, il était en sécurité, et au lieu de cela, il est mort, pour moi. Ça aurait dû être moi...

Moon le lâcha, il glissa dans la flaque d'eau de mer qui s'élargissait à ses pieds. Elle ferma les yeux pour ne plus le voir, et Miroe lui apparut soudain, sa mort se reflétant dans le regard de Tammis. *Tammis... Tammis...* Moon sentit un picotement dans sa gorge. Lorsqu'elle put enfin rouvrir les yeux, Reede était immobile et la regardait. Il lui prit la manche.

– Je suis désolé, murmura-t-il, tellement désolé. Tout ce que j'ai fait à ta fille, à ton fils, à toi. Ça aurait dû être moi... (Un sanglot lui brisa la voix.) Moi !

Elle se pencha, le souleva dans un effort qui la fit trembler, et ordonna au véhicule de les ramener à la surface. Il n'était qu'un poids mort reposant sur sa poitrine alors qu'elle regardait la porte d'accès se refermer. Le véhicule démarra et monta, cette fois, à travers le Puits toujours plongé dans l'obscurité. Moon garda Reede dans ses bras pendant tout le voyage, feignant de tenir son propre fils, et non cet étranger presque fou qui avait détruit sa famille au nom du réseau divinatoire.

Enfin, le véhicule s'immobilisa et l'ouverture du toit glissa silencieusement au-dessus de leurs têtes. Moon leva les yeux, n'ayant pas la force de faire autre chose, et entendit les voix de Jerusha et de Merovy. Incapable de soutenir leurs regards, d'observer leurs visages lorsqu'ils découvriraient ce qu'elle ramenait, elle baissa la tête.

En entendant les voix, Reede remua. Il était resté immobile et silencieux durant toute leur remontée, et maintenant, il déployait d'intenses efforts pour s'asseoir tout seul. Il regarda Moon, sans comprendre.

– Moon ?

C'était la voix de Jerusha, pressante, inquiète.

– Ici... répondit-elle faiblement.

Puis elle entendit quelqu'un descendre dans l'habitacle. Un instant plus tard, Jerusha sautait à ses côtés. Son regard passa de l'un à l'autre, elle fronça les sourcils à la vue de leur état.

– Et Tammis ? demanda-t-elle.

Moon secoua la tête.

– Dieux...(Jerusha s'avança, offrant la force de ses

bras à Moon. Elle la souleva, regarda Reede, puis de nouveau Moon.) Rien n'a changé, ici, dit-elle, il fait toujours noir. Moon, que s'est-il passé ? Peux-tu me raconter ?...

Moon secoua simplement la tête.

— Sors-moi, sors-nous de là, Jerusha, je t'en prie.

Jerusha l'aida à monter à l'échelle. Moon s'agrippa aux bras tendus qui l'attendaient en haut et la tirèrent de sa prison. Elle émergea au milieu d'un cercle de visages familiers. Elle était enfin chez elle.

Clavally et Danaquil Lu la soutinrent tandis que Merovy lui apportait un bol de tisane médicinale qu'elle but en regardant les autres émerger du véhicule. D'abord Jerusha, qui tira Reede et le laissa étendu au bord du Puits. Les regards se tournèrent de nouveau vers le véhicule, guettant le dernier passager.

— Tammis ? appela Merovy.

— Merovy, dit Moon, la gorge serrée, il n'est pas là.

Merovy se tourna vers elle, sans comprendre.

— Mais si, il doit être avec vous, il est parti avec vous. Il revient...

— Il ne revient pas, murmura Moon. Il est mort, Merovy. Mort.

Merovy blêmit, ses mains se posèrent sur son ventre arrondi.

— Mais... comment ?

Les mots lui déchiraient la gorge.

— Je l'ai tué.

La voix de Reede les fit se retourner. Il se leva en titubant, tel un mort qui sort de sa tombe, et leur fit face. Merovy laissa échapper un cri et s'avança vers lui, le visage déformé par la colère et le désespoir.

— Pourquoi ? cria-t-elle.

— C'était un accident, dit Moon. Tammis lui a sauvé la vie.

— Mais pourquoi ? Qui est-ce ?

Merovy pleurait, et personne n'avait de réponses à ses questions.

— Ce n'est pas juste, nous avons un enfant...

— *Tu* as un enfant, murmura Clavally en la serrant

dans ses bras. Tu as son enfant, mon cœur, tu dois prendre soin de lui.

Les sanglots de Merovy résonnaient dans la grande salle, et il sembla à Moon que le monde entier pleurait. Elle se détourna pour ne pas affronter les regards de compassion de Clavally et Danaquil Lu, et regarda le Puits.

— J'ai sauvé le monde, dit-elle tout bas avec amertume, mais j'ai perdu mes enfants.

Du coin de l'œil, elle vit bouger Reede, le vit se diriger vers le Puits.

— Arrêtez-le !

En deux enjambées, Jerusha fut sur lui et le poussa loin du bord, l'empêchant de se jeter dans le Puits. Elle le maîtrisa sans effort et le ramena vers les autres.

Il tomba à genoux, Jerusha garda une main sur son épaule, mais Moon se rendit compte que cela était inutile. Il les regardait, le visage ensanglanté, un abîme de désespoir dans les yeux.

— Vous voulez me voir mourir ? cracha-t-il. Alors attention, le spectacle commence, connards !

Moon s'approcha de lui, son corps lui semblait être celui d'une vieille femme, raide, lent, douloureux.

— Qui êtes-vous ? demanda-t-elle.

Reede leva les yeux vers elle avant de laisser retomber sa tête, muet. Moon avait vu l'impossible vérité dans ce regard.

— Je ne veux pas que vous mouriez, dit-elle doucement. Je veux vous aider, dites-moi comment.

Lentement, il secoua la tête. Moon avait posé ses mains sur son visage ensanglanté et il la regarda, profondément troublé.

— Non, vous ne pouvez pas. Même moi, je ne peux pas.

— Vous avez dit que la police vous avait confisqué toute l'eau de mort que vous aviez, lors de votre arrestation ?

— C'est exact, répondit-il faiblement.

— La police l'aurait-elle encore ? demanda Moon à Jerusha.

— Peut-être, mais il peu probable qu'elle accepte de nous la donner.

— Même pour des raisons *humanitaires* ?

Jerusha eut un rire sec.

— Pour sauver la vie d'un criminel que tu protèges de l'Hégémonie ? Etant donné la situation, c'est complètement illusoire !

— Jerusha, envoie un message à Vhanu. Dis-lui que s'il veut que la lumière revienne sur cette ville, il n'aura qu'à m'envoyer la drogue, sans poser de questions.

Jerusha était stupéfaite.

— Je croyais que tu n'avais rien à voir avec la disparition de la lumière...

— En effet.

— Mais tu sais comment la rallumer ?

Moon regarda au loin, dans les profondeurs obscures de la Salle des Vents.

— Oui, répondit-elle.

— J'envoie immédiatement quelqu'un, murmura Jerusha.

Puis elle s'éloigna après avoir salué Moon.

Moon se tourna vers Merovy et ses parents.

— Clavally, Dana, aidez-moi à porter Reede dans un lit. Je veux qu'il soit bien installé. Merovy, tu es médecin, pourras-tu t'occuper de lui ? Il souffre énormément.

Le visage de Merovy était vide d'expression, stupéfait. Peu à peu, les couleurs regagnèrent ses pommettes, et, l'espace d'un instant, Moon y vit le signe de la colère et du refus. Mais Merovy se détourna, se força à regarder Reede, et, d'une voix inaudible, murmura :

— D'accord.

Réticent, Reede leva lentement la tête vers ceux qui s'approchaient de lui, mais se laissa entraîner vers les escaliers et le palais.

Moon s'assura qu'il était confortablement installé, puis lui nettoya le visage d'un linge humide. Ensuite, elle observa Merovy soigner ses blessures à l'aide du peu de médicaments qu'elle avait. Son visage s'était détendu, ses mouvements étaient mesurés, sûrs, le contact des blessures de Reede la forçant à reconnaître en lui un être humain.

Il avait les yeux clos, respirait avec difficulté, comme s'il avait perdu conscience. Mais la rigidité de ses muscles, la blancheur de ses poings serrés prouvaient qu'il tentait seulement d'ignorer leur présence à son chevet.

Au bout d'un moment, convaincue qu'elle avait fait tout ce qui était en son pouvoir, Moon traversa les salles du palais, faiblement éclairées, puis la salle du trône, pour regagner la Salle des Vents. Elle s'avança sur le pont, au-dessus du Puits, sentant l'appel. Ce n'était qu'un lointain écho des splendeurs qu'elle avait encore à l'esprit, mais cela suffisait à exciter ses sens. La Dame...

Elle respira l'air de la mer qui montait du Puits, rappel constant de la présence d'un pouvoir invisible dans lequel elle avait profondément cru sur l'île de ses jeunes années. Puis il y avait eu la déesse incarnée, qui s'exprimait par la bouche de toutes les sibylles et de tous les devins, accordant le don de Sa sagesse aux Etésiens, le peuple élu.

Mais l'extramonde, son mode de vie, avaient ôté ses croyances à Moon. Elle avait appris la vérité sur le réseau divinatoire, et perdu son innocence. Depuis, il n'y avait plus eu de Dame, sinon dans les jurons. Il n'y avait plus eu que la douleur de l'absence lorsqu'elle avait eu besoin de la force que donne la foi.

Mais maintenant, au moins, elle avait trouvé dans l'étroite vérité du cynisme des extramondiens une vérité plus large. L'intelligence qui guidait le réseau divinatoire n'était pas une force surnaturelle, c'était un phénomène plus humain, autre chose qu'humain, bien que sensible aux désirs et aux besoins des hommes. Il résidait dans le cœur du Survey et influait sur le destin d'innombrables personnes, sur d'innombrables mondes dont Moon n'entendrait même jamais les noms.

Les deux peuples de ce monde, séparés mais intrinsèquement unis, étaient ses peuples élus, naturellement, profondément. Elle n'avait pas cédé à la démence, le pouvoir n'était pas son obsession, ses gestes n'étaient pas guidés par l'ambition. Elle n'était pas Arienrhod.

Elle avait eu raison et, au bout du compte, ce en quoi elle avait cru s'était avéré.

Confiante, elle regarda la lumière verte et sentit sa gorge se serrer alors que l'image de son fils envahissait son esprit. Le prix à payer pour être l'élue de la Dame et la servir... Elle trembla. Mue par la seule force de sa volonté, elle traversa le pont et ne s'arrêta qu'après avoir atteint l'autre côté. Elle resta là un moment, dans le silence, et pressa ses yeux avec la paume de ses mains jusqu'à ce que la seule lumière qu'elle vît soit celle, brillante, des phosphènes.

Puis elle leva la tête, ramassa la lanterne. Des pas résonnèrent, qui venaient dans sa direction. Elle aperçut une autre lanterne. Jerusha arrivait, suivie de Vhanu en personne.

Moon s'essuya rapidement le visage, posa ses mains sur ses hanches. Vhanu était visiblement surpris d'avoir pu pénétrer dans le palais sans escorte, et encore plus étonné de la trouver là, seule, qui l'attendait.

– Ma Dame, fit Jerusha, le commandant a ce que vous avez demandé.

– Je suis surprise de voir que vous vous êtes déplacé pour me l'apporter, commandant, dit Moon froidement.

– Votre offre était suffisamment inhabituelle pour que je veuille savoir exactement de quoi il s'agissait. Je suis aussi ici pour m'assurer que, de votre côté, vous respecterez votre engagement.

– Pour ma part, je ne fais jamais de promesse que je n'aurais pas l'intention de tenir.

Vhanu approcha, lentement, jusqu'au bord du Puits. Il resta dans le halo de la lanterne, mais assez loin pour qu'elle ne puisse le toucher. Puis il sortit un petit flacon métallique de l'une de ses poches.

– J'ai ce que vous voulez. (Il tendit le bras au-dessus du Puits.) Maintenant, dites-moi pourquoi vous le voulez.

Moon sentit sa peur se transformer en colère sous le regard méprisant de Vhanu.

– Cela ne vous regarde pas, commandant, répondit-elle.

— Vos gardes se sont emparés d'un de mes prisonniers, hier. Cet homme est celui à qui appartient la drogue. Ce que vous comptez en faire, de lui et de la drogue, me concerne au premier chef.

— C'est un drogué. Ma fille aussi. Ils ont besoin de cette drogue pour rester en vie.

Il jeta un coup d'œil sur la fiole.

— Elle est presque vide.

Son regard dénué de compassion ôta à Moon l'envie de lui demander de l'aider à synthétiser l'eau de mort.

— Ça, c'est mon problème, commandant, dit-elle, presque contente qu'il lui ait donné une raison de ne pas le supplier. Votre problème est de rétablir l'électricité dans la ville, et je peux le faire pour vous, si vous me donnez ce que je veux.

— Et le Forgeron ?

— Qui ? demanda-t-elle avant de comprendre de qui il voulait parler. Vous voulez dire Reede Kullervo ?

Il acquiesça en fronçant des sourcils.

— Je veux le récupérer.

— Il a fait se droguer ma fille, a provoqué la mort de mon époux. Mon fils s'est noyé par sa faute. C'est à moi de m'en occuper.

Vhanu avait toujours les sourcils froncés, mais on pouvait maintenant lire un peu de compréhension dans son regard. Enfin, il baissa le bras qu'il avait tendu au-dessus du Puits.

— Je veux le récupérer. Vivant. Il a une trop grande importance pour nous. Son arrestation est importante pour l'Hégémonie, pour le Survey.

Moon sentit le lien si fort qui l'unissait à l'ordre secret qu'il avait servi plus fidèlement que son gouvernement. Elle vit Reede, pion de la Confrérie, puis du Juste Milieu, et comprit pourquoi la police tenait tellement à le retrouver et à exploiter sa prodigieuse intelligence, comme l'avaient fait leurs rivaux.

— Vous pouvez le garder jusqu'à l'ouverture de son procès, ma Dame. Punissez-le comme bon vous semble, simplement, faites en sorte qu'il vive. Cela vous convient-il ? Il va de soi, bien sûr, que nous pourrons venir le chercher à n'importe quel moment, si nous le jugeons utile. J'ai essayé de respecter votre souveraineté, dans la mesure où vous me le permettez, jusqu'à présent, étant donné que je m'attends à être nommé prévôt d'ici peu.

– Refuser votre proposition serait faire preuve de mauvaise volonté. Vous semblez tenir nos traditions en haute estime. Je le garderai donc jusqu'à ce qu'un nouveau prévôt soit nommé. Ensuite...

Elle frissonna. Malgré le regard méprisant de Vhanu, qui semblait dire *barbares*, Moon perçut chez lui un léger malaise.

– Rétablissez l'électricité dans la ville, ma Dame, et vous aurez ceci, dit-il en montrant le flacon.

L'espace d'un instant, le voyant si proche du bord du Puits, elle hésita. Elle secoua la tête et tendit la main, le vit se raidir dans un mouvement de refus.

– Donnez-le-moi, dit-elle. Donnez-le-moi maintenant ou vous n'aurez rien.

Il regarda le Puits. Après un moment qui parut sans fin, il la regarda de nouveau et acquiesça. Cette fois, il avait une expression plus inattendue, plus dérangeante que la capitulation sur son visage.

– Bien, d'accord, murmura-t-il. Mais je veux regarder. Je veux vous voir le faire.

Surprise, hésitante, elle accepta d'un lent signe de tête, tendit le bras encore une fois. Il y déposa la fiole. Elle referma sa main dessus, fit demi-tour et avança sur le pont. Elle n'avait plus peur, maintenant, le doute et le chagrin avaient disparu. Se retournant pour lui faire face, suspendue au-dessus de ce qui était les ténèbres pour lui et la lumière pour elle, elle vit le dédain et le scepticisme dans le regard de Vhanu, associés à une fascination sans bornes. Elle ferma les yeux, murmura :

– *Input*.

Et sans qu'elle eut à poser de question, elle sentit l'esprit divinatoire se préparer à répondre. Un court instant, elle eut conscience de l'infini, ondulant comme une mer sans horizon...

Elle revint dans le présent, vacillante, essoufflée. Regarda dans le Puits. Loin, tout au fond, il y avait de la lumière, la vraie lumière, pas le rayonnement secret qu'elle avait traversé. L'énergie remonta en spirale gonflée, telle une flamme, redonnant vie aux machines. Lorsqu'elle sortit enfin du Puits et se répandit dans la salle, celle-ci fut envahie par une formidable incandescence. Et la lumière fut.

Moon s'approcha des visages illuminés, des deux formes immobiles apparues soudain dans ce jour inattendu.

– J'ai respecté ma promesse, commandant Vhanu.

Il recula, sans la quitter des yeux. Ses pupilles étaient encore dilatées, malgré la lumière. Moon y lut de l'incrédulité. *Comment ?* demandaient-elles, *comment ?* Elle ne répondit pas, soutint ce regard, sans ciller, comme si elle avait réellement pu lui donner la réponse.

Ce fut Vhanu qui céda et détourna son regard vers le flacon.

– Et j'ai respecté la mienne.

Il avait voulu parler sur un ton aussi neutre que possible, mais ses mouvements avaient une raideur mécanique, son visage était tendu.

Moon serra le flacon dans son poing, sentant le picotement électrique de la victoire.

– Au fait, dit Vhanu, j'ai entendu dire que des ondins avaient été repérés dans les eaux proches de la côte. Rien de nouveau, à part ça. La prochaine fois que l'électricité sera coupée, je saurai à qui me plaindre. Et dites à votre peuple de ne pas venir nous déranger, sinon, ils devront en supporter les conséquences. Ma Dame...

Il la salua, fit un rapide signe de la tête en direction de Jerusha et se dirigea vers la porte.

Moon se mordit les lèvres en contemplant le flacon.

– Ce geste vous sera rendu au centuple ! lança-t-elle à celui qui quittait la pièce.

Il fit volte-face, et elle distingua parfaitement l'expression qui animait son visage. Enfin, il sortit. Jerusha le regarda s'en aller, ne faisant aucun geste pour le raccompagner, puis elle se tourna vers Moon, troublée.

– Comment ? demanda-t-elle. Tu avais dit que tu n'étais pour rien dans la coupure de l'électricité.

– C'était vrai, répondit Moon, l'expression de Vhanu gravée dans sa mémoire.

– Mais c'est toi qui l'as rétablie.

Elle frissonna, épuisée, la tête vide, cherchant une explication honnête qui ne lui fasse pas dévoiler la vérité.

– C'est ce que tu as fait lorsque tu étais dans le Puits ?

– Oui, répondit-elle, reconnaissante.

– Moon, que s'est-il passé d'autre au fond du Puits ? Tu as disparu pendant des heures. Tammis... c'était un accident ? Ou est-ce que Kullervo...

– Non, Kullervo n'a rien fait. C'est Tammis... il a voulu empêcher le destin de s'accomplir. C'est sa bonté qui l'a tué, Jerusha.

Elle aurait aussi voulu dire que c'était le souvenir de Miroe, mais n'en eut pas le courage.

– Je... je ne peux pas en parler. (Ses mains serrèrent la fiole, elle tremblait.) Non, je ne peux pas.

Moon vit l'ombre du doute sur le visage de Jerusha.

– As-tu peur de moi ? demanda-t-elle.

Jerusha la regarda longuement, puis secoua la tête.

– Non, mais tant qu'il ne saura pas comment tu as fait, j'ai peur que Vhanu ne nous laisse pas en paix.

Moon ne répondit pas.

– Et les ondins ? reprit Jerusha. N'as-tu fait que ramener l'électricité ?

– Non, dit Moon d'un ton hésitant, mais c'était le seul moyen que j'avais pour faire plier Vhanu.

Jerusha fit la moue. Du doute elle passait à l'incrédulité.

– Alors tu aurais peut-être dû demander plus. (Elle montra le flacon.) Reede Kullervo ne donne pas l'impression de valoir ce que tu viens de donner pour sa vie.

Moon eut un sentiment d'oppression dans sa poitrine.

– Il ne s'agit pas uniquement de sa vie. Il y a celle d'Ariele. Reede pourra peut-être sauver ma fille.

Jerusha eut une grimace d'excuse et acquiesça.

– De plus, poursuivit Moon, il ne mérite pas de mourir, et ne mérite plus d'être utilisé comme il l'a été, par qui que ce soit. J'entends veiller à ce qu'il ne le soit pas.

Moon se dirigea vers le cœur du palais. Jerusha la suivit. Lorsqu'elles entrèrent dans la chambre de Reede, Clavally et Danaquil Lu levèrent la tête. Merovy était assise à côté de Clavally, les yeux clos, la tête posée sur l'épaule de sa mère, qui lui caressait les cheveux, doucement, calmement.

Moon s'approcha du lit. Reede semblait dormir et ne réagit pas lorsqu'elle prononça son nom.

— Reede, dit-elle une nouvelle fois, j'ai l'eau de mort.

Ces mots laissèrent une amertume sur ses lèvres.

Reede ouvrit les yeux, la regarda, puis regarda le flacon.

— Pouvez-vous en fabriquer ? demanda-t-elle en s'agenouillant à son chevet. Je vous trouverai un laboratoire.

— Non, dit-il en secouant la tête.

— Si vous buvez le contenu du flacon, vous aurez la force d'en fabriquer.

Les mains de Reede s'agitèrent sur les draps.

— Pas bon, murmura-t-il. Recommencer du début, trop long. Deux doses, pas assez pour avoir le temps de tout refaire. Gardez ce qu'il vous reste, pour Gundhalinu. S'il revient, il pourra vous aider, et la sauver...

Sauver Ariele... Il ferma les yeux, comme si la vue du flacon était une torture.

— Ce n'est pas trop tard, il doit y avoir un moyen de vous aider, dit Moon en posant une main sur son bras.

Reede vomit un juron, elle retira sa main.

— Egorgez-moi, dit-il, les yeux débordant de haine.

Moon se leva, la fiole à la main, hésita.

— Jusqu'où va votre amour pour ma fille ?

Reede se tendit de douleur. Lentement, Moon brisa le sceau qui fermait le flacon.

— Non ! hurla Reede. Arrêtez-la !

Jerusha saisit le bras de Moon.

— Au nom de la Dame et de tous les dieux, mais que fais-tu ?

Moon soutint son regard jusqu'à ce que Jerusha la lâche.

— BZ a dit que l'eau de mort était un dérivé de l'eau

de vie. Cela signifie qu'à la base, il y a une forme de géniomatière, n'est-ce pas ? demanda-t-elle à Reede.

– Oui... mais... elle comporte... des défauts. Je ne disposais pas... du matériel nécessaire, lorsque je l'ai... fabriquée. Et... il n'y a pas moyen de la modifier. Je... j'ai essayé, plusieurs fois... je n'y suis jamais arrivé.

– Le virus divinatoire est aussi une forme de géniomatière, n'est-ce pas ? Toutes les formes existantes sont liées ?

Reede acquiesça.

– BZ m'a dit qu'ensemble, vous aviez découvert le moyen de reprogrammer le plasma astropropulseur lorsqu'il était endommagé. Il a dit « le vacciner », pour modifier ses fonctions.

– Oui, et alors ?

– Mon corps renferme une forme de géniomatière qui fonctionne parfaitement, par lequel le réseau divinatoire s'exprime. Si je bois l'eau de mort et entre en Transfert, je serai le laboratoire. Le réseau peut accéder à la drogue par moi et modifier ses fonctions.

– Moon ! (Danaquil Lu se leva.) Reede a dit que c'était impossible. Tu n'as aucun moyen de savoir si cela marchera.

– Sauf si j'essaie... (Elle se tourna vers Reede.) Pensez-vous que le réseau divinatoire en est capable ?

– Dieux, je n'en sais rien. Peut-être, c'est possible, mais si vous vous trompez, vous aurez signé votre arrêt de mort.

– Moon, je t'en prie, murmura Jerusha. Ton fils est mort et Reede Kullervo ne le remplacera pas. Cet homme a fait de ta fille une droguée. Tu ne peux pas risquer ta vie pour un être pareil. Et si vous mourez tous les deux ?

– Eh bien, vous rendrez nos corps à la mer, murmura Moon.

– Et l'Hégémonie ? Et les ondins ?

– Que vont-ils devenir ? (Le ton de Moon s'était durci.) Pendant des années, le réseau divinatoire m'a obligée à lui donner ce qu'il désirait, quels que soient les sacrifices que cela représentait pour moi. Il m'a volé la moitié de ma vie. Et la moitié de la sienne. (Elle montra

Reede d'un geste.) Le temps est venu pour le réseau de nous donner quelque chose en échange, une chose dont nous avons besoin. Sinon, il n'obtiendra plus jamais rien de moi.

Elle sentit croître en elle un sentiment d'immense liberté, de terrifiante résolution, et comprit que le pouvoir qui l'avait si longtemps contrôlée venait de lui rendre sa liberté. Elle porta le flacon à ses lèvres et but la moitié de son contenu, si vite que personne n'aurait pu l'arrêter, pas même elle, puis elle confia le reste d'eau de mort à Jerusha.

– *Input.*

Elle disparut dans le puits caché de son esprit, ouvrit la porte d'une autre dimension, celle où, il y avait bien longtemps, elle avait vécu dans les ténèbres et le silence, l'endroit que les sibylles et les devins appelaient le Lieu Néant. Mais cette fois, elle savait comment écouter, voir, et elle découvrit le couloir de lumière qui la reliait à Elle, à l'esprit des créateurs du réseau : Le Lieu Rêve.

Ma Dame, aidez-nous. C'était sa requête, sa prière, son ordre. Ma Dame, pour l'amour de Vanamoïnen, rendez-nous ce à quoi nous avons droit. Notre vie. Guérissez-moi.

Elle regarda derrière elle le filament doré qui la liait à l'esprit divinatoire, vit son propre corps se transformer en un réseau étincelant, chaque cellule clignotant brièvement alors que l'eau de mort se multipliait et l'envahissait, en prenait le contrôle, la mort imitant la vie.

Et ce que Moon vit, la Dame le vit. Elle vit Reede Kullervo, le vaisseau qui avait transporté l'esprit de Vanamoïnen et qui devait s'autodétruire lorsque Vanamoïnen aurait accompli sa mission, parce que sa survie représentait un danger pour la Dame. Mais ses yeux humains virent aussi la souffrance de Reede, et La forcèrent à voir que dans son effort désespéré pour survivre et guérir, Elle avait nié les raisons mêmes de son existence. Elle avait trahi les serviteurs à qui Elle aurait dû obéir. Dans Sa souffrance, Elle avait Elle-même blessé les parties de Son corps qui auraient dû La guérir.

Et parce qu'ils L'avaient guérie, Elle prenait enfin conscience. Elle voyait les efforts désespérés que faisait Reede/Vanamoïnen pour survivre, pour laisser une trace dans le temps, maintenant que son esprit était libre. Elle voyait aussi que la survie ou la mort de Reede/Vanamoïnen n'avait été, n'était et ne serait qu'une manifestation du hasard.

Elle était consciente de l'erreur fatale qui se répandait comme un poison dans le corps de Son avatar, et des chaînes qu'Elle avait Elle-même forgées et qui avaient poussé Moon Marchalaube à La défier, à commettre un acte d'autodestruction qui était aussi une prière. Mais Elle n'était plus impitoyable, ni aveugle. La compassion L'envahissait, et Elle en était consciente parce qu'Elle avait été guérie. Elle devait les guérir à Son tour, si Elle le pouvait...

Moon se rendit compte que son entrée dans le réseau caché et la conscience qu'elle avait d'avoir organisé la reprogrammation de la Dame avaient émis un reflet sur Son esprit, comme lors de la création de Vanamoïnen et de Ilmarinen. Elle ne savait plus si elle voyait son passé avec sa propre mémoire ou avec le reflet de cette mémoire émis par le réseau divinatoire. Mais elle savait que cela n'avait pas d'importance. A ce moment précis, elle était tout, pouvait exaucer ses propres vœux, faire tout ce qui était en Son pouvoir. S'il existait une réponse dans les profondeurs inexplorées de Ses connaissances, elle la trouverait.

Elle regarda le virus divinatoire, présent dans chacune de ses cellules, consciente du fait que toutes ces cellules modifiées contenaient un piège potentiel destiné à attraper le nouvel envahisseur. Mais il fallait qu'elle arrive à déclencher le processus. Elle analysa la structure de l'eau de mort, nota les similitudes avec la structure programmée de la vraie géniomatière, tenant compte du plus petit défaut.

Ayant accès à la totalité des connaissances technologiques du Vieil Empire, avec la puissance de traitement d'un ordinateur qui couvrait plusieurs mondes, elle fouilla dans les secrets dissimulés depuis la Chute, dans le savoir que ceux qui l'avaient développé avaient jugé bon d'oublier. Grâce aux interactions avec son propre corps, elle essaya tous les codes, les uns après les autres, cherchant celui qui libérerait la formule de l'eau de mort. En vain.

Elle chercha dans tous les recoins de Sa vie, dans les travaux sur le technovirus, dans les profondeurs de la sagesse et de la stupidité de ses lointains ancêtres...

Et enfin, elle trouva. Elle découvrit le processus de transformation qui neutraliserait progressivement l'ennemi qui avait envahi son corps, dont il rétablirait les fonctions normales. Mais son excitation fut teintée de chagrin. Même un miracle avait un prix, qu'elle était obligée de payer... Elle envoya la séquence électrochimique dans le réseau interactif, l'ordinateur de chair et de sang, le laboratoire vivant qu'était son corps et qui attendait au bout du fil doré qui la reliait à la Dame.

Une fois la séquence complète, elle se sentit inexorablement rappelée à l'autre bout du Transfert, dans sa propre existence.

– Moon...

Des voix, tout autour d'elle. Trop réelles, trop nettes, comme les bras qui l'entourent, alors que la multitude des couleurs d'un spectre infini se transforme en lumière du jour incolore.

– Mère, murmura-t-elle, merci, ma Mère.

Il se produisait encore quelque chose dans son corps. Le changement qu'elle avait subi était aussi profond que lorsqu'elle avait été contaminée par le virus divinatoire.

– Ça va ? demanda Merovy, inquiète.

Moon acquiesça, et s'assit en se frottant les yeux et le visage. Lentement, elle prit conscience du fait qu'elle était vivante, qu'on l'avait épargnée et que ses prières avaient été entendues et exaucées. Plus lentement encore, elle comprit ce qui lui restait à faire, et le prix qu'elle avait payé.

– Merovy, apporte ta trousse médicale, demanda-t-elle.

Merovy s'approcha.

– As-tu une seringue ? Une grosse, pour prendre du sang. (Merovy acquiesça.) Je veux que tu prennes un peu de mon sang et que tu l'injectes dans les veines de Reede. L'eau de mort est morte.

Elle se leva, chancelante, Clavally et Danaquil Lu la soutinrent. Elle sentit le regard douloureux de Reede posé sur elle, vit qu'il avait peur d'espérer.

– Moon, dit Clavally, si tu fais ça, tu lui inoculeras le virus divinatoire.

– Non, il ne risque rien. Je ne suis plus une sibylle.

– Plus une sibylle... (Clavally ouvrit des yeux tout ronds.) Mais je croyais que c'était impossible...

– Non, dit Moon avec un petit rire. Il existe un endroit où rien n'est impossible.

Elle s'approcha du lit de Reede, Merovy la suivit et lui fit une prise de sang. Moon regarda couler le liquide, d'un rouge profond, avec détachement, presque déçue de ne pas y voir les reflets d'une étrange lumière. Puis Merovy se tourna vers Reede, seringue à la main. Sa main trembla légèrement, et Moon pensa que personne n'avait pu redonner la vie à son fils, à l'époux de Merovy.

– Ma Dame, chuchota Reede, c'est vrai ?

Il leva un bras, tendit une main dans sa direction.

– Oui.

Moon serra les poings. Quelque chose en elle, le chagrin, refusait de répondre à ce geste. Mais elle tendit elle aussi la main et ferma doucement ses doigts sur la chair enflée de Reede. Elle lui maintint le bras lorsque Merovy, respirant un grand coup pour ne pas trembler, lui injecta son sang. Reede se raidit, murmura quelque chose dans une langue qu'elle ne comprenait pas, puis son corps se relâcha, ses doigts glissèrent de la main de Moon. Merovy lui prit le pouls.

– Il vit, murmura-t-elle, puis elle eut un petit rire.

Soulagement ? Ironie ?

Moon vacilla. La réaction, sans doute. Elle fit un pas en avant. Les bras de Merovy l'empêchèrent de tomber. Ce fut la dernière chose dont elle se souvint.

– Ben, ça a l'air d'aller pas mal, dit Tueur de flics à Gundhalinu qui émergeait de sa hutte, traînant son paquetage derrière lui.

Gundhalinu se mit debout avec une raideur penchée, pour contrer les effets du vent, protégeant ses yeux de la rafale de cendres et de poussière et de la lumière aveuglante du soleil. Pour une fois, il sentit à peine la morsure du froid, les picotements sur la peau. Il souriait, et ne pouvait s'en empêcher.

– J'ai fait un rêve génial, cette nuit, dit-il.

Il parlait encore de son temps de sommeil en disant « la nuit », malgré le fait que dans ce monde, la nuit, c'était le jour. La plus grande partie de la journée, le soleil s'éclipsait derrière Mégableue. Il faisait aussi noir que dans un tunnel et il régnait un froid de canard. Ils travaillaient la nuit, à la lumière crépusculaire du reflet de la planète. Ils ne voyaient la lumière que quelques minutes par jour, au lever et au coucher du soleil.

– Un rêve génial... murmura-t-il.

– Probab', marmonna Tueur de flics en se grattant la barbe.

Avec le temps, Gundhalinu s'était habitué à la prononciation du barbu et le comprenait presque toujours.

– Passqu'autrement, j'penserais qu't'as perdu la boule. Y a qu'les barjo qui sourient quand c'est l'heure d'bosser. Les bons rêves, c'est bon signe, Traître. P'têt' bien qu'on va trouver un nouveau coin, aujourd'hui.

– Peut-être, dit Gundhalinu en soupirant.

Il mordit dans un biscuit ration. D'habitude, il était le premier levé, pour éviter les sautes d'humeur de Tueur de flics et les remarques de Pirate. Mais aujourd'hui, il avait dormi plus longtemps, réchauffé, ramolli par son rêve, regrettant pour une fois d'avoir à aller travailler, redoutant la fin des heures de repos, qu'il trouvait d'habitude interminables.

Il avala son biscuit. Ça aurait pu être un pâté de sciure, étant donné la consistance et le goût, mais c'est ce qui le gardait en vie, alors il supposait que c'était nutritif. Il but une gorgée d'eau de sa gourde. La plupart du temps, manger ne faisait qu'attiser sa faim, de la même façon que rêver lui laissait une sensation de vide.

— Allons-y.

Tueur de flics ramassa la corde de leur traîneau et tira, pendant que Gundhalinu poussait. Ils s'éloignèrent du camp en direction de l'immense plaine déserte. En passant, Gundhalinu jeta un œil vers la hutte de Pirate, comme chaque fois. Il vit la plante morte à côté de la porte, un jeune plant flétri dans un pot plein de cendres. Pirate avait réussi à ramener des graines lors d'un voyage au fort. Il avait essayé de les faire pousser. Elles avaient germé, comme l'espoir, puis s'étaient flétries et avaient crevé... comme l'espoir. Il n'y avait pas assez de lumière pour permettre la photosynthèse. Ici, les seules choses qui survivaient étaient les bactéries et les parasites qui vivaient sur l'homme.

— T'as rêvé de ta femme ? demanda Tueur de flics juste au moment où Gundhalinu pensait qu'il ne poserait pas cette question.

Il ne parlait guère qu'à ceux qui lui adressaient la parole, il avait encore un peu peur, après ce qu'on lui avait fait lorsqu'il était arrivé, que même Tueur de flics le dénonce pour une remarque sans importance.

— Oui, répondit-il, sentant cette voix, sa voix, envahir son esprit et le remplir de couleurs dont il avait oublié jusqu'au nom, ici, dans ce crépuscule monochrome.

Jamais elle ne lui avait paru réelle, sauf cette Nuit des Masques, lorsqu'ils avaient fait l'amour, unis enfin dans cette extraordinaire communion des esprits qui les avait conduits au-delà des limites du temps.

Elle m'a dit que je serais libre, bientôt...

Ils marchèrent de longues heures, ne trouvant que des restes, autour des puits qu'ils connaissaient déjà. Gundhalinu n'avait pas encore un sens précis du temps, comme les autres hommes du groupe qui savaient quand travailler, manger, dormir. Le corps humain a son propre rythme, lui avait dit Pirate, mais personne ne l'avait forcé à y prêter attention.

– Arrête de pousser, dit tout à coup Tueur de flics, j'ai envie de pisser.

Gundhalinu s'immobilisa, heureux de faire une pause, même si lui-même n'en demandait jamais. Mais cette fois, au lieu de s'asseoir, il alla grimper la colline derrière eux, toujours poussé par l'effervescence qui l'habitait depuis qu'il s'était réveillé. L'arc lumineux de Mégableue, suspendu au-dessus de lui, ressemblait à l'œil d'un géant, observant le moindre de ses mouvements, comme lorsque, enfant, Gundhalinu observait les insectes lutter entre eux, à Kharemough. Alors qu'il regardait en l'air, un vaisseau de surveillance passa dans son champ de vision, ses feux de position semblables à des étoiles.

Une main en visière, il scruta l'horizon, de l'autre côté de la colline. Au loin, il aperçut un nuage de poussière indiquant la présence d'une autre équipe, probablement Pirate et Contrat.

Le sol se déroba sous ses pieds, il chancela et ne resta debout que par un extraordinaire hasard. En regardant en bas de la colline, il fut stupéfait de constater qu'un énorme cratère, du genre de ceux dont on parle dans les histoires, s'était ouvert. Il le regarda un long moment, pour en être bien sûr, puis se retourna et appela :

– Tueur ! Viens voir ! J'en ai trouvé un !

Tueur de flics se hissa en haut de la colline, glissant, ripant, et rejoignit Gundhalinu.

– Pu-tain ! Tu peux l'dire !

Il rigola, chose que Gundhalinu ne l'avait jamais entendu faire. Ils descendirent ventre à terre, jusqu'au bord noirci du cratère.

– C'est peut-être ton jour de chance, Traître, dit Tueur de flics. Bon dieu ! Regarde-moi ça, il a des dents ! C'est le jackpot !... (Il se pencha et fit un geste du bras.) Après vous, je vous en prie.

Gundhalinu s'agenouilla et fouilla dans son paquetage. Devant lui, les cristaux attendaient qu'on les ramasse. Ils formaient un étrange bouquet, avec la grâce particulière que confère l'asymétrie, et qui était plus proche de la beauté que tout ce qu'il avait pu voir dans ce paysage aride. Il sortit ses gants de protection et se pencha pour ramasser la première épine de cristal.

Le sol trembla. Il perdit l'équilibre et tomba en avant. Ses mains s'écrasèrent sur le bouquet de cristal, qui se dispersa. La plupart des épines tombèrent au fond du cratère. Un second choc, plus violent, manqua de l'envoyer les rejoindre. Il eut juste le temps de se jeter en arrière.

Le tremblement continua. Il entendit Tueur crier quelque chose d'inintelligible, le vit vaciller et tomber. Un grondement s'éleva, si grave, si pénétrant que d'abord Gundhalinu ne le reconnut pas, paralysé par l'incrédulité et la peur, jusqu'à ce que Tueur rampe vers lui et le pousse en criant :

— Grimpe ! Remonte ! Allez, faut pas rester ici !

L'instinct prit le dessus, Gundhalinu poussa sur ses jambes et remonta la pente comme un animal derrière une proie. Sous ses pas, le sol ondulait, il tomba et se sentit glisser vers le bas. Il entendit crier Tueur de flics, en dessous de lui, et se retourna. Il eut juste le temps d'apercevoir la terre s'ouvrir, cracher de la fumée et des cendres et engloutir leur beau cratère. Il vit aussi Tueur glisser vers l'énorme déchirure.

Gundhalinu se laissa descendre à plat ventre sur la pente fumante, jusqu'à ce qu'il puisse attraper une des chevilles de son coéquipier. Il plongea sa main libre et ses pieds écartés dans le sol.

— Tiens bon ! cria-t-il, sans savoir s'il l'entendait.

Il ferma les yeux, serra les dents, collant son corps à la surface pour ralentir la chute, tandis qu'autour d'eux la planète entière était prise de convulsions et s'ouvrait de toute part.

Enfin, après un moment qui lui sembla durer une éternité, la terre cessa de trembler, les grondements se turent. Il resta allongé, trop las pour même lever la tête, sentant la jambe de Tueur sous son gant, et la peur l'abandonna, laissant son esprit libre. C'est alors qu'il vit ses cheveux, d'une blancheur neigeuse, qui couvraient ses épaules, encadraient son visage, et puis sa peau, ses yeux d'agate...

— Traître !

Quelqu'un le secouait, prononçait son nom ou plutôt ce qui était devenu son nom, comme s'il n'avait jamais été quelqu'un d'autre, comme s'il n'avait jamais eu une autre vie. Il bougea la tête, certain de rien, sauf d'une chose : Tueur était à côté de lui, essayait de le faire réagir. Il cracha des cendres et de la poussière, tâta son visage contusionné.

— Dieux, grogna-t-il, ça va ?

Tueur de flics fit oui de la tête, se tourna vers la fissure, deux mètres plus bas.

— Ouais. La Puissance Cachée nous a tendu un sacré piège, cette fois. L'enfoirée ! On avait touché le gros lot ! Putain de merde !

Il jeta rageusement une poignée de cendres, puis regarda Gundhalinu, sans rien dire, pendant un long moment, et ce dernier entendit dans son silence les mots qu'une blessure trop récente l'empêchait de prononcer.

Enfin, Gundhalinu se leva.

— On ferait mieux d'aller voir ce qu'il reste de notre traîneau, dit-il.

Il se força à gravir la colline, montant d'un pas, glissant de deux, son corps engourdi par le choc. Tueur le suivit et ils arrivèrent au sommet ensemble. Leur traîneau, avec leur récolte de la journée et leurs outils, avait basculé sur le côté, mais était intact. Il soupira.

Tueur grogna de soulagement, se redressa. Puis il jeta un regard du côté de la faille et dit :

— Rends-moi un service, Traître, arrête de rêver.

Et il descendit vers le traîneau en secouant la tête.

Gundhalinu regarda une dernière fois derrière lui et, sans un mot, suivit son coéquipier.

Tomber...

Moon ouvrit les yeux, un cri de terreur dans la gorge, puis comprit qu'elle était dans son monde, dans sa chambre, dans son lit. Elle s'assit, les mains pressées sur sa poitrine. La chute vertigineuse avait cessé. Elle respira profondément, heureuse d'être en vie... jusqu'à ce qu'elle se rappelle qui elle était.

Elle rejeta prestement les couvertures, et s'apprêtait à poser le pied par terre, mue par un sens de l'urgence, par le retour soudain de sa mémoire, lorsqu'elle s'immobilisa.

A l'autre bout de la pièce, Reede Kullervo était assis dans un fauteuil et la regardait en silence. Elle chercha autour d'elle. Il n'y avait personne d'autre.

Il secoua la tête, avec l'ombre d'un sourire.

— Non, ma Dame, il n'y a que moi, et je ne suis pas assez vigoureux pour me causer des ennuis, sinon, Pala-Thion m'aurait attaché à mon fauteuil. Je voulais être près de vous à votre réveil, pour que vous sachiez.

— Comment vous sentez-vous ? demanda-t-elle faiblement.

Il portait une large tunique et un pantalon. Il avait l'air d'un Tiamatain, et cela la surprit. On aurait pu le prendre pour un Ilien.

— Pas terrible, répondit-il, mais sacrément mieux qu'hier. Votre vaccin a stoppé la détérioration de mes cellules. Maintenant, je n'ai plus qu'à réparer celles qui restent, en me passant de son aide. Il y a tellement à faire. Certaines choses sont irréparables... Je... je ne comprends pas pourquoi vous avez fait cela pour moi. Même moi, j'étais convaincu que je devais mourir. Le réseau divinatoire... (Il s'interrompit.)

— A changé d'avis, dit Moon, et peut-être d'angle d'approche.

— Et vous ? demanda-t-il en se passant maladroitement une main dans les cheveux. Pala-Thion m'a dit que Vhanu voulait que vous me remettiez à lui. Elle a dit que tout dépendait de vous.

— Votre venue m'a délivrée, Vanamoïnen, murmura-t-elle. (Puis, devant son regard de protestation, elle ajouta :) Je ne vous appellerai plus ainsi. Grâce à vous, j'ai obtenu une certaine forme de liberté. Aussi aimerais-je pouvoir vous donner la liberté, dans la mesure de mes possibilités. Vous pouvez rester ici, si vous le désirez, sous ma protection, tant que vous voudrez.

— Merci, dit-il tout bas, sans lever les yeux. (Puis il demanda :) Est-il vrai que vous n'êtes plus sibylle ?

Moon acquiesça. Elle avait le sentiment d'avoir rompu ses amarres, de dériver avec le courant.

— Me le pardonnerez-vous ?

— Etre sibylle était mon vœu le plus cher, mais maintenant, je jouis d'une certaine forme de liberté... C'est à Ariele que vous devez demander pardon.

Elle s'imagina Ariele, perdue dans l'espace au-dessus d'eux, dans un caisson de stase, dans un vaisseau attaché à ce monde par le fil invisible de la gravitation ; sa vie suspendue à un fil bien plus ténu...

— Reede, quand pourrons-nous rejoindre Ariele, pour la guérir ?

— C'est impossible pour l'instant, ma Dame, Vhanu a confisqué mon vaisseau. Avec un peu de chance, il ne le fouillera pas de façon trop approfondie, tant qu'il saura où je suis. Mais s'il apprend...

— Mais quand tout cela cessera-t-il ?

Sa voix tremblait, elle sentit qu'elle ne la maîtrisait plus.

— Jamais... murmura-t-il. Cela n'a pas été prévu. C'est la raison pour laquelle nous en sommes là, vous et moi. Nous avons pris les bouts usés de la corde du temps et les avons réunis, dans l'esprit divinatoire. La boucle est bouclée, grâce à nous. Pensez à ce que nous avons fait, ma Dame, à ce que nous avons accompli ensemble. Nous avons guéri le réseau. Il y a des millénaires, j'ai lancé le processus, et grâce à vous, et à moi, il continuera, comme cela a été prévu. Nous avons déjà fait un miracle, alors deux... La roue tourne toujours. Soyez patiente, confiante. Nous devons attendre. Vous êtes entrée en contact avec les cercles secrets du Survey, lorsque vous étiez en symbiose avec la matrice ?

— Oui, dit-elle. Je, enfin, le réseau les menaçait de représailles si le massacre des ondins continuait, et leur a promis l'accès à la carte céleste s'ils arrêtaient la chasse. Cela devrait les convaincre, mais je ne sais pas combien de temps ça prendra.

— Alors nous attendrons. C'est la seule chose que nous puissions faire.

Moon se redressa, les yeux tournés vers la fenêtre dont les rideaux tirés cachaient la mer.

— Les ondins reviennent dans les eaux qui bordent la ville. Vhanu voulait les chasser. Jerusha a-t-elle envoyé des bateaux ?

— Ce n'est pas nécessaire, répondit Reede en se levant. Ils sont protégés.

Moon resta où elle était, fixant sans comprendre l'étendue grise, infinie, qu'elle avait devant les yeux. Il n'y avait pas d'océan, ni de ciel, juste un orage qui mêlait l'un et l'autre, un féroce tourbillon de vent et d'eau qui frappait la fenêtre et la faisait vibrer.

— Le poumon de la mer, murmura-t-elle en s'appuyant contre une table. C'est ainsi que les Hiverniens appellent un tel orage. Les Etésiens disent que c'est la Mère de Mer qui se met en colère.

Reede eut un étrange sourire, et continua de la regarder. Puis il se tourna vers la fenêtre.

— Je me demande... dit-il.

— D'après les informations, un orage remonte les côtes depuis déjà plusieurs jours, continua Moon. Un gros orage. Mais ils avaient dit qu'il se dirigerait vers le large et que la ville serait épargnée.

— Au lieu de ça, il est arrivé par l'intérieur des terres, directement sur Escarboucle.

— De cette façon, Vhanu ne pourra pas envoyer ses chasseurs avant l'accalmie. D'ici là, les ondins auront pris le large, au moins.

La porte s'ouvrit tout à coup et une des servantes du palais entra.

– Ma Dame ! Les extramondiens sont dans le palais ! Nous n'avons pas pu les empêcher...

Derrière elle apparurent des hommes armés portant l'uniforme bleu. Moon regarda Reede, toujours près de la fenêtre, retenant un rideau d'une main. Elle se baissa, ramassa le plateau qu'on avait déposé à côté de son lit et le lui tendit.

– Merci, ce sera tout, lui dit-elle, sans même adresser un regard à ceux qui étaient maintenant dans sa chambre.

Reede sortit de sa torpeur, saisit le plateau sans trop de maladresse et murmura une formule d'obéissance avant de se diriger vers la porte. Les policiers s'écartèrent pour le laisser passer. La femme qui était venue annoncer leur arrivée sortit sur ses pas.

La curiosité se mêla à l'amusement lorsqu'ils se rendirent compte qu'elle était en chemise de nuit, mal coiffée, et épuisée.

– Le commandant Vhanu veut vous voir, commença le sergent responsable du groupe.

La coquetterie de Moon se changea en colère.

– Vous attendrez dehors, messieurs, afin que je puisse m'habiller. Allez !

Ils hésitèrent, se regardant, ne sachant que faire, puis baissant leurs armes, sortirent un à un de la chambre et fermèrent la porte derrière eux.

Elle prit son temps, le moment de se rendre viendrait bien assez tôt. Elle s'habilla à la kharemoughie, mais dans des tons de vert qui lui apaisaient les yeux. Elle tendit la main vers le pendentif trifoliolé qui était sur la table de chevet, hésita, et finalement le laissa. Lorsqu'elle ouvrit la porte, ils étaient là, environ une douzaine. Ignorant leurs armes, elle demanda sur un ton de glace :

– Que me voulez-vous ? S'il s'agit de Reede Kullervo, votre commandant m'a donné sa parole que...

– Non, ma Dame, dit le sergent, c'est vous qu'il veut voir.

– Où est Jerusha Pala-Thion ?

– Aux arrêts, répondit-il en baissant les yeux. Pour obstruction à la justice.

– La justice... murmura Moon. (Puis elle tendit les mains.) Le commandant Vhanu veut-il que l'on me passe les menottes ?

Le sergent grimaça, et acquiesça. Ils la regardaient tous, regardaient sa gorge. Même sans son pendentif, son tatouage était visible. Sur un ordre du sergent, un homme s'approcha et lui attacha les mains dans le dos. Elle se sentit prise de vertige, elle n'avait pas cru qu'ils le feraient. Ils traversèrent le palais devant les employés stupéfaits. Moon ne vit Reede nulle part. Elle ne demanda pas où ils l'emmenaient.

Ils la transportèrent dans un aéroglisseur à travers la ville et elle fut surprise de voir qu'ils ne s'arrêtaient pas devant le quartier général de la police et continuaient en passant par le Dédale, la Ville Basse, sans rien dire. Elle se rappela Arienrhod, sa mère, son double, se souvint de son dernier voyage dans la ville, vers la mort. Arienrhod avait tenté de changer son monde, de défier les extramondiens, et tout s'était achevé par un voyage comme celui-ci. Moon ne voyait qu'une seule destination possible, maintenant, et l'orage se déchaînait au-delà des murs d'Escarboucle...

Ils s'arrêtèrent enfin au bout de la rampe d'accès aux quais et la débarquèrent précipitamment. Elle obéit, avançant difficilement contre le vent, gênée par les menottes. Elle faillit tomber, l'un des policiers la rattrapa. Il y eut une énorme bourrasque, et ils furent projetés violemment contre leur véhicule. Moon était trempée, sans savoir comment cela s'était produit. Les autres l'entourèrent et ils avancèrent contre le vent, pliés, comme s'ils se frayaient un passage dans une foule en colère. La pluie cinglante les aveuglait. Moon sentit la ville trembler sous les coups de la mer déchaînée. Elle eut soudain de l'eau jusqu'aux chevilles, alors qu'une vague balayait le quai avant de retourner d'où elle venait.

Vhanu les attendait, en compagnie d'une demi-douzaine de policiers, dans le poste de sécurité des quais. Ils s'y engouffrèrent, mais, même à l'intérieur, la tempête se faisait sentir, le vent amenait des paquets de pluie.

Vhanu se fraya un chemin parmi ses hommes et se retrouva face à Moon. Il y avait quelque chose dans son regard qui la fit souhaiter pouvoir rétrécir et disparaître.

Il était trop près, mais elle ne recula pas.

– Que voulez-vous ? demanda-t-elle en élevant la voix pour ne pas être entendue que par le vent. Pourquoi suis-je ici ?

– Pour cela ! cria-t-il.

Il la saisit brutalement par un bras et la poussa en bousculant ses hommes, jusqu'à la fenêtre.

Elle aperçut très vaguement la digue, puis rien d'autre que l'océan. Aucune bouée, aucun bateau au mouillage, la mer, c'était tout. La mer qui semblait jouer avec des carcasses informes. Moon vit alors que le niveau de l'eau dépassait la normale de près de quinze mètres. De nouveau, elle sentit la ville trembler sous les coups de l'océan. Une vague frappa la vitre de plein fouet et elle ne vit plus rien, sentit juste l'eau monter jusqu'à ses chevilles et se retirer.

Elle regarda Vhanu et fut plus bouleversée par la folie qu'elle lut sur son visage que par la tempête.

– Vous devez arrêter cela ! hurla-t-il en gesticulant.

– Quoi ?

– Faites cesser cet orage ! Vous m'entendez ? Faites-le immédiatement !

Il la poussa vers la porte et voulut la forcer à sortir.

– Je ne peux pas ! dit-elle.

– Je vous interdis de me mentir ! Vous contrôlez l'approvisionnement en électricité de toute la ville, vous avez fait de Gundhalinu un traître, on dit même que vous êtes la réincarnation de l'ancienne Reine, et maintenant, vous avez provoqué une tempête pour m'empêcher de chasser les ondins ! Vous avez ruiné votre peuple, à cause de vous, la ville sera un véritable chaos quand le tribunal arrivera. Il est en orbite, mais il ne peut même pas atterrir ! Qui êtes-vous ? Une sorcière ? Comment faites-vous tout cela ? D'où viennent vos pouvoirs ?

Ô ma Dame, ma Dame, pensa Moon, mais elle n'avait pas de réponse.

— Personne ne peut stopper la tempête, elle doit suivre son chemin !

— Alors vous reconnaissez que vous l'avez provoquée ?

— Non ! hurla-t-elle.

Il la saisit par les bras, suffisamment fort pour lui faire mal.

— Arrêtez la tempête ou je lance une attaque orbitale sur la ville.

— Vous ne pouvez pas, dit-elle.

Elle ne protestait pas, elle le menaçait.

— Que voulez-vous dire ?

— Vos armes ne fonctionnent pas, répondit-elle en le regardant droit dans les yeux. Leur cible sera éteinte. Si vous tirez sur Escarboucle, vous risquez de la manquer, et de toucher le stellaport à la place, ou l'un de vos vaisseaux.

Il éructa un juron. D'une main que Moon ne vit pas venir, il la frappa en plein visage. Elle tomba dans le vent et la pluie, se releva difficilement, abrutie de douleur. Deux policiers s'approchèrent et la ramenèrent dans l'abri. Elle avait un goût de sang dans la bouche. Deux autres hommes retenaient Vhanu, écumant de rage. La ville trembla encore une fois. Un policier s'adressa à Vhanu dans leur langue, et Moon n'entendit pas ce qu'ils disaient, mais peu à peu, Vhanu parut se calmer, et les deux gardes la lâchèrent. Il la regarda, ses yeux lançaient des flammes.

— Emmenez-la, dit-il, et enfermez-la.

Trois gardes escortèrent Moon vers l'aéroglisseur, qui les ramena au quartier général de la police. Ils ne lui adressèrent pas la parole, mais la traitèrent avec respect, semblant s'excuser. Les rues étaient presque désertes, elle se demanda si la loi martiale avait été déclarée, ou si la terrible présence de la tempête qui claquait sur les parois de verre, au bout de chaque allée, empêchait les gens de sortir, se demanda quelle aurait été leur réaction, s'ils l'avaient vue ainsi. Mais elle était invisible, même pour les rares personnes qu'ils croisèrent, cachée derrière les vitres sans tain du véhicule. Enfin, ils arrivèrent dans l'allée Bleue et pénétrèrent dans un bâtiment, jusqu'à une cellule, loin en son cœur. Moon chercha Jerusha dans les autres cellules, mais elles étaient toutes vides. Les gardes ôtèrent les menottes de ses poignets douloureux et la laissèrent seule derrière une porte transparente qui cracha des étincelles lorsque Moon la toucha.

Il faisait froid, elle se mit à trembler. D'une main, elle essuya le sang qui coulait au coin de sa bouche. Le long du mur se trouvait une paillasse avec une couverture, dans laquelle elle s'enveloppa avant de s'allonger, hébétée de fatigue, l'esprit aussi vide que sa cellule. Elle ferma les yeux, cherchant son salut dans l'oubli.

Son sommeil fut agité, elle fit des cauchemars, transpira, rejeta la couverture avant de se réveiller, tremblante de froid. Le temps passa sans qu'elle puisse le mesurer et, peu à peu, Moon dormit mieux, plus profondément, plus paisiblement, et rêva moins.

Lorsqu'elle s'éveilla enfin, elle avait les idées claires. Elle s'assit, rejeta la couverture, et dut s'adosser au mur, surprise par sa faiblesse. Elle avait la bouche sèche et fut surprise de constater qu'elle avait faim et soif. Par terre, juste devant la porte se trouvait un plateau-repas. Depuis combien de temps ? Elle n'avait rien sur elle qui puisse l'aider à répondre à cette question.

Elle se leva, prit le plateau et se rassit avant que le vertige ne la reprenne. Elle attendit que son cœur retrouve un rythme normal avant de manger, lentement, savourant chaque bouchée de cette nourriture simple, repoussant le moment où il lui faudrait penser à autre chose qu'au moment présent.

Lorsqu'elle eut fini, son esprit fonctionnait de nouveau. Ses vêtements étaient secs, elle tenta de les arranger, de les défroisser, puis elle réunit ses cheveux en une longue tresse. Elle remarqua qu'il y avait maintenant deux couvertures sur le lit. Quelqu'un était entré durant son sommeil, s'était inquiété de son état.

Elle se leva et appela. L'écho lui répondit. Elle se sentait observée, se rappela la peur pathologique qu'éprouvait Vhanu à son égard, mais la prison semblait vide de présence humaine. L'isolement devait être voulu. Vhanu désirait probablement que personne ne sache où elle était.

Elle tâta sa joue meurtrie et sentit un froid l'envahir, qui n'avait rien à voir avec la température de l'air. Pourquoi était-elle ici ? Qu'allait-il faire d'elle ? La ferait-il déporter, sans que personne le sache, comme il l'avait fait pour BZ ? Mais si tel était son désir, il l'aurait déjà envoyée dieu sait où...

Elle retourna s'asseoir sur la paillasse, refrénant la frustration et la colère qui l'envahissaient tout à coup, comme elle prenait conscience de son impuissance. Elle pensa à Ariele, et la douleur l'aveugla. Jerusha était-elle retenue ici aussi ? Vhanu avait-il fait fouiller le palais ? Avait-il arrêté Reede ? Jerusha prisonnière, Moon n'avait plus personne qui pourrait arrêter ces absurdités, changer le cours des choses, l'aider à sortir de là... Moon se balança lentement d'avant en arrière, les poings serrés sur le tissu de sa tunique.

Soudain, elle repensa au tribunal dont Vhanu avait dit qu'il jugerait sa version des faits contre celle de Moon. Qu'avait-il dit exactement, en crachant sa colère, au milieu de la tempête ? *Il est ici, mais ne peut atterrir...*

La retenait-il prisonnière pour pouvoir leur montrer une ennemie de l'Hégémonie, qui avait provoqué la chute de Gundhalinu ? Ou allait-il simplement la garder enfermée ici, sans lui donner une chance de se défendre, jusqu'au départ du tribunal, après qu'il eut été nommé prévôt ? Que se produirait-il s'il la forçait à dire la vérité ?

Moon essaya d'imaginer le plus grand nombre de scénarios possible, et le plus grand nombre de solutions, parce que la réflexion était la seule chose qui lui restait. Elle entendit enfin des pas, et comprit que, quel que soit le sort qui lui était réservé, elle le saurait bientôt.

Des gardes entrèrent, qu'elle ne connaissait pas. Elle se leva.

– Où m'emmenez-vous ? demanda-t-elle d'une voix qu'elle voulut aussi neutre que possible.

– Au stellaport, lui répondit un des gardes en lui attachant les mains dans le dos.

– Pour quoi faire ?

– Ordre du commandant.

Sans plus d'explication, ils la conduisirent dans les couloirs et jusque dans la rue.

La tempête avait cessé, Moon aperçut des bribes de ciel à travers les vitres de protection, au bout de l'allée Bleue. Elle se demanda comment réagissait son peuple après un tel orage. Combien avaient été surpris en dehors des limites de la ville, et blessés, combien avaient disparu dans la violence des éléments ? Elle revit le désastre, au mouillage, les bateaux engloutis, les carcasses informes tourbillonnant dans les vagues. Les gens devaient déjà être là en bas, sur le rivage, à essayer de retrouver ce que la mer avait bien voulu leur laisser. Au miliou de tout cela, que penseraient-ils de sa disparition ? Au palais, on savait que c'était la police qui l'avait emmenée. Son service d'ordre savait que Jerusha était prisonnière de l'Hégémonie. La nouvelle allait se répandre...

Mais la tempête qui avait sauvé les ondins et poussé Vhanu à se venger allait peut-être, après tout, tourner à son avantage, pensa Moon. Les Tiamatains protesteraient contre les conséquences de ce déchaînement météorologique. Elle savait aussi qu'à la première occasion Vhanu la remplacerait, probablement par un Hivernien. Kirard Set n'était plus là, mais trop de ses congénères étaient encore en ville, à attendre le moment où ils restaureraient l'Hiver. Et plus personne n'avait le pouvoir ni l'autorité nécessaires pour protéger les intérêts de l'Eté.

Ils étaient dans le tunnel, installés dans la navette, et Moon savait d'expérience que dans quelques minutes ils arriveraient au stellaport. Alors...

– Allez-vous me déporter ? demanda-t-elle. Vais-je disparaître, comme le prévôt ? Où m'emmenez-vous ? Je suis la Reine ! J'ai le droit de savoir. Je veux savoir où vous m'emmenez !

Les gardes qui l'entouraient se regardèrent.

– Le commandant nous a demandé de vous amener au stellaport, c'est tout. Il n'a pas dit pourquoi, répondit l'un d'eux en haussant les épaules.

Enfin, la navette arriva à destination, et Moon fut conduite à l'intérieur du stellaport, jusqu'à la salle de réception, qu'elle connaissait pour y avoir rencontré, une fois, le ministre et l'Assemblée hégémonique. Elle entra, surprise. Vhanu se retourna. Il était à l'autre bout de l'épais tapis bleu sur lequel elle marchait maintenant. Autour de lui se tenait un groupe de membres du gouvernement, qu'elle reconnut pour la plupart. Vhanu la regarda s'approcher, satisfait et mal à l'aise en même temps.

D'instinct, lorsqu'elle vit les autres, Moon eut un sentiment de soulagement. Si Vhanu avait voulu la déporter secrètement, il s'y serait pris autrement. Mais si cela n'était pas son intention, elle ne voyait plus la raison de sa présence ici.

Les gardes la laissèrent près de Vhanu et le saluèrent. Moon se raidit en voyant l'autre porte s'ouvrir sur de nouveaux arrivants : une dizaine de Kharemoughis, d'âge varié, hommes et femmes, des aristocrates aux manières arrogantes de techniciens. Certains étaient en uniforme, d'autres portaient les vêtements sophistiqués mais discrets de ceux qui sont bien nés. L'un d'entre eux portait un pendentif trifoliolé. Moon comprit qu'il s'agissait du tribunal dont Vhanu avait parlé.

Ils avaient tous l'air las, soulagés d'être arrivés, et quelque peu surpris devant la taille du comité d'accueil.

— Pernatte-sadhu ! s'exclama Vhanu en s'avançant pour accueillir le chef du groupe.

Ce dernier sourit et lui serra la main. Ils échangèrent rapidement quelques mots en sandhi, et, à leur manière de s'adresser la parole, Moon comprit qu'ils étaient amis, peut-être même parents.

Elle attendit et devina enfin quel était son rôle. Elle allait servir de bouc émissaire. Mais Vhanu ne lui avait pas fait l'affront de la bâillonner, elle pouvait encore se défendre elle-même.

— Vhanu, mon ami, ne pourrions-nous pas reporter cet entretien de quelques heures ? demanda Pernatte. Nous sommes tous extrêmement fatigués.

— Excuse-moi de te presser, répondit Vhanu, mais, depuis notre dernière communication, une série d'événements se sont produits, et il est vital pour nous que nous en discutions dès maintenant, avant que nous nous rendions en ville. (Il regarda Moon, ses traits se durcirent.)

– Ah bon ? dit Pernatte, d'un ton légèrement agacé. (Il suivit le regard de Vhanu jusqu'à ce que ses yeux croisent ceux de Moon.) Qui est-ce ? demanda-t-il en fronçant les sourcils.

– Cette femme, répondit Vhanu, est la raison pour laquelle je me vois obligé de vous importuner.

Pernatte avança vers Moon et s'arrêta devant elle.

– Cette créature pâle aux cheveux en bataille ? Elle est tiamataine ? J'ai du mal à penser qu'elle puisse importuner qui que ce soit.

– Elle parle le sandhi, dit Vhanu.

– Ah bon ? (Pernatte la regarda de plus près.)

– C'est la Reine d'Eté.

– Vraiment !

– Parfaitement, dit Moon d'un ton pincé. Et je n'ai pas besoin du commandant Vhanu pour m'exprimer.

Pernatte se tourna vers Vhanu, intrigué.

– Et vous l'avez arrêtée ? Voilà une mesure bien énergique. Mais que se passe-t-il donc, ici ?

– C'est justement ce que je vais vous expliquer, répondit Vhanu.

– Bien. Soyez clair, et bref, je vous en serais reconnaissant.

– D'accord, sadhu, je ferai mon possible.

Vhanu se redressa. Il émanait de cet homme et de ses compagnons une tension qui semblait chauffer la salle.

– Est-ce la femme qui a été accusée de trahison avec Gundhalinu ? demanda Pernatte, comme s'il avait du mal à y croire.

– Cette femme a plus de pouvoir qu'elle n'en a l'air, dit Vhanu. Pour moi, il est indispensable qu'elle quitte Tiamat le plus vite possible, et ne soit jamais autorisée à y revenir. Elle doit être emmenée à Kharemough, où elle sera interrogée. Non seulement elle a poussé Gundhalinu à trahir son peuple, mais, à cause d'elle, il a modifié la politique de l'Hégémonie afin qu'elle soit en accord avec ses croyances et ses rites superstitieux.

– Oui, oui, l'interrompit Pernatte. Tout est dans le rapport. Mais elle est à la tête d'un gouvernement indépendant, et quel que soit le mépris que vous ayez pour ses actes, la prendre en otage n'est guère justifié.

– Ce n'est pas tout. Cette femme contrôle... un pouvoir, une source d'énergie inconnue, qui lui permet d'accomplir des miracles.

– Par exemple ?

– Elle fait ce qu'elle veut avec l'électricité de la ville, elle peut l'allumer, l'éteindre à volonté. Elle contrôle les tempêtes. Elle a une influence sur notre système de défense orbital.

– Quoi ?

Cette fois, Pernatte n'y croyait plus.

– La ville est un chaos, poursuivit Vhanu. Je n'ai pas été en mesure de respecter les commandes d'eau de vie, alors que les ondins, même si elle vous dit le contraire, pullulent. Elle a séduit Gundhalinu pour le forcer à faire interdire la chasse à l'ondin, et lorsque je l'ai remplacé, elle a coupé l'électricité à Escarboucle. J'ai voulu la forcer à la rétablir, et elle a provoqué une tempête qui a détruit pratiquement tous les bateaux du port de la ville. Quand je l'ai menacée de bombarder Escarboucle, elle a déclaré que notre système de défense ne fonctionnerait pas et qu'au lieu de tirer sur la ville on tirerait sur le stellaport. Je sais, tout cela vous semble absurde, mais c'est vrai ! C'est ce qui s'est passé !

Pernatte respira un grand coup, comme s'il avait eu la tête sous l'eau.

– Eh bien... Tout cela est ma foi surprenant, Vhanusadhu. (Il se tourna vers les compagnons de Vhanu.) Etes-vous tous d'accord avec cette version des faits ?

– Nous n'avons pas réellement assisté à tous ces événements, mon oncle, dit Tilhonne. Mais ce que nous savons sur la Reine prouve sans équivoque qu'elle est responsable des difficultés que nous avons à obtenir l'eau de vie, et que sa liaison avec Gundhalinu a empêché ce dernier de rendre des jugements équitables et justes, particulièrement en ce qui concerne les ondins.

– Je vois.

Pernatte avait les lèvres pincées. Il se tourna lentement vers Moon et lui demanda :

– Qu'avez-vous à répondre à ces accusations ?

– J'ai beaucoup de réponses, citoyen Pernatte. Par où commencerai-je ?

– J'ai toujours entendu dire qu'Escarboucle était entièrement autonome en matière d'approvisionnement en électricité. Avez-vous réellement un secret qui vous permette de contrôler cet approvisionnement ?

– Non.

– Alors comment expliquez-vous que la ville ait été privée d'électricité, trois jours durant ? demanda Tilhonne. Jamais cela ne s'était produit.

– Une fois par Haute Année, Escarboucle disjoncte, dit Moon, afin de recharger ses batteries. Cela se passe pendant le Plein Eté, et l'Hégémonie ne s'était jamais trouvée sur Tiamat à cette époque de l'année.

– Comment le savez-vous, demanda Pernatte, si cela n'arrive qu'une fois tous les cent cinquante ans ?

– La tradition de mon peuple nous l'a transmis, depuis des millénaires.

– Mais je vous ai vue le faire ! s'écria Vhanu.

– Je savais que le courant allait revenir. J'ai fait comme si c'était moi qui en décidais. J'ai joué la comédie.

– Et la tempête ? demanda Pernatte.

– Ça, c'était l'œuvre de la Mère de Mer, un hasard, en quelque sorte...

– Et avez-vous réellement un moyen de contrôler le système de défense orbital ?

Moon se tourna vers Vhanu et sourit.

– Ça, c'était un mensonge, dit-elle.

– Quoi ? Non, ce n'est pas vrai ! Elle a dit...

– Vhanu, demanda Pernatte, as-tu vérifié le fonctionnement du système ?

– Mais non ! J'avais peur de... Je...

– Vous avez cru ce que vous avez voulu, commandant, dit Moon d'un ton dégoûté. Vous vouliez prouver que j'étais une sorcière, que Gundhalinu m'aimait parce que je l'avais envoûté, qu'il luttait contre la chasse à l'ondin, que je protégeais par superstition, parce qu'il était mon esclave, que j'ai fait de lui mon amant pour mieux le contrôler et l'utiliser. (Elle s'interrompit, respira et se tourna vers Pernatte.) Rien n'est plus loin de la vérité.

— Donc, tout ce que vous et Gundhalinu avez fait, c'était pour protéger les ondins qui, d'après vous, sont une espèce douée de raison, et non pas simplement des animaux ?

— C'est exact.

— Honnêtement, l'idée que les ondins puissent être des êtres intelligents me paraît complètement absurde. (Moon ouvrit la bouche, il l'arrêta d'un geste de la main.) Mais mes compagnons et moi-même avons été forcés de le croire.

— Quoi ? Qu'est-ce que vous dites ? s'écria Vhanu. Vous croyez cette étrangère et vous mettez mes paroles en doute ?

— Non, répondit Pernatte. Je dis simplement que, récemment, nous avons appris de source sûre que de nouvelles découvertes avaient été faites dans ce domaine. Cela a provoqué une redéfinition de la politique de l'Hégémonie. Le Comité central coordinateur a changé d'avis à propos des ondins et a déclaré qu'ils étaient une espèce douée d'intelligence. La chasse est désormais interdite, et il n'y aura plus d'eau de vie.

— Quoi ! Mais c'est pas vrai ! C'est impossible ! hurla Vhanu.

Pernatte lui lança un regard désapprobateur.

— Je sais que cela est un coup pour vous, comme pour nous tous. Mais tu peux vérifier, si tu veux, il y a un devin parmi nous, dit-il en tendant le bras vers l'homme au pendentif trifoliolé.

Vhanu secoua la tête.

— Non, ce n'est pas nécessaire, je te crois, Pernatte-sadhu... Mais s'il n'y a plus d'eau de vie, quel intérêt aurons-nous à rester en contact avec ce monde ?

— Cela n'aura sans doute pas grand intérêt, en effet, mais étant donné le petit nombre de mondes habitables, nous ne devons en négliger aucun. Avant de devenir prévôt, Gundhalinu avait fait une étude approfondie qui démontrait que l'existence d'un projet à long terme de développement coopératif des ressources de Tiamat n'était pas une aberration, ni une gageure financière. Et vu que nous n'avons pas d'autre solution... (Il se tourna vers Moon.) A la lumière de ce que nous venons d'apprendre, il semble que votre attitude face à la loi de l'Hégémonie ait été justifiée. Certains diront même admirable. (Il leva un bras.) Détachez-la !

Les gardes se tournèrent vers Vhanu, pour obtenir son accord.

— Non ! dit-il. Je vous l'interdis ! Cette femme doit être démise de ses fonctions, il faut la ramener à Kharemough et l'interroger. Il y a un groupe, une puissance, derrière elle !

Pernatte s'approcha.

— Vhanu, dit-il tout bas, mais d'une voix audible par tous, tu es passé par des momonts très difficiles, j'en suis conscient. Il t'a fallu prendre des décisions complexes, ces derniers mois, et ton attitude a été exemplaire. Mais les choses ont changé, ici. Cette femme n'est pas seulement une sibylle, c'est aussi la reine de son peuple.

— Elle doit être remplacée !

— Mais pas par toi, Vhanu. Ecoute-moi : apprendre qu'un homme comme Gundhalinu s'est laissé amadouer par une... une étrangère est aussi incompréhensible et répugnant pour toi que pour moi. Et pourtant, tout a changé. Ce qu'il a fait n'est plus une trahison, mais un acte surnaturellement sage. Je pense que le mieux est que tu rentres avec nous à Kharemoughi, Vhanu, tu as besoin de te reposer, de prendre du recul. Je suis sûr qu'il y aura un poste moins stressant pour toi, là-bas.

Vhanu regarda Pernatte et, sans rien dire, fit un geste pour qu'on la détache.

Moon se massa les poignets, Pernatte la salua.

— Je vous présente mes excuses, ma Dame.

— Je les accepte, citoyen Pernatte, à condition que les charges relevées contre le prévôt Gundhalinu soient abandonnées, et qu'il retrouve son poste de chef du mouvement hégémonique sur Tiamat.

Pernatte acquiesça.

— Votre requête sera satisfaite aussi rapidement que la technologie de l'astropropulsion le permettra.

– Je vous en remercie, dit Moon en souriant, sincère. Me ferez-vous l'honneur de venir, vous et vos compagnons, dîner au palais, demain ? De cette manière, nous pourrons discuter de changements de politique dans un cadre plus agréable.

Il sourit, presque à contrecœur.

– Avec plaisir. (Il se tourna vers Vhanu.) Je crois qu'il est temps que tu nous montres nos appartements, maintenant, afin que nous puissions goûter un repos bien mérité.

Vhanu acquiesça avec raideur et leur montra le chemin. Il avait le regard complètement vide.

MÉGABLEUE : Syllagong, Camp n° 7

– C'est tout ? demanda Pirate alors que Gundhalinu et Tueur de flics déchargeaient leur récolte de la journée.

Tueur haussa les épaules.

– Traître s'est tordu la cheville, ça nous a ralentis.

Gundhalinu plongea une main dans la poche de son bleu de travail et en retira une boulette de janka emballée dans un chiffon.

– C'est un type du camp n° 4 qui me l'a filée en échange d'une réponse.

Il troquait maintenant tout et n'importe quoi contre des réponses et la réparation de certains outils. Au début, il ne voulait pas faire payer les réponses qu'il donnait en tant que devin, mais Pirate avait insisté.

Autour de lui, les hommes regardèrent avec intérêt le fruit de son troc, on entendit des grognements d'envie lorsqu'il lança la boulette à Pirate. Le janka était une substance narcotique douce que les hommes mâchaient quand ils en avaient.

– T'en veux un bout ? demanda Pirate.

Gundhalinu secoua la tête.

– Non, non, je... Oh ! et puis si, après tout, donne-m'en un bout.

Il s'assit en tailleur, soudain trop faible pour tenir debout. Peut-être que cela l'aiderait à dormir. Plus le temps passait, moins il dormait.

— Bon ! dit Pirate. (Puis il se tourna vers les autres.) Tous ceux qui en veulent, par ici !

Il coupa la boulette avec précaution et la distribua aux hommes qui s'avancèrent. Il posa le dernier morceau dans la main de Gundhalinu, qui l'avala sans y penser, sans y goûter. Le soleil le faisait cligner des yeux. Les autres s'assirent et sortirent leurs casse-croûte, tandis que Pirate enterrait le coffre. Ils mangèrent en silence, comme tous les jours après le travail, n'ayant pas grand-chose à dire, et peu d'énergie pour le faire. Mais ils mangeaient ensemble, sevrés de contact humain, même s'ils refusaient de l'admettre. Ce moment-là était celui que préférait Gundhalinu, celui qu'il attendait : s'asseoir par terre, dans le vent, en compagnie de ceux qui rendaient son existence un peu plus facile. Parfois, Pirate entamait une conversation avec lui. Ses connaissances étaient prodigieusement éclectiques. C'était un autodidacte. Pendant la convalescence de Gundhalinu, après son passage à tabac, ils avaient discuté pendant des heures, mais aujourd'hui, il l'évitait presque, ne lui adressait la parole que rarement et l'avait mis en équipe avec Tueur de flics plutôt qu'avec lui. Il avait peur que ses liens avec un ancien flic ne fassent de lui la cible des critiques.

La terre trembla. Gundhalinu s'étrangla.

— Le coffre est presque plein, Pirate, dit l'un des hommes, on pourrait peut-être aller faire un tour à la base, un de ces jours.

— Ouais, t'as p'têt raison, on devrait choisir celui qui ira.

Il sortit de sa poche le dé qu'il gardait aussi précieusement que si c'était un joyau.

— On fait comme d'habitude, les trois nombres les plus proches de celui du dé gagnent.

Gundhalinu connaissait les règles de ce tirage au sort, mais n'y avait jamais assisté. Il observa tous les hommes reprendre goût à la vie et s'agiter, excités par la perspective de gagner le droit de quitter la routine et d'aller passer une nuit dans un endroit civilisé, avec des lits, des douches, de la nourriture digne de ce nom, le temps de vendre leur récolte et de recevoir une bien maigre récompense qui rendait pourtant leur vie supportable.

– Traître, demanda Pirate, t'as un nombre ?

Gundhalinu leva la tête, surpris. Il n'était pas sûr qu'ils le laisseraient participer.

– Vingt-trois.

Pirate se leva, le dé au creux de ses mains, qu'il secoua, prolongeant ce moment de surexcitation pendant lequel tout était possible pour tous les hommes qui l'entouraient. Gundhalinu comprit en le voyant faire pourquoi Pirate était devenu leur chef. Quand le dé serait jeté, les trois gagnants n'auraient pas seulement le voyage en récompense, ils auraient aussi les quelques jours d'avant pour y rêver. Et même les perdants gagneraient ces jours d'anticipation, décidant avec bonheur quel objet, quel « petit plus » ils demanderaient aux trois élus de leur rapporter.

Pirate leva une main et laissa tomber le dé. Immédiatement, une cacophonie de cris de triomphe et de frustration vint agresser l'ouïe de Gundhalinu, qui avait perdu l'habitude du bruit. Il se pencha, vit qu'il avait perdu, et cracha un juron. Les autres perdants haussèrent les épaules, acceptant la défaite comme ils avaient accepté le reste. Mais Gundhalinu resta abasourdi, réalisant ce que le soudain espoir de gagner avait signifié pour lui.

Il essaya de concentrer son attention sur un adhani, mais n'arriva même pas à s'en souvenir en entier. Pirate annonça le nom des gagnants, que les perdants félicitèrent, sans trop d'enthousiasme, mais avec de la bonne humeur quand même. Puis chacun retourna dans sa hutte. Gundhalinu se força à se lever, prenant tout à coup conscience de ses muscles douloureux, de son corps fatigué, sans comprendre pourquoi il ne se sentait jamais mieux, mais toujours plus usé. Peut-être parce que, pour les autres, tout cela aurait une fin, un jour, alors que lui avait perdu tout espoir...

– Eh ! dit l'un des hommes, regardez Traître.

Gundhalinu se raidit et se tourna vers Accessoire, qui le montrait du doigt.

– Il a la lumière verte ! Regardez !

Les autres se retournèrent, curieux, tandis que Gundhalinu sautait sur Accessoire et l'envoyait au tapis.

– Encore une plaisanterie de ce genre, connard, et je te fais avaler ta sale langue de menteur, cracha-t-il, assis sur la poitrine d'Accessoire, les deux mains autour de son cou.

– Mais je ne mens pas, expira ce dernier, tentant d'écarter les mains de Gundhalinu.

D'autres bras vinrent à la rescousse et le firent lâcher prise.

– Il ne ment pas, Traître, dit Pirate en s'avançant vers Gundhalinu, devant lequel il plaça un bout de métal poli, pour qu'il voie le rayon de lumière verte posé sur son col, plus brillant qu'une étoile.

Gundhalinu cessa de se débattre, stupéfait. Il porta ses mains à son col. Tous les hommes avaient les yeux fixés sur lui.

– T'avais dit que t'étais flic, dit Accessoire en se relevant, je croyais que tu pouvais avoir la lumière verte seulement en en bavant un max.

– J'étais... je suis... murmura Gundhalinu, regardant encore son reflet, sans vraiment se reconnaître. (La lumière verte lui réchauffait un peu le cou.)

– C'est peut-être une erreur, dit quelqu'un.

– Ce genre d'erreur ne se produit jamais, par ici, répondit tranquillement Pirate. Je vais prévenir la base par radio. Il semblerait que tu fasses partie du voyage, après tout, Gundhalinu. Mais seulement pour l'aller... Mes félicitations. Peut-être même que tu vas nous manquer. Un petit peu.

– Je ne vous oublierai pas, en ce qui me concerne. Je n'oublierai rien de tout ça.

Pirate le regarda longuement.

– Moi, je crois que tu devrais l'oublier. Tout. C'est mieux.

– Même si j'essayais, je sais que je n'y arriverais pas, murmura Gundhalinu.

– Tu vois, Traître, ton rêve, c'était pas de la connerie, dit Tueur de flics.

Gundhalinu essaya d'en rire.

– Je vois. C'était pas de la connerie, comme tu dis.

Il fit un pas en avant. Tout à coup, il eut peur que cela n'en soit qu'un, de rêve. Ils s'écartèrent devant lui, de la même façon que les prisonniers s'étaient écartés devant un homme avec un rai vert, le jour de son arrivée. Dans la lumière de l'aube, il lui sembla que son ombre avançait sur une voie pavée d'or. Il rejoignit sa hutte, escorté par leurs regards, comme s'il était devenu un héros. A l'intérieur, il s'allongea en soupirant, et là, contre toute attente, il s'endormit.

TIAMAT : Escarboucle

Reede Kullervo se tenait à l'abri des regards, sur le balcon surplombant la salle de réception, accoudé à la rambarde. Pris de fascination voyeuriste, il observait la réunion depuis déjà plusieurs heures. Il y avait beaucoup d'endroits comme celui-ci, dans le palais, qu'il avait tous « visités » depuis l'arrestation de la Reine par des membres du Collège divinatoire. La vieille aveugle qui était à la tête du Collège avait ordonné aux proches de la Reine de le cacher lorsque la police viendrait pour l'arrêter, et ils l'avaient fait, même les parents de la veuve de Tammis Marchalaube. Il avait toujours en mémoire le pragmatisme et la douceur avec lesquels Merovy Pierrebleue l'avait soigné. Il se souvenait de ses yeux...

Il soupira. En bas, la foule bigarrée était constamment en mouvement. Il n'arrivait pas à se rappeler s'il avait dessiné ces cachettes, lorsqu'il avait rêvé d'Escarboucle la première fois, ou si elles avaient été rajoutées au fil des siècles, entre ses vies passées et à venir. Il leur devait beaucoup, et leur était reconnaissant. Elles lui avaient sauvé la vie, et aujourd'hui, elles lui permettaient de suivre la réunion d'un groupe dont il avait favorisé la création. En bas, des représentants extramondiens célébraient, en compagnie de Tiamatains, le retour du prévôt BZ Gundhalinu. Merveilleuse et fragile diplomatie...

Tant qu'il resterait un Kharemoughi, il préférait ne pas se montrer. Il craignait que son visage, ou une réponse maladroite, n'attire l'attention du Juste Milieu sur le Forgeron. Il se contentait donc de son poste de vigie et observait les différentes nuances de couleur de peau, de cheveux, de vêtements des arrivants, le choix qu'avait fait chacun, la simplicité, l'ostentatoire ou la sophistication.

La Reine était parmi eux et allait de l'un à l'autre, apparemment sans autres préoccupations que celles d'une hôtesse. Mais de son poste, il voyait que, petit à petit, elle se rapprochait de la sortie, semblant impatiente de l'atteindre. Elle arrangeait sans cesse ses cheveux et regardait trop souvent l'heure.

Et puis le moment qu'ils attendaient arriva, sans qu'ils s'en rendent vraiment compte. Gundhalinu fit son entrée. La musique, le mouvement, le bourdonnement des conversations, tout s'arrêta.

Il était accompagné de Jerusha Pala-Thion, qui portait l'uniforme et les insignes de son nouveau poste de commandant de la police. Enfin, le silence fut rompu par des applaudissements. Gundhalinu s'était arrêté, comme si le bruit de cette ovation le gênait. Sans un geste de reconnaissance pour cet accueil, il se redressa et scruta les gens autour de lui. Enfin, il trouva celle qu'il cherchait, la Reine. Celle-ci s'approchait de lui, tendant les mains en signe de bienvenue. La foule s'ouvrit devant elle. Elle portait des perles de cristal aussi éclatantes que les étoiles, ses cheveux étaient d'un blanc neigeux sa robe, vert mousse. Elle n'avait pas mis sa couronne, mais une simple guirlande de fleurs.

Gundhalinu avança enfin, et prit ses mains. Ils étaient face à face, n'osant se toucher que du bout des doigts, mais à ce moment précis se déchaîna en eux le flot des sentiments, et leur plaisir fut celui de deux êtres réunis devant un prêtre, et non devant une foule intruse.

Leurs mains enfin se lâchèrent, lentement, et Gundhalinu se tourna vers Jerusha pour lui dire un mot en montrant le fond de la salle. Jerusha acquiesça et s'éloigna tandis que la Reine entraînait Gundhalinu vers tous ceux qui tenaient à le féliciter et à lui souhaiter un prompt rétablissement, amis et ennemis réunis pour quelques heures. Pernatte et les membres du tribunal hégémonique furent les premiers à lui serrer la main. Vhanu, l'ancien commandant, brillait par son absence.

Les musiciens, silencieux depuis l'arrivée de Gundhalinu, reprirent leurs instruments et jouèrent une ravissante mélodie, inconnue de Reede, mais que Gundhalinu semblait attendre. Il sourit tout à coup, et murmura quelque chose à l'oreille de la Reine. Elle se tourna vers lui, visiblement surprise. Prenant cette réaction pour un oui, il l'attira près de lui et l'entraîna sur la piste de danse.

Cette fois encore, la foule s'écarta et les regarda dans un murmure. Reede les observait aussi. Personne dans la salle ne pouvait être plus profondément surpris que lui que de voir Gundhalinu danser ouvertement avec la femme qu'il aimait. Peu à peu, d'autres couples se mirent à danser et, très vite, ils ne firent plus partie que d'une mer chamarrée qui virevoltait en rythme.

Reede n'avait d'yeux que pour eux. Il voyait sur leurs visages la douloureuse dichotomie, les contrastes poignants qui séparaient leurs deux peuples, et lut dans leurs yeux la seule vérité qu'il connaissait.

Il se souvint de Mundilfoere, dont la beauté envahit son esprit, lui rappelant ce qu'elle avait été pour lui, fait pour lui, sacrifié pour lui. Il se souvint d'Ilmarinen, qu'il avait aimée... et pleura, là-haut, caché, seul...

Plus tard, il regarda Gundhalinu et la Reine manger et parler, circuler parmi les invités, toujours ensemble, forçant tous ceux qui étaient présents à reconnaître et accepter leur union tacite.

Les invités repartirent peu à peu. D'abord, l'élite de l'Hégémonie, qui se retira dès que la bienséance le permit, puis les autres.

Reede entendit un bruit et se retourna. C'était Ariele. Elle portait une longue tunique tiamataine, brodée aux poignets et au cou, et de lourds colliers d'escarboucle, d'agate et de coquillage.

– Où étais-tu ? demanda-t-il. Je t'ai vue dans la salle, au début, et puis tu as disparu.

Elle s'avança sur le balcon et se pencha vers la salle. Reede passa son bras sur ses épaules. Elle mit sa main sur la sienne, mais sans chaleur. Elle était bizarre, depuis son réveil, depuis que sa mère l'avait sauvée de la mort.

– J'ai fait ce que l'on me demandait de faire, dit-elle. J'ai accueilli les extramondiens avec la sollicitude hypocrite de rigueur, et puis je suis allée dans la salle où je jouais, quand j'étais une enfant, et j'ai regardé tous mes jouets, et ceux de... de Tammis. J'ai lu, j'ai bu du thé avec des biscuits au miel, comme quand j'étais petite. Ma chambre était si calme... Tu es resté ici toute la soirée ?

– Je suis extramondien, dit-il en lui caressant le visage.

– Mais tu n'es pas comme eux.

Elle eut un geste de mépris pour les Kharemoughis qui n'étaient plus là mais dont les ombres hantaient l'endroit, menaçant leur avenir.

– Ton père en est un. Ou plutôt était.

Il regarda de nouveau dans la salle. Gundhalinu et la Reine étaient toujours ensemble, côte à côte, unis par le besoin qu'ils avaient l'un de l'autre. Ariele suivit son regard, et fronça les sourcils.

– Laisse-les être heureux, dit-elle. C'est ce que mon père voulait, et ils le méritent.

Reede plongea une main dans le sac qu'il portait à sa ceinture et en sortit une chose dont il avait oublié qu'il la possédait, jusqu'à cet instant.

– Tiens, dit-il, il voulait que tu la reprennes.

C'était la flûte de Sparks Marchalaube, sa flûte en coquillage, fragile, taillée à l'ancienne.

Ariele ne dit rien. Elle prit l'instrument, le pressa contre son visage et ferma les yeux.

– Je veux m'en aller, je veux quitter cette ville pour toujours. Jerusha m'a dit que je pouvais aller vivre dans sa plantation. Nous serions seuls, avec les ondins...

– Quoi ? Elle a dit ça ? (Il serra la rambarde, sentant son corps se libérer de son poids.) Oui, nous pourrions le faire. Ça serait bien... Ça serait parfait.

Un sourire barrait maintenant le visage d'Ariele. Il lui prit la main, regarda ses doigts si longs et si fins, et le solii qu'elle portait, identique au sien. Il avait la gorge sèche, les mots n'en sortaient plus. Il la prit dans ses bras, la pressa sur son cœur.

– Pourquoi es-tu montée ici ? demanda-t-il enfin.

Elle souriait toujours lorsque, en bas, la musique reprit. Cette fois, c'était de la musique plus cadencée, plus fantaisiste que la musique tech qu'ils avaient entendue ce soir.

– C'est maintenant que la vraie fête commence, dit Ariele. Je voulais que tu descendes avec moi.

Elle lui prit la main, il hésita et la suivit de bon cœur, presque impatient.

Dans la salle, la plupart des visages leur étaient inconnus, leur arrivée passa quasiment inaperçue. Reede croisa le regard de Merovy Pierrebleue, eut du mal à s'en détacher. Il ne voyait plus Gundhalinu et la Reine.

Ariele l'entraîna vers la piste de danse. Les invités dansaient sur un air traditionnel étésien, elle lui montra les pas pour qu'il danse avec elle. C'était simple, mais Reede se sentait maladroit et frustré, n'ayant pas encore totalement accepté le fait que son corps n'était plus la machine parfaite qu'avait fabriquée l'eau de mort. Il persévéra quand même, et découvrit qu'il aimait danser, qu'il avait toujours aimé, même s'il n'avait pas le souvenir de l'avoir déjà fait. Après plusieurs airs, leurs deux visages avaient repris des couleurs, et étaient illuminés de sourires.

Mais le corps de Reede, autrefois insensible à la fatigue, les força à s'arrêter. Ils mangèrent un peu de poisson et burent un vin au goût étrange.

– Ça, je m'en souviens, murmura Reede en titubant un peu.

– Quoi ? demanda Ariele.

Il entendit quelqu'un l'appeler et saisit cette occasion pour ne pas lui répondre. Trois personnes s'avançaient vers lui. Tor Marchétoile, avec son pilote et un membre d'équipage.

— Eh, patron, dit Niburu.

Le sourire qu'il vit sur son visage fit comprendre à Reede qu'il avait trop bu.

— Dieux ! dit-il en les regardant. Mais d'où est-ce que vous sortez ?

Jerusha les avait fait sortir de prison lorsqu'elle avait été nommée commandant de police. Depuis, il ne les avait pratiquement pas vus, ce qui, il l'admettait maintenant, grisé de fatigue et de vin, l'avait beaucoup tourmenté.

Niburu le regarda, puis regarda Ariele, derrière lui.

— Ici et là. On a donné un coup de main pour le nettoyage des dégâts provoqués par la tempête.

Il prit familièrement Tor Marchétoile par la taille, et celle-ci posa une main amoureuse sur ses pectoraux.

— Eh bien, je vois que la vertu a ses bons côtés, dit Reede, surpris.

Niburu haussa les épaules et sourit.

— Elle trouve que je cuisine bien.

— C'est simple, mais très nourrissant, dit Tor.

Niburu rougit. Ananke était derrière eux, comme une ombre, son quoll en bandoulière.

— On ne vous a pas vu beaucoup chercher de personnel, ces temps-ci, dit Niburu.

— Non, c'est vrai. (Il regarda Ariele, effleura sa main.)

— Bon, alors, continua Niburu, qu'est-ce qu'on fait ?

— Mangez, dansez, amusez-vous.

— Non, mais je veux dire après la fête. Demain, la semaine prochaine, dans deux mois ?

Reede hésita, regarda ces trois visages si différents mais qui, d'une certaine façon, avaient la même expression. Il baissa les yeux.

— Nous... Ariele et moi, partons pour le Sud, sur la côte. Nous allons essayer de... *De trouver le pardon.* De retrouver ce que nous avons perdu.

— Alors, vous n'allez pas avoir besoin d'un pilote ?

— Non, je ne crois pas. (Reede releva les yeux.) Tu aimes les bateaux ?

– Non, répondit Niburu, les bateaux, ça coule. Je ne les aimais pas à Samathe, et je ne les aime toujours pas. (Il montra Ananke.) Lui non plus, il les aime pas.

– Vous voulez partir, c'est ça ?

– Patron, vous avez quelqu'un pour prendre soin de vous, maintenant, dit Niburu en souriant. Vous n'avez plus besoin de nous. Ça... ça fait un bail, nous trois, hein ? Je crois qu'on aura tous du mal à s'y faire.

– On dirait que tu pars pour toujours, dit Tor.

– Non, chérie, c'est pas ce que j'ai voulu dire. Faut jamais dire jamais. S'il y a une chose qu'il m'ait apprise, dit-il en désignant Reede avec un sourire doux-amer, c'est celle-là.

Elle l'embrassa sur le front, il se baissa pour déposer un baiser sur son nombril, et Ananke roula les yeux, l'air de dire « non mais, vraiment ».

Reede sentit son estomac se nouer.

– Alors, vous partez quand ? demanda-t-il.

Niburu ne répondit pas tout de suite, comme s'il avait attendu autre chose, une autre réponse.

– Dès que notre chargement sera prêt. Quelques jours.

– Et quelques nuits ? demanda Tor en lui passant la main dans les cheveux.

– Et quelques nuits. (Il se tourna vers Reede.) Bien, je pense qu'on passera vous dire au revoir...

– Je hais les adieux, dit Reede en clignant des yeux, ne faites pas ça.

Son nez se mit à couler, il l'essuya d'un coup de manche rageur, puis toussa et marmonna :

– J'ai pris froid.

– Faut vous soigner, dit Niburu, incrédule et surpris.

–' Prenez soin de vous, tous les trois.

Reede lui tendit la main, et Niburu la couvrit de la sienne, leurs marques identiques l'une contre l'autre.

– Ça sera facile, maintenant qu'on travaille plus pour vous, dit-il en souriant.

Reede rigola.

– Merci, murmura-t-il, certain que Niburu comprenait de quoi il le remerciait.

Il se pencha vers Ananke et caressa le quoll, pour la première fois depuis qu'il était allé le repêcher dans la citerne, sur Ondinée. Le quoll émit un petit gargouillis de surprise et le regarda de son œil noir si brillant.

– Prends soin de lui, aussi. Tu lui as sauvé la vie, tu en es responsable, pour l'éternité. Tu connais la loi.

Ananke caressa le quoll, ses doigts effleurèrent brièvement ceux de Reede.

– Je sais, patron, dit-il de sa voix douce un peu forcée. Adieu.

Il y avait quelque chose dans son regard que Reede aurait pu prendre pour du désir, mais cela n'aurait eu aucun sens.

La musique changea de nouveau, ils se tournèrent vers l'orchestre. Il jouait un nouveau morceau et, au-dessous des instruments tiamatains et extramondiens, Reede entendit un air aigu, bouleversant, qui lui rappela douloureusement l'ondinchant.

Il se tourna, et se rendit compte qu'Ariele n'était plus à ses côtés.

Tor pointa un doigt en direction de l'orchestre, et Reede aperçut Ariele parmi les musiciens. Il se rendit alors compte que l'air qu'il entendait sortait de la flûte de son père. Il savait qu'elle avait un don pour la musique, mais ne l'avait jamais entendue en jouer.

La mélodie d'Ariele le captiva un long moment. Lorsqu'il se retourna, les autres avaient déjà pris la direction de la sortie, hors de sa portée, hors de sa vie. Ananke agita une main en guise de salut, et ce fut tout.

Reede se fraya un chemin dans la foule pour se rapprocher de l'endroit où se trouvait Ariele. Il vit Merovy Pierrebleue, à côté de la Reine. Moon avait enroulé un bras autour de sa taille. Elles étaient toutes deux immobiles et écoutaient. La même stupéfaction et le même chagrin se lisaient sur leurs visages. Il se souvint que Tammis emportait une flûte partout où il allait, et qu'il en jouait probablement comme sa sœur... comme Sparks Marchalaube. Les motifs tissés par l'hérédité et l'environnement, par l'amour et le chagrin sont étranges, parfois, pensa-t-il.

– Kullervo.

Il se retourna et vit Gundhalinu.

– Je vous souhaite la bienvenue, dit Reede sans sourire, bienvenue chez les vivants.

Gundhalinu parut surpris, comme s'il n'avait pas compris un mot de ce que Reede venait de dire. Puis il hocha la tête, sans sourire non plus et dit doucement :

– Oui... Merci pour ce que vous avez fait.

Reede haussa les épaules. C'était la première fois qu'il voyait Gundhalinu de près et il fut stupéfait de constater combien il semblait las, combien ses traits étaient creusés. Son séjour dans les camps et les atrocités qu'il y avait subies avaient laissé leurs terribles marques. L'uniforme impeccable, noir et argent, l'éclat des médailles et des décorations au milieu desquelles on apercevait le trèfle, ne faisaient que souligner l'extrême désillusion qu'on pouvait lire dans son regard.

– Cela nous met peut-être à égalité, dit Reede.

Gundhalinu sourit à peine, comme si sa bouche avait oublié comment faire.

En entendant leurs voix, Moon se tourna. Merovy s'était éclipsée, sans doute à cause de lui, pensa Reede. La Reine et Gundhalinu étaient maintenant côte à côte, et leur ressemblance le frappa. L'un était le miroir de l'autre. Ce qu'ils avaient vécu et souffert au cours de leur existence séparée n'était que la manifestation d'un seul et même calvaire. La Reine avait beaucoup changé, aussi, et Reede ne s'en apercevait que maintenant, trop préoccupé jusqu'à présent par son propre sort. Il se demanda ce qu'ils lisaient sur son visage.

– Je savais pas qu'elle en jouait, dit-il en regardant Ariele, toute à sa musique.

Il sentit soudain le désir monter en lui, comme les notes allègres qui s'envolaient dans la salle.

– Moi non plus, dit Gundhalinu, un peu triste.

– Moi non plus...

La voix de Moon faisait écho à la gaieté de la musique. Gundhalinu la prit dans ses bras.

Elle leva la tête vers lui et acquiesça. Comme si entre eux les mots étaient désormais inutiles. Elle se tourna vers Reede, ses yeux étaient des puits de souvenirs. Ils se dirigèrent vers l'escalier par lequel il était descendu un peu plut tôt et Reede regarda leur sortie, comme il avait regardé leur entrée. La boucle était bouclée.

Reede reporta son attention sur Ariele, qui jouait toujours. Il laissa la musique envahir ses pensées et Kullervo se perdre dans la foule.

Main dans la main, Moon et BZ Gundhalinu traversèrent le hall silencieux, vers un second escalier et d'autres couloirs. Il ne lui posa pas de question, la suivit, simplement, comme s'il était toujours prisonnier. Elle avait mal. Elle avait voulu l'emmener dans sa chambre, mais devant la porte elle avait continué et l'avait entraîné, plus loin, sans rien dire. Il n'avait pas posé de question.

Entre l'arrivée du tribunal et le retour de BZ, Moon avait travaillé avec acharnement, chaque jour. Pressée par tous de renégocier les relations entre Tiamat et l'Hégémonie, elle avait aussi dû superviser la remise en état de la ville après le passage de la tempête. Mais tous les soirs, lorsque enfin elle était au lit, seule, elle l'avait imaginé étendu à ses côtés, elle avait entendu son souffle régulier, le battement de son cœur, avait senti la chaleur de ses caresses réchauffer son corps transi de chagrin.

Et pourtant, ici, maintenant, alors qu'ils étaient enfin seuls, elle savait que ce n'était pas cela dont elle avait envie, ni besoin. Le vertige qui les avait saisis, la joie qui avait envahi leurs cœurs à la vue l'un de l'autre les avaient réunis simplement, gracieusement devant la foule des invités. Mais dans ces salles vides, ce moment de plaisir et d'insouciance perdait son éclat. La mémoire reprenait le dessus, et laissait le champ libre aux fantômes et aux ombres. En regardant son visage fatigué, Moon sut qu'il n'en avait pas besoin non plus.

Ils traversèrent toutes les salles et montèrent le dernier escalier, vers la salle de la Reine, qui était aussi le sommet de la ville. La nuit s'offrit à leurs yeux, étincelant de milliers d'étoiles. Au-dessus de la mer, mystérieuse luminescence, s'élevait la face bleu-argent de l'unique lune de Tiamat.

— Je ne savais même pas que cela existait... murmura BZ.

Moon ne savait pas s'il voulait parler de la chambre secrète ou de la beauté de ce qui s'étendait devant eux. Elle posa la tête sur son épaule. Ensemble, ils contemplèrent la nuit et oublièrent un instant jusqu'à leur existence.

Au loin, quelque chose émergea de la mer d'huile, une silhouette, puis une autre et une autre... Très vite, ce fut comme une ribambelle d'ombres dansant à la surface, rappelant tout ce que cachait cette illusion de calme.

— Des ondins ? demanda-t-il.

— Je crois, mais je n'en suis pas sûre, on est trop loin.

— Tu sais, j'ai cru ne jamais revivre en ce monde, soupira-t-il, j'ai cru ne jamais revoir ton visage. (Il leva vers elle une main usée par le travail, tenta une timide caresse.) Ils ont essayé de me tuer...

— Qui ?

Moon tenta de retenir son regard, mais il détourna les yeux.

— Ceux qui m'ont félicité à mon retour et m'ont léché les bottes, ce soir, probablement. Ils ont manqué d'influence, ou de courage pour le faire tout de suite, alors ils m'ont envoyé là-bas... et espéré que le temps ferait leur besogne à leur place. Mais tu m'as sauvé la vie, encore une fois.

Il l'embrassa dans les cheveux, tendrement.

Elle ne dit rien, resta immobile, ne répondit pas à son geste, se rappelant combien le fil était mince, qui reliait la vie à la mort. Trop de décisions irréversibles avaient été prises.

Il l'enlaça.

— Moon, je suis désolé... Tellement...

La Reine reconnut dans cette voix brisée les sons qu'avait émis sa propre gorge dans les moments de profond chagrin qui avaient jalonné sa vie.

Sa joue frotta contre l'étoffe froide et impersonnelle

de l'uniforme alors qu'il la serrait dans ses bras. Mais elle ne ressentit aucun réconfort.

— Notre Mère à Tous, murmura-t-elle en regardant la mer, j'aurais préféré mourir plutôt que de perdre mon cœur.

A la fois terrifiée et compatissante, elle pensait à Arienrhod, dont le corps errait pour l'éternité dans les profondeurs ténébreuses de la mer.

BZ ne sut que répondre, mais il resserra son étreinte, et Moon sentit enfin la chaleur de son corps pénétrer sa peau, comme un baume calmant.

— Regarde, dit-il, ce sont des ondins, on les voit bien, maintenant.

Elle leva les yeux et vit toute la colonie s'ébattre dans la nuit, célébrant l'interface entre leurs deux mondes. Leurs vies n'étaient plus en danger, leur raison d'être avait été reconnue, acceptée. Mais Moon vit dans leurs mouvements, dans leurs danses nuptiales, que, pour leur monde intemporel, le fait qu'ils soient en vie était une raison suffisante pour se réjouir. Elle les regarda émerger et plonger à nouveau, laissant sur l'eau des dessins qui s'imprimèrent dans sa mémoire.

— Comme je les envie, murmura-t-elle, ils ne connaissent pas le regret.

— Jamais plus ils ne mourront du fait de l'homme, qui ne prolongera plus sa vie grâce à leur mort. L'équilibre est retrouvé. Peut-être le temps est-il venu de nous occuper de nos propres vies. De notre vie commune. Nous avons déjà perdu tellement de temps...

Moon ferma les yeux, pensant à une éternité dans laquelle la flèche du temps aurait perdu son chemin et pointerait dans toutes les directions. Elle regarda de nouveau la mer, puis le ciel étoilé, sans arriver à distinguer l'endroit où l'une devenait l'autre, comme s'il n'y avait pas de ligne de partage, mais plutôt un seul espace continu, des profondeurs de la mer aux profondeurs de l'espace.

— Le temps y pourvoira... Il l'a déjà fait, il continuera. Il nous doit bien ça.

Elle le regarda, vit le reflet de la nuit dans ses yeux sombres.

Enfin, la serrant sur son cœur, la réchauffant, il sourit.

— Il me tarde de vieillir avec toi.

TIAMAT : *Prajna,* orbite planétaire

— Dieux ! dit Kedalion, installé dans le siège de commande du *Prajna,* étirant ses mains jusqu'à les faire craquer. J'ai encore l'impression que je vais me réveiller et tomber de haut. Ananke, dis-moi que je ne rêve pas.

Ananke sourit.

— Ce n'est pas un rêve, ou alors, je fais le même !

Elle tapota le museau du quoll tout en lisant les données du panneau de contrôle.

— Moteur, O.K. Chargement, O.K. Equipement respiratoire, O.K. Tout est O.K., et nous avons l'autorisation de départ. On est libres, Kedalion, libres de nous en aller.

Elle posa le quoll dans sa boîte, qu'elle rangea à l'abri, sous le tableau de bord, et s'installa dans le siège du copilote.

— Paré à sortir de l'espace Tiamat ?

— Paré, répondit-elle sans hésitation.

Kedalion jeta un œil derrière lui.

— Paré, Marchalaube ?

Sparks Marchalaube, la tête bandée, acquiesça, mais ses yeux continuaient de chercher les écrans de visualisation, essayant de voir une dernière fois son monde passer à des milliers de kilomètres en dessous d'eux.

— Ai-je fait ce qu'il fallait ? murmura-t-il.

— J'en sais rien, mais tu as fait une bonne chose... T'es prêt ?

Il effleura les écrans, qui devinrent autant de champs d'étoiles.

Sparks respira un grand coup.

— Je suis prêt.

Ce disant, il ne pensa plus qu'à l'avenir. En souriant, il leva une main, pour rassurer, ou pour dire adieu.

Kedalion contacta le réseau en orbite, loin en dessous d'eux, parla à l'ordinateur du bord pour activer la séquence départ.

Puis, savourant déjà le moment sublime à venir, il s'enfonça dans son fauteuil, tandis qu'autour de lui le *Prajna* se réveillait, et se jetait dans la nuit.

Science-fiction

Depuis 1970, cette collection est leader du genre en France. Tous les grands de la S-F sont présents : Asimov, Van Vogt, Clarke, Dick, Vance, Simak mais également de jeunes auteurs qui seront les écrivains de premier plan de demain : Tim Powers, David Brin... Elle publie aussi des titres Fantasy (Conan, Gor...), genre en plein redéploiement aux Etats-Unis.

CLARKE Arthur C.
2001 : l'odyssée de l'espace 349/2
2010 : odyssée deux 1721/3
2061 : odyssée trois 3075/3
Les enfants d'Icare 799/3
Avant l'Eden 830/3
L'étoile 966/3
Rendez vous avec Rama 1047/7
Rama II 3204/7 Inédit

Les fontaines du Paradis 1304/3
Les chants de la terre lointaine 2262/4
Base Vénus :
- Point de rupture 2668/4 Inédit
- Maelström 2679/4 Inédit
- Cache-cache 3006/4 Inédit
- Méduse 3224/4 Inédit
- La lune de diamant 3350/4 Inédit
- Les lumineux 3379/4 Inédit

CURVAL Philippe	Le ressac de l'espace 595/3
	La face cachée du désir 3024/3
DANIELS Les	Le vampire de la Sainte Inquisition 3352/4 Inédit
DE HAVEN Tom	D'un monde l'autre 3186/5 Inédit
	Le Mage de l'Apocalypse 3308/5 Inédit
DICK Philip K.	Dr Bloodmoney 563/4
	Le maître du Haut Château 567/4
	A rebrousse-temps 613/3
	Les clans de la lune alphané 879/3
	L'homme doré 1291/3
	Le dieu venu du Centaure 1379/3
	Blade Runner 1768/3
DICK et NELSON	Les machines à illusions 1067/3 (Avril 93)
DICKSON Gordon R.	Le dragon et le georges 3208/4 Inédit
	Le Chevalier Dragon 3418/8 Inédit
DONALDSON Stephen R.	L'éternité rompue 2406/6
FARMER Philip José	Les amants étrangers 537/3
	L'univers à l'envers 581/2
	Des rapports étranges 712/3
	La nuit de la lumière 885/3
	Le soleil obscur 1257/4
FERGUSSON Bruce	L'ombre de ses ailes 3226/5 Inédit
	Le poids des âmes 3474/7 Inédit (Juin 93)
FOSTER Alan Dean	Alien 1115/3
	AlienS 2105/4
	Alien 3 3294/4
FRÉMION Yves	Rêves de sable, châteaux de sang 2054/3 Inédit
GIBSON William	Neuromancien 2325/4
	Mona Lisa s'éclate 2735/4 Inédit
	Gravé sur chrome 2940/3
GODWIN Parke	En attendant le bus galactique 2938/4 Inédit
HABER Karen	Le super-mutant 3187/4 Inédit
HALDEMAN Joe	La guerre éternelle 1769/3
	Immortalité à vendre 3097/5 Inédit
HAMILTON Edmond	Les rois des étoiles 432/4
	Le retour aux étoiles 490/4
HARRISON Harry	Le rat en acier inox 3242/3
HEINLEIN Robert A.	Une porte sur l'été 510/3
	Etoiles, garde à vous 562/4
	Double étoile 589/2

Épouvante

Depuis Edgar Poe, il a toujours existé un genre littéraire qui cherche à susciter la peur, sinon la terreur, chez le lecteur. King et Koontz en sont aujourd'hui les plus épouvantables représentants. Nombre de ces livres ont connu un immense succès au cinéma.

ANDREWS Virginia C.	**Ma douce Audrina** 1578/**4**
BLATTY William P.	**L'exorciste** 630/**4**
CAMPBELL Ramsey	**Le parasite** 2058/**4**
	La lune affamée 2390/**5**
	Images anciennes 2919/**5** Inédit
CITRO Joseph A.	**L'abomination du lac** 3382/**4**
CLEGG Douglas	**La danse du bouc** 3093/**6** Inédit
	Gestation 3333/**5** Inédit
COLLINS Nancy A.	**La volupté du sang** 3025/**4** Inédit
	Appelle-moi Tempter 3183/**4** Inédit
COYNE John	**Fury** 3245/**5** Inédit
DEVON Gary	**L'enfant du mal** 3128/**6**
HERBERT James	**Le Sombre** 2056/**4** Inédit
HODGE Brian	**La vie des ténèbres** 3437/**7** Inédit (Avril 93)
JAMES Peter	**Possession** 2720/**5** Inédit
	Rêves mortels 3020/**6** Inédit

KING Stephen	**ÇA** 2892/**6**, 2893/**6** & 2894/**6**
	(Egalement en coffret 3 vol. FJ 6904)
Carrie 835/**3**	**Chantier** 2974/**6**
Shining 1197/**5**	*La tour sombre :*
Danse macabre 1355/**4**	**- Le pistolero** 2950/**3**
Cujo 1590/**4**	**- Les trois cartes** 3037/**7**
Christine 1866/**4**	**- Terres perdues** 3243/**7**
Peur bleue 1999/**3**	**Misery** 3112/**6**
Charlie 2089/**5**	**Marche ou crève** 3203/**5**
Simetierre 2266/**6**	**Le Fléau (Édition intégrale)** 3311/**6**
Différentes saisons 2434/**7**	3312/**6** & 3313/**6**
La peau sur les os 2435/**4**	(Egalement en coffret 3 vol. FJ 6616)
Brume - Paranoïa 2578/**4**	**Les Tommyknockers**
Brume - La Faucheuse 2579/**4**	3384/**4**, 3385/**4** & 3386/**4**
Running Man 2694/**3**	(Egalement en coffret 3 vol. FJ.6659)

KOONTZ Dean R.	**Spectres** 1963/**6** Inédit
	L'antre du tonnerre 1966/**3** Inédit
	Le rideau de ténèbres 2057/**4** Inédit
	Le visage de la peur 2166/**4** Inédit
	L'heure des chauves-souris 2263/**5**
	Chasse à mort 2877/**5**
	Les étrangers 3005/**8**
	Les yeux foudroyés 3072/**7**
	Le temps paralysé 3291/**6**
LANSDALE Joe. R.	**Le drive-in** 2951/**2** Inédit
	Les enfants du rasoir 3206/**4** Inédit

Épouvante

LEVIN Ira — *Un bébé pour Rosemary* 342/**3**
MICHAELS Philip — *Graal* 2977/**5** Inédit
McCAMMON Rober R. — *Mary Terreur* 3264/**7** Inédit
MONTELEONE Thomas — *Fantasma* 2937/**4** Inédit
Lyrica 3147/**5** Inédit
MORRELL David — *Totem* 2737/**3**
NICHOLS Leigh — *L'antre du tonnerre* 1966/**3** Inédit
QUENOT Katherine E. — *Blanc comme la nuit* 3353/**4**
RHODES Daniel — *L'ombre de Lucifer* 2837/**4** Inédit
SAUL John — *La Noirceur* 3457/**6** Inédit (Mai 93)
SELTZER David — *La malédiction* 796/**2** Inédit
SIMMONS Dan — *Le chant de Kali* 2555/**4**
STABLEFORD Brian — *Les loups-garous de Londres* 3422/**7** Inédit
STOKER Bram — *Dracula* 3402/**7**
TESSIER Thomas — *La nuit du sang* 2693/**3**
WHALEN Patrick — *Les cadavres ressuscités* 3476/**6** Inédit (Juin 93)
X — *Histoires de sexe et de sang* 3225/**4** Inédit

Aventure Mystérieuse

BELLINE Marcel — *Un voyant à la recherche du temps futur* 2502/**4**
BERLITZ Charles — *Le Triangle des Bermudes* 2018/**3**
FLAMMARION Camille — *Les maisons hantées* 1985/**3**
GASSIOT-TALABOT Gérald — *Yaguel Didier ou La mémoire du futur* 3076/**7**
MACKENZIE Vicki — *L'enfant lama* 3360/**4**
MAHIEU Jacques de — *Les Templiers en Amérique* 2137/**3**
MARTINO Bernard — *Les chants de l'invisible* 3228/**8**
MURPHY Joseph Dr — *Comment utiliser les pouvoirs du subconscient* 2879/**4**
PETIT Jean-Pierre — *Enquête sur des extra-terrestres...* 3438/**3** (Avril 93)
PRIEUR Jean — *La prémonition et notre destin* 2923/**4**
L'âme des animaux 3039/**4**
Hitler et la guerre luciférienne 3161/**4** Inédit
RAQUIN Bernard — *Retrouvez vous-même vos vies antérieures* 3275/**3**
ROUCH Dominique — *Dieu seul le sait* 3266/**3** Inédit
SADOUL Jacques — *Le trésor des alchimistes* 2986/**4**
VALLEE Jacques — *Autres dimensions* 3060/**5**
Confrontations 3381/**4**

RAMPA T. Lobsang

Histoire de Rampa 1827/**3**
La caverne des Anciens 1828/**3**
Le troisième œil 1829/**3**
Les secrets de l'aura 1830/**3**
Les clés du nirvâna 1831/**3**
Crépuscule 1851/**2**
La robe de sagesse 1922/**3**
Je crois 1923/**2**

C'était ainsi 1976/**2**
Les trois vies 1982/**2**
Lama médecin 2017/**3**
L'ermite 2538/**3**
La treizième chandelle 2593/**3**
Pour entretenir la flamme 2669/**3**
Les lumières de l'Astral 2739/**3**
Les univers secrets 2991/**4**
Le dictionnaire de Rampa 3053/**4**

Les Nouvelles Clés du Mieux-être

Jean-Paul Dubois

Un auteur
d'aujourd'hui
à découvrir.

Un roman
distrayant
et plein
de charme.

J'ai lu 3340/3

Chroniqueur de boxe, Emmanuel se souvient du jour où tout a basculé.

Son vieux père, disparu depuis dix ans, resurgit dans sa vie. Une relation renaît, faite de tendresse, de violence et de jalousie.

Des personnages singuliers, très contemporains. Un style et un ton d'une grande sincérité.

J'ai lu : A chacun son livre, à chacun son plaisir.

3407

Photocomposition Assistance 44-Bouguenais
Achevé d'imprimer en Europe (France)
par Brodard et Taupin à la Flèche (Sarthe)
le 10 février 1993. 6651G-5
Dépôt légal février 1993. ISBN 2-277-23407-9

Éditions J'ai lu
27, rue Cassette, 75006 Paris
Diffusion France et étranger : Flammarion